KB151672

근로자 지원 프로그램 EAP

최수찬, 우종민, 왕은자, 장승혁 지음

근로자지원프로그램 EAP

초판 인쇄 | 2017년 2월 08일
초판 발행 | 2017년 2월 16일

지 은 이 최수찬, 우종민, 왕은자, 장승혁
발 행 인 장주연
출 판 기 획 김도성
편집디자인 김영선
표지디자인 김재욱
발 행 처 군자출판사
등록 제 4-139호(1991. 6. 24)
본사 (10881) **파주출판단지** 경기도 파주시 서패동 474-1(회동길 338)
Tel. (031) 943-1888 Fax. (031) 955-9545
홈페이지 | www.koonja.co.kr

ISBN 979-11-5955-144-4
정가 25,000원

근로자지원프로그램
EAP

서문

최근 사회 전반과 노동시장의 여건이 급격하게 변하면서 근로자들의 삶에 커다란 변화가 일어나고 있다. 저출산과 고령화, 세계화와 무한경쟁, 양극화와 소득 불평등, 실직과 이직 등 과거에 경험하지 못한 새로운 문제들에 노출되어 큰 어려움에 봉착하고 있다. 한편 일과 삶에 대한 근로자들의 가치관이 변하면서 직장과 가정생활에서 균형을 찾고자 하는 욕구가 증가하고, 자기개발 및 여가활동에 대한 비중이 확대되었으며, 신체건강 뿐 아니라 정신건강에 대한 관심도 높아지고 있다.

지속적 성장을 추구하는 기업이라면, 이러한 변화에 능동적으로 대응하고 근로자들이 당면하는 다양한 문제와 욕구에 효과적으로 대처할 방법을 찾기 마련이다. 가령 근로자가 가정 내 문제로 힘들어할 때, 유능한 경영진은 그것을 개인이 알아서 할 문제라고 내버려 두지 않을 것이다. 복잡한 개인 사정 때문에 정신이 다른 곳에 쏠린다면, 몸은 직장에 나와 있어도 마음은 다른 곳에 있게 된다. 이런 상태에서는 주어진 일에 집중할 수 없다. 창조적이거나 부가가치가 높은 일을 하기도 어렵다. 업무 파트너들과 원활한 의사소통과 협력을 하지 못한다. 사고 발생률도 높아진다. 이렇게 발생한 손실은 회사에 부정적 영향을 미친다. 그러므로 근로자가 개인적으로 당면하고 있는 여러 문제들을 합리적으로 해결할 수 있도록 돕는 시스템이 반드시 필요하다. 이것은 거창한

박애주의의 발로가 아니다. 회사의 경쟁력을 높이기 위해서 반드시 필요하다.

근로자지원(Employee Assistance: EA) 또는 근로자지원프로그램(Employee Assistance Program: EAP)으로 통칭하는 서비스는 현대 조직의 중요한 화두이다. 과거 많은 기업들이 직원의 개인적 문제를 방치했다가 조직 운영에 큰 손실을 입었다. 이에 대한 해답을 모색하는 과정에서 EAP가 발전하였다. EAP는 근로자가 개인적으로 풀기 어려운 문제가 있을 때 손쉽게 효과적인 도움을 받을 수 있는 시스템이다. EAP가 활성화되면, 근로자들은 조직에 대해 고마워하고 조직을 아끼게 된다. 회사 입장에서는 소중한 인적자원을 지속적으로 보유하면서 동시에 업무 생산성을 향상시킬 수 있다. EAP는 노사(勞使) 모두의 상생(相生)에 이바지한다.

우리나라에서도 최근 십여 년 사이에 대기업은 물론 많은 중소기업과 공기업에서 다양한 형태로 EAP를 활용하고 있다. 법률적 근거도 마련되어 있다. 2010년 정부는 근로복지기본법 전부 개정을 통해 기업이 근로자의 사기 진작 및 기업 경쟁력 제고를 위해 자율적으로 실시하는 기업복지제도의 일환으로서 EAP를 제시하고 관련된 기본 지침을 법령으로 규정하였다. 우리나라는 세계에서 거의 유일하게 정부 지원으로 영세 중소기업 근로자, 노동취약계층인 구직자와 산업재해 근로자 등에게 무상 혹은 저가(低價)로 EAP 서비스를 제공하는 공공모델을 실현하고 있다. 이제 우리나라의 EAP는 감정노동자, 공무원, 경찰과 소방관, 직업군인, 판사 및 검사, 법원공무원, 동물사육사, 구직자와 산재근로자 등에 이르기까지 다양한 직종의 사람들에게 확산되고 있다. 방법면에서도 전통적인 개별상담은 물론 인터넷과 스마트폰을 이용한 검진과 상담까지 다양하게 발전하고 있다.

지난 2008년, 저자들은 국내 최초의 EAP 개설서인 「근로자지원프로그램(EAP)의 이론과 실제」를 출간한 바 있는데, 본서에서는 최근 EAP의 급속한 발전을 반영하여 그 내용을 대폭 수정하고 보완하였다. 또한 본서는 EAP 전반을 이해하는 데 도움이 되고자 개설서로 집필하였다. 현재 EAP 분야에 종사하고 있는 EAP 서비스 제공자(상담사, 심리학자, 사회복지사, 간호사, 의사, 산업안전보건종사자 등)나 기업상담사, 향후 EAP 분야에서 일하고자 준비 중인 분들에게 교재로 활용되기를 기대한다. 인사부서나 교육훈련, 복지, 노사담당 부서 등 조직의 실무담당자, 중간관리자, 경영진과 노동조합, 정책담당자, 연구자들에게도 참고자료가 될 것이다. 이 책의 7장은 장승혁, 8장은 왕은자가 각각 초고를 집필하였고, 나머지는 우종민과 최수찬이 분담 집필한 뒤, 공동 작업을 통해 완성하였다. 제4부의 사례는 국내외 여러 기관에서 자료를 제공하거나 탐방에 협조해 주어서 기술이 가능하였다.

본서를 출간하는 과정에 많은 분들께 도움을 받았다. 저자들에게 EAP를 가르쳐준 스티브 하이델(Stephen Heidel) 박사와 고(故) 사토루 시마(島悟) 박사, 메릴린 플린(Marilyn Flynn) 박사, 근로자지원전문가협회(EAPA)의 최고경영자를 역임한 존 메이너드(John Maynard) 박사, 위기상황스트레스관리법(CISM)을 지도해준 제프리 미첼(Jefferey Mitchell) 박사와 죠지 에벌리(George Everly) 교수에게 특히 감사드린다.

일하는 사람이 더 행복하고, 더 건강하고, 더 생산적인 삶을 누릴 수 있도록 돕는다는 것이 EAP의 사명이다. EAP를 통해 우리 사회가 조금 더 살맛나는 아름다운 사회가 되리라 믿는다.

저자 최수찬, 우종민, 왕은자, 장승혁

저자 약력

최수찬

연세대학교 사회과학대학 사회복지학과 교수. 사회복지학, 사회학, 노사관계학을 기반으로 다학제간 연구를 수행한 후, 자동차산업종사자 대상의 기업복지 및 EAP 관련 욕구분석 논문으로 박사학위를 취득하였다. 이후 근로자의 기업복지/EAP 욕구조사를 비롯하여, 직무스트레스, 직장폭력, 감정노동, 일-가정 양립, 주말부부, 이주노동자 및 결혼이주여성 등을 주제로 국내외 다수의 논문을 발표하였다. 저서로는 《국내기업복지의 활성화 방안(학술원 우수도서)》《사회복지부문에 대한 뉴패러다임 컨설팅 사업의 성과분석》《직무스트레스의 현대적 이해(공저)》《Advancing Social Welfare of Korea: Challenges and Approaches(공저) 》《선진 기업복지제도의 이해(공저)》 등이 있다.

우종민

의학박사. 정신건강의학과 전문의. 〈마음力연구소〉 소장. 세계정신의학회 산업정신의학위원회 위원. 한국직무스트레스학회와 한국EAP협회의 창립과 발전에 기여하였고, 근로복지공단 질병판정위원회 위원을 역임하는 등 근로자의 심신 건강과 행복을 위해 노력해왔다. 여러 기업과 협력하여 조직의 마음건강 관리를 돕고 있으며, 마음의 힘을 기르는 〈멘탈 피트니스(Mental Fitness) 프로그램〉을 보급하고 있다. 스트레스와 산림치유 등을 주제로 한 140여 편의 국내외 학술논문이 있고, 저서로는 《우종민 교수의 심리 경영》《뒤집는 힘》《남자 심리학》《마음력》《스트레스 힐링》《티모스 실종사건》 등이 있다.

왕은자

철학박사. 수련감독 전문상담사(한국상담학회 산하 기업상담학회), 상담심리사 1급 전문가(한국상담심리학회). 한국상담대학원대학교 교수. EAP 및 기업상담 현장에서 15년 이상 상담 및 훈련, 연구를 해오고 있다. 기업상담 실제, 상담의 전략적 응용: 코칭, 기업교육 및 훈련, 상담 현장에 적용가능한 상담성과 평가도구 개발과 관련한 다수의 연구를 하고 있으며, 《기업상담》《조직개발, 인적자원개발을 위한 기업상담 이론과 실제》 등의 역서가 있다.

장승혁

직장인. 설계엔지니어–프로젝트매니저–경영개선–인사 실무를 통해 얻은 경험을 바탕으로 직장에서 개인이 겪는 스트레스가 기업의 생산성에 미치는 영향을 연구하고, 현대/기아차 연구개발본부내 상담센터를 처음으로 도입하였다. 기업상담연구회 활동을 통해 현재 한국상담학회 산하 기업상담분과학회 이사(수련감독급)를 맡고 있으며, 한국EAP협회와 한국카운슬러협회 활동에 참여하고 있다. 기업에서 EAP를 도입 · 운영함에 있어 조직내 고려사항과 운영자의 역할 그리고 회사와 경영진이 이를 통해 얻을 수 있는 장점에 대해 관심이 많다.

목차

제 2 부 EAP 도입과 운영

제 3 부 EAP 서비스의 내용과 전개

제 4 부 사례 연구

부록

제 1 부

EAP의 개관

제1부에서는 EAP의 개념과 관련 용어를 정의하고, EAP의 등장 배경 및 발전에 대해 개괄하고자 한다.
먼저 EAP가 등장한 시대적 필요성을 살펴보고, 그 역사적 발전과정에서 개입모델과 다양한 유형을 이해하고자 한다. 특히 생활지원서비스와 건강증진 프로그램을 포함한 EAP의 통합적 발전 양상에 대해 살펴보고자 한다.

제 1 장

개념과 역사

본 장에서는 근로자지원프로그램 즉 EAP(Employee Assistance Program)의 개념과 등장배경, 발전과정, 개입모델과 유형 등을 포괄적으로 살펴보고자 한다. EAP의 개념과 요소 등은 본질적으로 동일하지만, 각 시대와 개별 기업의 필요에 따라 다양한 형태로 발전하고 있다. 특히 최근 글로벌 기업들은 전통적 EAP, 생활지원서비스(Work & Life Service), 건강증진서비스(Wellness Service) 등의 통합적 지원망을 구축하고 포괄적 서비스를 제공하고 있다. 본 장에서는 우종민·최수찬(2008)과 최수찬(2016)에서 제시된 EAP의 개념을 재구성하고, EAP의 역사와 유형은 추가적으로 보충·기술하였다.

1. 개념과 용어

1) 개념

EAP 서비스의 형태와 내용은 각 사업장에 따라 매우 다양하게 진행되고 있다. 그래서 EAP의 정의도 시대와 국가, 조직에 따라 조금씩 다르다.

일반적으로 EAP는 직무수행과 직 · 간접적으로 관련된 근로자의 개인적 · 정서적 문제를 확인하고, 이에 대응하는 직무조직의 절차나 정책으로 이해될 수 있다(Walsh, 1982). 이와 유사하게 Googins와 Godfrey(1987)는 EAP를 근로자의 직무에 영향을 줄 수 있는 문제에 직장이 합당하게 개입하는 일련의 정책과 프로그램으로 보고 있다. Ramanathan(1992)이 주장하는 EAP란 '문제 근로자를 파악하고, 이들이 자신의 문제를 스스로 해결할 수 있도록 도우며, 서비스가 필요한 근로자에게 상담이나 치료를 제공하는 직무관련 프로그램'이다. Kurzman(1993)은 EAP를 '직장에서의 업무수행에 지장을 가져올 만한 일신상의 문제나 정서상의 문제, 혹은 행동상의 문제를 지닌 근로자들에게 정책지향적, 절차지향적, 상담지향적 서비스를 제공하는 일련의 사업'이라고 정의내리고 있다.

EAP에 대한 사전적인 정의로서, 미국 사회복지사전(Social Work Dictionary)에서는 EAP를 '직무만족이나 생산성에 부정적인 영향을 미칠 수 있는 문제를 가진 근로자를 돕는 일련의 서비스로서 조직 내부나 외부 기관을 통해 제공될 수 있다'고 정의한다(Baker, 1991). 이러한 EAP 서비스는 알코올이나 약물의존에 대한 상담, 부부치료나 가족치료, 경력 상담, 그리고 부양가족을 위한 서비스 기관의 의뢰를 포함한다.

1971년에 설립되어 세계 40여개 국가에서 가장 많은 EA(Employee Assistance) 관련 회원을 확보하고 있는 근로자지원전문가협회(Employee Assistance Professionals Association: EAPA)에서는 EAP를 '생산성 문제가 제기되는 직무조직을 돕고, 건강문제, 부부 · 가족생활문제, 법 · 재정문제, 알코올 · 약물문제, 정서문제, 스트레스 등 업무성과 전반에 영향을 미칠 수 있는 근로자 문제를 해결하기 위해 개발된 사업장 기반의 프로그램'으로 규정하고 있다(www.eapassn.org).

이렇듯 관련 학자와 조직에 따라 EAP의 정의는 조금씩 차이가 있지만, 결국 직무성과에 영향을 미칠 수 있는 개인적 문제를 완화하기 위해 조직 내부나 외부의 자원을 통해 제공되는 사회심리적 서비스로 정의할 수 있으며, 그 개입의 대상은 문제를 가진 근로자와 가족, 친지,

직무조직, 지역사회 전체를 포괄한다.

2) 용어

EAP는 단기간 내에 국내에서 확산되었다. EAP라는 용어도 초기의 생소함을 벗어나서 이제는 개인적 · 정서적 고충 해결을 돕는 다양한 서비스를 포괄하는 이른바 '서비스 플랫폼'의 통칭으로 자리잡고 있다.

용어의 역사적 맥락을 살펴보면, EAP에서 가장 근간이 되는 용어는 '근로자지원(Employee Assistance: EA)'이다. 그래서 과거 서구에서는 'EA 서비스(EA service)'라는 표현도 많이 사용되었다. 하지만 최근에는 EAP라는 명칭이 일반적으로 사용되고 있다.

국내에서는 그간 EAP의 번역어로서 '근로자지원프로그램'이나 '직장인지원프로그램', '종업원원조프로그램' 등이 다양하게 사용되었다. 하지만 지난 2010년 근로복지기본법에서 EAP가 '근로자지원프로그램'으로 명명된 뒤, 이것이 현재 법률적이며 공식적인 용어로 사용되고 있다. 당시 용어 선택 과정에서 'program'을 '프로그램'으로 번역하는데 대해서는 별 이견이 없었지만, 'EA'를 '근로자지원'으로 번역하여 사용하는데 대해서는 다소 논란이 있었고, 관련 부처에서도 고심을 하였다.

우선 'employee'는 '근로자', '노동자', '종업원', '직장인', '(임)직원' 등 다양하게 표현된다. 일반적으로 정부와 공기관에서는 '근로자'로 표기하지만, 민간 기업에서는 '사원'이나 '임직원', '직장인' 등으로 부르기도 한다. 이것은 단순히 선호하는 말의 차이가 아니라, 실제로 서비스의 수혜 및 참가 대상자가 조금씩 다르기 때문이다. 가령 EAP 서비스의 대상은 평직원에 국한되지 않는다. 경영진과 임원, 상급 관리자도 서비스를 이용할 수 있다. 서비스 내용도 근로자 개인을 돕는 활동 뿐만 아니라, 관리자의 조직 운영에 대한 교육훈련과 컨설팅, 근로자 본인 이외에 가족에 대한 서비스까지 포괄한다. 따라서 '근로자'라는 용어로는 조직 전체나 경영진 · 관리자, 가족에 대한 지원 활동을 포함하기 어려운 한계가 있다. 자칫 EAP를 평직원만이 받는 개인상담으로 국한하는 오해를 야기할 수 있는 것이다.

둘째, 'assistance'에 대해서는 '원조' 보다는 '지원'으로 표현하는 것이 일반적이다. 그런데 '지원'이라는 말이 아주 포괄적이기 때문에 구체적 지원 내용이 드러나지 않는다. 그래서 '무엇을 지원하느냐'는 질문을 종종 받는다. EAP의 출발이 되었던 음주문제를 비롯하여 밖으로 드러내기 어려운 민감한 문제를 다루고 있고, 또한 하나가 아닌 여러 가지 문제에 복합적으로 개입하는 경우가 많기 때문에 서구에서도 포괄적으로 '지원(assistance)'으로 표현한 것으로 본다. 이런 검토를 거쳐 EAP는 '근로자지원프로그램'으로 근로복지기본법에 기술하게 되었다.

하지만 어떻게 번역을 하든, 시대에 따라 역동적으로 변화하는 EAP의 전부를 충분히 담아내기에 한계가 있기 때문에 현장에서는 EAP란 영문약어를 하나의 고유명사처럼 널리 사용하고 있다. 본서에서도 국내 활동에 대해서는 '근로자지원프로그램'을 사용하지만, 전반적 통칭으로는 'EAP'를 그래도 사용하고자 한다.

그 외에 EAP와 관련된 용어를 몇 가지 더 정리해보자면, 우선 EAP 서비스를 제공하는 내부 또는 외부의 개인이나 기관은 'EAP 제공자(provider)'로 통칭할 수 있다. EAP 제공자 중에서 상담만 전담하는 사람은 'EAP 상담사(counselor)', 초기 접수와 기초상담을 하고 사례를 분류하여 의뢰를 하는 사람은 'EAP 코디네이터(coordinator)', 소정의 교육훈련과정을 거쳐 EAP 전문가로 인증된 사람은 'EAP 전문가(professional)'로 불린다. 예를 들면, 근로자지원전문가협회(EAPA)에서 공인된 교육훈련 과정을 거친 공인근로자지원전문가(Certified

Employee Assistance Professional: CEAP)가 여기에 해당한다. 한편 EAP 업무를 담당하는 조직의 담당자는 'EAP 담당자(staff)'로 칭해진다. 동료직원에게 문제가 있다고 추정될 때 EAP를 소개하고 의뢰하는 역할을 하는 부서의 상급자는 '관리자(supervisor/manager)'로 통칭한다. 관련 문헌에 'supervisor'란 말이 자주 등장하는 데, 이를 감독자나 현장주임으로 별도로 사용하는 것은 꼭 필요한 경우로만 제한했다. EAP의 초창기에는 제조업종에서 일반 근로자의 음주 문제가 큰 비중을 차지했다. 이때는 문제 파악과 의뢰, 후속 관리에서 현장주임의 협조와 지원이 아주 중요했다. 하지만 지금은 제조업 이외의 업종이 더 큰 비중을 차지하고 있으며, 과거의 수직적 조직 구조와는 달리 팀제가 보편화되었다. 따라서 감독자나 현장주임이란 말을 그대로 사용하기는 어렵다.

2. EAP의 등장[1)]

1) 18-19세기

서구 EAP의 역사는 직장내 근로자의 알코올 남용 문제와 이에 대한 대응에서 시작했다. 18세기 영국에서는 직장내 음주가 만연하여 사업주가 근로자에게 직접 술을 파는 일이 흔하였다. 일례로 석탄운송 선박업주는 화물노동자에게 매일 일정량의 술을 제공하고 이를 마시도록 권하기도 했다. 또한 노동자의 음주 여부와 관계없이 제공한 술값을

1) EAP의 역사는 다음의 자료를 참고하여 재구성함: Trice, H.M. & Schonbrunn M. (2009). A history of job-based alcoholism programs 1900-1955. In M.A. Richard, W.G. Emener, & W.S. Hutchison (Eds.). Employee Assistance Programs: Wellness/Enhancement Programing (pp.5-27). Springfield, IL: Charles C. Thomas Publisher; Dickman, F. & Challenger, B.R. (2009). Employee assistance programs: A historical sketch. Ibid., pp. 28-33.

임금에서 제하였다. 19세기에 이르러서도 영국의 부두노동자는 음주를 위한 휴식을 적어도 하루에 4~5차례 가졌다. 미국 역시 예외가 아니어서 거의 전 업종에서 근무 중 음주가 성행하였으며, 남부지역에서는 마치 커피처럼 위스키나 브랜디를 마시며 휴식을 즐긴다는 의미의 '엘레밴더스(elevenders)'가 유행하기도 했다.

이러한 '술 권하는 사회 풍조'에 반기를 들고, 지역사회 차원에서 절주 혹은 금주를 주장했던 일련의 움직임도 있었다. 1789년 미국인 Benjamin Rush와 코네티컷 주의 200여명의 농부들은 위스키 제조를 금지하는 운동을 펼쳤으며, 이후 개신교와 천주교의 적극적인 지지 속에 1826년 미국 금주회(American Temperance Society)가 설립되기도 했다. 이 단체는 1839년까지 8천여 개의 지역모임과 150여만 명에 이르는 회원을 확보하면서, 1840년 워싱턴 금주회 설립의 모태가 되었다. 술에 대한 광범위한 법적 제재까지도 주장했던 워싱턴 금주회는 당시 독특한 금주운동을 벌여 주목을 받았는데, 즉 금주를 위해 알코올중독자간 상부상조하는 모습이나 과거 알코올 중독자가 자신의 금주 성공담을 설파하면서 중독자를 인도하는 방법(Each One Bring One) 등은 이후 알코올중독자 갱생회(Alcoholics Anonymous: AA) 탄생에까지 기여하게 된다.

2) 20세기 초반

1900년대에 들어와 1935년 AA의 창설은 가장 주목받는 금주운동이었다. 당시 뉴욕의 증권 중개인 Bill Wilson은 사업에 실패하고 여행을 하던 중, Bob Smith 박사와 우연히 만나 술에 관한 대화를 나누었다. 이때 두 사람은 서로 만나 이야기하는 것 자체가 금주에 얼마나 도움이 되는지 깨닫고, 즉각적으로 AA 창설을 결의하게 된다. AA는 알코올

중독에서부터 회복하기 위한 12단계 방법을 제시하였으며, 동시에 병리학적 시각에서 알코올중독의 심각성을 홍보하였다. 특히 1940년대와 1950년대에 이르러서는 그 관심의 대상을 직장으로 옮겨 근로자의 알코올중독 문제 해결에 공헌하였다.

한편, 20세기 들어 작업공정에 있어서 최대의 효율성을 강조한 테일러리즘(Taylorism)이 각 사업장에 전파되면서, 사업주들에게 있어서 술은 작업의 효율성을 방해하는 최대의 적으로 인식되기 시작했다. 이와 함께 산업재해가 발생할 경우 그 책임을 사업주에게 묻는 근로자 재해보상책임(Workers' Compensation)이 강화된 것 역시 직장 내 음주문제에 대한 사업주의 적극적인 대처를 요구하게 되었다. 또한 음주와 직업과의 연관성을 밝힌 Sullivan의 연구(1906)를 필두로 음주의 폐해를 알리는 다수의 보고서가 출간되었다. 특히 1935년 알코올 문제 및 치료에 관한 연구를 전담하는 예일센터(Yale Center of Alcohol Studies)의 설립과 활동을 통해 알코올리즘이 업무성과에 부정적인 영향을 미치지만 중독자들에 대한 재활을 통해 직장으로의 성공적 복귀가 가능하다는 사실이 입증되었다. 이러한 연구결과는 알코올중독을 치료 가능한 질병으로 확인시켜주었으며, 이에 따라 기업들이 알코올중독에 대한 교육과 치료를 수반할 수 있는 정책이나 프로그램을 개발할 수 있는 여지를 마련해 주었다. 또한 예일센터의 활동을 기반으로 설립된 전국알코올문제협의회(National Council on Alcoholism)에서는 기업에서 구체적으로 활용 가능한 알코올관련 프로그램 모델을 고안하고, 이를 보급하였다. 이외에도 각종 언론 매체에서 알코올중독의 심각성을 알리기 시작한 것도 음주문제에 대한 사업주의 관심을 불러일으키는데 공헌하였다.

3) 1940년대

1941년 일본의 하와이 진주만 공습으로 인해 제2차 세계대전에 본격적으로 참전하게 된 미국은 전쟁에서 필요한 군수물자를 만들어내기 위해 쉼 없이 공장을 가동했다. 전시체제 하에서 군수공장의 근로자들은 장시간 노동과 교대근무를 해야 했고, 높은 수준의 스트레스로 음주를 일삼는 근로자가 급증하였다. 그 결과 산업재해가 빈번하게 발생하였으며, 이에 사업장의 안전을 담보하기 위한 방편으로서 조직차원의 스트레스 및 알코올리즘 관리 프로그램의 필요성이 대두되었다. 일례로 군수물자를 실어 나르던 상선 종사자는 전쟁에 대한 불안감으로 알코올남용에 이르는 경우가 흔했다. 이에 일부 사업주는 음주문제를 공론화하고 사내 재활센터를 건립해 운영하기도 했다. 특히 참전 후 다시 생업에 복귀한 수백만의 재향군인들은 전쟁으로 인한 외상후스트레스장애(Post-Traumatic Stress Disorder: PTSD)를 경험하거나 새로운 업무환경에 대한 부적응을 호소하며 음주에 빠지는 경우가 많았기에 이에 대한 근본적인 대책이 요구되었다.

이러한 시류에 부응하고자 기업에서는 음주문제 근로자에 대한 지원을 본격화하기 시작했는데, 1940년 퍼시픽 전신전화(Pacific Telephone & Telegraph Company)는 사내 근로자급부제도(employee benefit plan)에 음주 때문에 장애를 입은 근로자에 대한 지원을 추가하였다. 뉴잉글랜드 일렉트릭(New England Electric Company)은 전쟁으로 인한 중압감으로 문제 음주자가 된 근로자를 위해 재활을 시도하였고, 일리노이 벨 전화(Illinois Bell Telephone)도 종전이 될 때까지 알코올중독자의 갱생을 도왔다. 다만 1940년대 초반, 문제 음주자에 대한 지원은 대부분 비공식적으로 조용히 진행되었고, 1940년대 후반에 이르러서야 점차 공식적인 모습을 갖추었다. 1944년 웨스트코스트 북미항공(North American Aviation on the West Coast)의 인사팀장인 Webb Hale은 갱생한 중독자 Earl S.[2]를 카운슬러로 고용하고, 음주문제 개입 프로그램을 운영하기 시작했는데, 이는 예전에 비해 더 공식화된 프로그램으로 평가받고 있다.

미국에서 음주문제 근로자를 위한 공식적인 지원프로그램은 1945년 이후 본격화 되었다. 카터필러 트랙터(Caterpillar Tractor Company)는 의료부서를 통해 알코올중독 문제를 포함한 포괄적 정신건강프로그램을 개발하여 전체 사업장에 적용했으며, 듀퐁(DuPont)은 AA출신의 David M.을 문제음주자 전담 카운슬러로 채용하고, 공식적인 내규와 코디네이터까지 갖춘 사내 프로그램을 만들어 음주문제가 심각한 간부들에게 서비스를 제공하였다. 한편 이스트만 코닥(Eastman Kodak)의 John L. Norris 박사는 AA를 비롯한 회사 외부 자원의 중요성을 일찍부터 인식하고, 알코올 문제 해결을 위해 여러 외부 기관과 정보를 교환하고 협업하였다. 또한 그는 새로운 외부 자원을 창출하는 데에도 적극적이었는데, 일례로 뉴욕 주 로체스터에 새롭게 알코올위원회를 설립하는데 공헌하기도 했다.

4) 1950년대

1950년대 들어서는 보다 다양한 매체와 방법을 통해 음주문제에 대한 접근이 이루어졌다. 크리스토퍼 스미터스 재단(Christopher D. Smithers Foundation)은 알코올리즘에 대한 교육과 대처를 위해 1952년에 설립된 최초의 민간 재단이다. 이 재단은 음주문제 해결을 위해 노사 양측의 공동 노력을 강조하였으며, 1940년대와 1950년대에 존재

2) 당시 AA에서는 알코올중독자의 익명성을 위해 성(last name)의 첫 머리글자(initial)만을 표기하였다.

했던 사내 음주 예방 및 치료 프로그램을 조사하여 1958년 「사내 프로그램 기본 개요(A Basic Outline for a Company Program)」라는 서적을 발간하기도 했다. 뉴욕시의 기자이자 후에 크리스토퍼 스미더스 재단의 교육팀장을 역임하기도 했던 Charles P. Frazier는 '10억불짜리 숙취'라는 기사를 통해 알코올리즘 때문에 미국 산업이 겪게 되는 손실이 연간 10억 달러에 이른다고 주장하면서 회사 차원의 개입의 필요성을 강조하였다. 당시 3회에 걸쳐 연재된 Frazier의 기사는 250개가 넘는 신문과 잡지에 소개가 되면서 많은 독자와 사업주의 관심을 불러일으켰다. 또한 1950년 보스턴지역 알코올위원회의 위원장이었던 Elizabeth W.는 매주 '알코올리즘은 모든 사람들과 관계된 일(Alcoholism is Everybody's Business)'이라는 프로그램을 제작하여 라디오 방송을 시작했는데, 당시 15만 명이 넘는 청취자를 확보하기도 했다.

이 시기에 음주문제에 대한 학술적 접근 또한 활발히 전개되었다. 미국산업의사협회(American Association of Industrial Physicians and Surgeons)[3]에서는 협회 산하에 알코올리즘 위원회를 구성하고, '의학적 문제로서의 산업계 알코올리즘'이라는 제목의 심포지엄을 개최(1949)하여 음주문제 근로자에 대한 의료계의 관심을 불러 일으켰다. 대학부속 병원 중에는 최초로 뉴욕대학교 메디컬센터에 알코올리즘 컨설팅 클리닉이 생겼고, 뉴욕시의 많은 산업의는 음주문제 근로자를 이 센터에 의뢰하여 치료받도록 하였다. 이외에도 알코올리즘에 대한 새로운 치료법이나 사례를 소개한 다수의 저널과 서적이 출간되었으며, 관련 세미나가 대학 차원에서 개최되기도 했다.

한편 케네코트 구리회사(Kennecott Copper Company)의 Lewis

---

3) 오늘날 미국산업의학협회(American Occupational Medical Association)를 가리킴.

Presnall은 업무성과의 저하를 근거로 감독자가 문제 근로자를 찾아내는 모델을 고안해 냈다. 이는 훗날 EAP에서 상사나 직장동료들이 문제 근로자를 의뢰하는 모형의 효시가 되었다. 또한 반드시 알코올 문제가 아니더라도 업무성과를 떨어뜨리는 모든 문제에 대해 관심을 가지고 다양한 문제에 대한 개입을 펼치는 현대적 개념의 EAP 탄생에 통찰력(insight)을 제공하였다. 이와 함께 Presnall이 문제 근로자를 지역사회 내 치료기관에 직접 의뢰했던 것 역시 훗날 EAP가 동원할 수 있는 자원을 다양화시키는데 크게 공헌하였다.

5) 1960-1990년대

1960년대는 음주문제에 대한 회사차원의 개입이 일반화되고, 이에 더 나아가 음주 외 다양한 문제를 경험하고 있는 근로자에게까지 그 지원이 확대되면서 현대적 개념의 EAP가 태동하는 시기이다. 물론 EAP라는 공식 명칭은 1970년대 후반에 이르러서야 등장하지만, 현대적 개념의 EAP는 1962년 캠퍼그룹(Kemper Group)에서 최초로 시작되었다. 이 회사는 기존의 알코올 재활프로그램을 근로자의 가족에게까지 확대하고, 특별히 근로자에게는 알코올 이외에 생활 문제까지도 포함하여 지원을 실시하였다. 이는 산업알코올리즘프로그램(Occupational Alcoholism Program: OAP) 영역에서 벗어나 다양한 문제에 대한 종합적인 접근이 시작되었음을 알리는 것이었다.

1970년대에 들어와 음주문제 근로자에 대한 지원은 더욱 조직적이고 체계적으로 발전해 나갔다. 미국의 경우 1970년에 포괄적인 알코올 남용 및 중독 예방 · 치료 · 재활에 관한 법(Comprehensive Alcohol Abuse and Alcoholism Prevention, Treatment, and Rehabilitation Act)을 제정하여 모든 연방기관과 군(軍)에 알코올중독 방지 프로그램을 의무적으로 갖추고, 알코올 남용 및 중독에 대한 국가위원회(National Institute on Alcohol Abuse and Alcoholism: NIAAA)를 설립하였다. 2년 뒤, 이 법은 약물남용에 대한 치료 조항까지 포함하였다. 특히 NIAAA는 주마다 2명의 산업컨설턴트를 두어 이들로 하여금 기업에서 OAP를 개발할 수 있도록 도왔다. 그 결과, 1973년 500개에 불과하였던 OAP는 1980년에 4,000개로 급증하였다(Googins, 1987).

OAP에 있어서 전문성은 알코올리즘에 대한 노사자문협회(Association of Labor and Management Consultants on Alcoholism: ALMACA)의 설립으로 더욱 공고하게 되었다. ALMACA는 직장인들의 알코올중독에 관한 정보를 수집 · 배포하고, 관련 연구를 활발히 진행하였으며, OAP의 기준을 지속적으로 강화시키는 역할을 수행하였다. 이 협회는 후에 EAPA로 개명하고, 1987년부터 기업 상담사 인증을 주관하게 되었다.

1970년대 말에 이르러 OAP는 알코올과 약물에 대한 집중에서 차츰 벗어나 다양한 분야에 관심을 가지기 시작했다. 그 배경은 첫째, 알코올이나 약물 중독에서 이미 회복중인 근로자라 할지라도 단기개입이 필요한 여러 문제(부부, 가족, 법, 재정 문제 등)를 경험할 수 있기 때문이다. 둘째, 알코올중독프로그램이라는 이름에서 비롯될 수 있는 낙인현상과 심리적으로 이를 부정하려는 경향 때문에 알코올 중독만을 특별히 치료하는 프로그램을 활성화하는 데는 어려움이 있었다. 셋째, 당시 예방과 조기치료에 큰 관심을 두었던 지역사회 정신건강운동은 근로자의 생산성 감소를 야기하는 문제 전반에 대한 광범위한 접근이 보다 효과적이란 것을 밝히는데 도움을 주었다.

이에 따라 1978년 NIAAA는 광범위한 문제에 대한 포괄적 프로그램이 가장 성공적이었다는 조사 결과를 토대로 OAP 대신 EAP라는 새로운 용어를 만들어 내었고, 이를 적극적으로 홍보하기 시작했다. 이제 업무에 어려움을 경험하고 있는 근로자들은 그 문제의 원인이 무엇이든지 관계없이 제도화된 지원 프로그램을 통해 도움을 받을 수 있는 길이 열린 것이다. 결국 EAP는 OAP가 가지고 있었던 한계와 문제점을 극복하고, 알코올리즘을 포함한 다양한 문제에 대한 포괄적 개입을 성공적으로 이끌어 냈다.

끝으로 1970년대 이후의 주요 특징 중 하나는 단기 위주의 상담이 정착된 것을 들 수 있다. 과거에는 정신분석의 전통에 입각한 장기간의 치료 모델이 우선되었지만, 이후 발표되는 정신건강 관련 연구들을 살펴보면 다수가 10회기 정도의 단기 개입으로도 문제가 거의 해결되었다. 즉 대부분의 개인적 문제는 일시적인 생활상의 갈등이나 고충과 관련되어 있었고, 10회기 전후의 문제해결 중심 개입으로도 본래의 기능 회복이 가능했으며, 이후 15회, 20회로 회기가 더 길어져도 효과에 큰 차이가 없었다. 만성적인 정신건강 문제나 심한 질환일 경우에는 단기간 개입으로 해결되지 않고 25~30회기 이상의 장기간 개입이 필요하지만, 이러한 개입이 필요한 근로자의 수는 아주 적었다. 따라서 EAP는 8~10회기 내로 해결할 수 있는 상황적 요인 해결과 일시적인 생활상 고충 및 갈등 해결에 집중하는 프로그램으로 변화하였다.

6) 1990년대 이후 EAP의 확산

미국의 경우 EAP는 1996년에 이미 약 2만여 개로 그 수가 급증하였다. 전체적으로 미국 노동력의 55% 이상이 원할 경우 언제든지 EAP를 이용할 수 있는데, 이와 같은 사실에서 EAP의 발전 속도를 쉽게 짐작할 수 있다(Van Den Bergh, 2000).

서구에서 EAP가 빠르게 확산되었던 요인을 요약하면 첫째, 약물중독, 정신질환, 스트레스 문제의 심각성과 관리의 중요성이 인식되었고, 둘째, 직장과 가정생활을 조화시켜야 하는 문제가 대두되면서 이러한 문제가 기업에게 직 · 간접적인 비용부담으로 작용했으며, 셋째, EAP가 생산성 증가, 건강 증진, 애사심 고취 등의 측면에서 투자 대비 효과성이 뛰어났기 때문이다.

이를 보다 구체적으로 살펴보면 첫째, 사업장에 대한 사회 및 정부의 규제가 강화됨에 따라 기업은 이에 대한 대응의 일환으로 EAP를 활용하게 되었다. 일찍이 1964년 공민권법(Civil Rights Act)의 제정으로 소수민족의 노동시장 참여가 대거 이루어졌다. 1967년 고용연령차별금지법(Age Discrimination in Employment Act)으로 고연령 근로자의 수 역시 더욱 증가하였다. 따라서 전통적인 노동계층과 구별되는 욕구를 가진 신규 노동인력을 위한 새로운 사회서비스 개발의 필요성이 대두되었다.

또한 알코올중독 문제를 다루기 위한 국가차원의 노력의 일환이었던 NIAAA 뿐 아니라 산업안전보건법(Occupational Safety and Health Act of 1970), 건강관리기구법(Health Maintenance Organization Act of 1973), 근로자퇴직금보호법(Employee Retirement Income Security Act of 1974)〉, 약물 없는 일터법(Drug-Free Workplace Act of 1988), 장애인법(Americans with Disabilities Act of 1990), 가족의료휴가법(Family and Medical Leave Act of 1993) 등이 제정되어 사업장 또는 근로자 대상의 각종 규제가 현실화 되었다. 즉 기업은 특수한 욕구를 가진 근로자에 대처하고, 사업장에서 근로자의 안전과 건강을 증진시키며 의무적으로 취업모의 출산 후 업무 복귀를 보장해야 했다. 이러한 일련의 법적 규제에 대해 기업은 포괄적 서비스를 지향하는 EAP를 활용하여 근로자의 다양한 욕구를 충족시키고, 의무 불이행 시 제기될 수 있는 근로자의 법적 소송에도 효과적으로 대처하고자 했다.

둘째, 여성의 사회 진출이 일반화됨에 따라 육아 및 노부모 부양 등의 문제가 크게 대두되었으며, 결국 이러한 문제들이 기업에게 직 · 간접적인 비용 부담으로 작용하게 되었다. 예컨대 미취학 자녀를 가진 미국 여성의 60%가 취업을 하고 있으며, 이에 따라 보육문제나 부부갈등, 직장과 가정생활간의 부조화 문제 등이 첨예하게 나타나기 시작했다. 또한 고령사회로의 진입에 따라 노인부양 문제가 점차 사회적 이슈로 나타나게 되었다. 근로자의 9%는 부양인을 절대적으로 필요로 하는 노부모 또는 배우자가 있고, 노부모에 대한 부양의무를 가진 성인자녀 5명 중 1명은 부득이하게 직장을 그만두는 것으로 보고되었다(McCroskey & Scharlach, 1993). 이외에도 구조조정에 의한 퇴직과 이직 문제, 직장 내 폭력과 성희롱 문제, 산업재해와 장애인근로자 문제, 그리고 이민자 · 이주노동자 문제 등 실로 다양하고 심각한 문제들이 사업장에 존재한다. 이런 문제들은 기업에 커다란 부담으로 작용했다.

셋째, EAP가 가져오는 비용절감 효과이다. 1990년 미국의 기업은 EAP에 총 7억 9,800만 달러를 투자하고, 무려 39억 달러 만큼의 손비절감효과를 얻어서 약 5배의 투자효과를 거두었다. 또한 EAP를 실시한 기업의 경우, 근로자의 생산성 향상은 물론 프로그램 투자액 대비 5~16배의 손비절감효과를 가져왔으며, 조사대상 기업 중 71%가 산업재해발생률이 감소하는 효과를 나타냈다(U.S. Department of Labor, 1990). 이외에도 EAP의 효과를 명확하게 입증하기 위해 최근 미국 콜로라도 주 정부는 다양한 직종의 공무원을 대상으로 과학적인 연구를 시도하였다(Richmond et al., 2015). EAP 서비스를 받은 직원 156명과 EAP 서비스를 받지 않은 직원 188명을 비교한 결과, 알코올 사용, 우울, 불안, 생산성을 통제하였을 때에도 EAP 서비스를 받은 근로자들은 결근이 크게 감소하였고, 업무 효율은 유의하게 증가하였다. EAP 서비스를 받은 근로자들은 평균 2.79회의 상담을 받았는데, 평소 우울 및 불안이 심한 사람보다는 심각도가 낮은 근로자들에서 EAP의 효과가 더 명확하게 나타났다. 결국 스트레스성 질환으로 근로자의 직무 수행능력이 손상되고 각종 비용이 발생하는 것을 감안한다면, EAP 투자를 통해 근로자를 재활시키고 지각이나 조퇴, 결근, 이직, 재해, 판단오류 등을 감소시키는 편이 보다 더 유리하다. EAP가 단기간의 문제해결 중심의 상담과 개입에 초점을 두는 것도 비용 대비 효과가 가장 우수한 접근법을 조직에서 선호하기 때문이다.

이처럼 기업은 EAP를 도입하여 새롭게 대두되는 문제와 욕구에 즉각적으로 대응해 나갔으며, EAP 역시 다양하고 혁신적인 서비스를 지속적으로 개발하여 스스로의 경쟁력을 키워나갔다. 이와 더불어 개인의 변화에 초점을 맞추려는 기업의 선호도도 영향을 미쳤다. 대규모 조직 개편은 상당한 비용이 드는 반면 그 결과를 보장하기 힘들다. EAP는 조직 구조를 크게 바꾸지 않은 상태에서 사안별로 대처하는 방식이므로 기업 입장에서는 부담이 적은 선택이다.

1990년대 이후 EAP는 미국과 유럽 뿐 아니라, 일본, 중국, 인도 등 전 세계적으로 확산되고 있다. 그 세부적인 양상은 문화와 국가에 따라 차이가 있지만, EAP에 관한 근본적인 특성은 동일하다. 회사든 공공기관이든 어떤 조직이 발전하려면 조직이 기능을 잘해야 하며, 이를 위해서는 소속 직원들의 기능이 담보되어야 한다. EAP는 직원들의 기능을 향상시킨다. 이를 통해 궁극적으로 조직 전체의 생산성이 향상된다는 점이 가장 중요한 핵심이다. 직원들의 기능을 향상시키기 위해서는 문제가 발생하기 전에 또는 문제가 발생한 직후에 개입하는 것이 중요하다. 그리고 최대한 많은 사람들이 서비스에 쉽게 이용할 수 있도록 접근성을 확보하는 것이 중요하다. 치료 중심의 의료나 상담과는 달리, 문제의 조기 관리와 예방을 포함하는 '서비스 플랫폼'이 바로 EAP이다. EAP는 알코올리즘 관리로 시작되었지만, 그 접근성을 획기적으로 개선함으로써 정신건강과 행동적 문제에 대한 편견과 낙인을 피할 수 있게 되었다.

이제 EAP는 직접 서비스 혹은 다른 지역사회와 연계하여 니즈(needs)가 있는 사람들에게 도움을 줄 수 있는 포괄적인 의미로 받아들여지고 있다. 생산성 향상을 위해 근로자가 당면하는 문제에 다양한 개입이 가능하며, 접근 가능한 개입 서비스의 총칭으로서 EAP라는 개념이 자리잡게 된 것이다.

이상 EAP의 등장과 그 발전 과정을 요약하면, 1930년대~1960년대까지는 산업알코올리즘프로그램, 즉 OAP라는 개념 하에 알코올중독 문제를 주로 다루었다. 1970년대부터는 EAP 개념으로 활동반경이 넓어져서 약물남용과 가족, 대인관계와 같은 이슈를 포함하게 되었다. 이후 EAP는 근로자향상프로그램(Employee Enhancement Program: EEP)의 개념이 추가되어, 삶의 질 향상 혹은 발달이라는 측면에서 경력 개발, 신체적 · 정신적 건강 관리 및 질병 예방, 생활양식(예: 시간관리) 등에 대한 조언을 포괄하게 되었다. 1990년대 이후에는 조직지원프로그램(Organizational Assistance Program: OAP)적 개념이 더해져서 기업문화, 조직구조와 업무 설계, 관리감독 방식 등에 대한 개입으로까지 확장되었다.

3. 개입모형

EAP를 의뢰한 주체에 따라 그 개입방식은 조금씩 차이가 있지만, EAP가 지향하는 개입모형은 주로 핵심기술모형(Core Technology Model)과 포괄적서비스모형(Comprehensive Service Model)이라는 두 가지 접근 모형에 의해 주도되어 왔다(Kurzman, 1993). 먼저 핵심기술모형이란 알코올이나 약물남용 근로자를 주 개입 대상으로 삼으며, 이들의 치유와 직무복귀, 그리고 사후관리에 주안점을 두고 있다. 본 모형은 내담자의 문제를 병리학적 시각에서 해석하며, 특히 약물남용자에 대해서는 지속적인 규제와 단속을 강조한다. 핵심기술모형 내에서 EAP 담당자는 근로자의 생산성 회복과 기업조직의 비용 절감이라는 목표 아래 업무수행을 방해하는 근로자의 이상 행동을 파악하고, 관리자나 경영진에게 필요한 자문을 제공하며, 치료에 도움을 주는 지역사회의 자원을 파악하고 연결하는 역할을 수행한다(Roman & Blum, 1985). 이러한 핵심기술모형은 중기 혹은 말기의 알코올 · 약물 중독자에 대한 개입으로는 적절한 것으로 평가된다. 그러나 알코올 · 약물 중독 이외에도 다양한 문제가 복잡하게 얽혀 있는 오늘날의 사업장에서는 그 적용에 있어서 다소 한계가 있을 수 있다(Kurzman, 1993).

한편 포괄적서비스모형은 앞에서의 의학적 모형과는 달리 근로자의 사회적 기능(social functioning)과 자기 의뢰(self-refevral)을 통한 문제 해결에 주안점을 둔다. 본 모형에서는 음주나 약물남용 문제뿐 아니라 지극히 일상적인 문제일지라도 직장에서의 업무수행에 지장을 가져올 수 있는 것이라면 모두 관심의 대상이 된다. 앞서 언급한 핵심기술

집중모형이 진단과 의뢰에 주로 역량을 집중한다면, 포괄적서비스모형은 예방과 치료 부문까지도 다함께 강조한다.

포괄적서비스모형은 그 저변에 시스템 이론에 근거한 PIE(Person-In-Environment)적 사고관을 강하게 두고 있다. 내담자의 내적인 속성뿐 아니라 그를 둘러싼 환경적 요소 사이의 상호영향관계를 규명할 수 있는 PIE적 시각을 기반으로, EAP 담당자는 내담자와 그를 둘러싼 환경을 종합적으로 이해할 수 있다. 다시 말해 PIE적 시각은 이들 요소 간의 상호 역동적인 관계를 파악하여 문제의 본질에 대한 접근이 가능하도록 하고, 근로자와 그가 소속된 조직에 적합한 개입목표를 세우는 데 이론적 근거를 제공한다. 결국 업무수행에 방해가 되는 모든 환경적 요인을 관심의 대상으로 삼기 때문에, 어떤 것이라도 진단과 개입의 대상이 될 수 있는 것이다. 예컨대 본 모형에 근거한 EAP 담당자라면 근로자 개인을 위한 스트레스 상담서비스 외에도 영유아를 위한 보육관련서비스, 노부모 문제해결을 위한 각종 복지서비스, 문제 청소년을 위한 특별교육프로그램 등 다각적인 서비스를 계획하고 이를 종합적으로 제공할 수 있다. 다음의 〈표 1〉은 핵심기술 모형와 포괄적서비스 모형 간의 비교이다.

〈표 1〉 핵심기술 모형과 포괄적서비스 모형 간의 비교

	핵심기술 모형	포괄적서비스 모형
디자인 의도	효율적 경영을 위한 방편	근로자 복지의 일환
문제	알코올 및 약물남용 문제	업무성과에 부정적인 영향을 미치는 모든 문제
원리	사업장내 규율의 일환	사업장내 근로자 공동의 이익
기능	관리자 대상의 교육훈련; 근로자 문제 개입	관리자 대상의 훈련; 근로자 문제 개입; 사업장의 건강유지; 교육, 복지, 예방
주안점	현재 근로자의 업무 성과	현재 및 잠재적인 근로자의 기능과 역할
목표	근로자의 생산성 증대	인적 자원 및 재원 보존
개념	고용주의 특권 중 하나	근로자의 자원이자 권리
범위	진단, 의뢰	진단, 의뢰, 예방
접수 · 의뢰주체	관리자	관리자, 내담자 자신, 동료
내담자	근로자	근로자, 가족, 지역사회
예방	제3기(말기)	제1기(초기)와 2기(중기)
시각 · 견지	치료를 위한 병리학적 시각	사회적 기능 강화를 위한 생태학적 시각
책무	처방에 근거한 서비스 제공	처방에 근거한 동시에 사회 변화를 촉진하는 서비스 제공

자료: Kurzman, P. A., & Akabas, S. H. (1993). Work and Well-Being: The Occupational Social Work Advantage. p.34. Washington D.C.: NASW.

사실 어떤 형태의 모형이든 상담내용은 계약에 의해 철저한 비밀이 보장된다. 또한 EAP에 대한 접근성을 높이기 위해 대부분 24시간 지원 서비스를 보장하고 있다. 하지만 이 두 모형의 장단점 비교에 있어서, 먼저 핵심기술모형은 그 모형 내에서 내담자, 가족, 사업장 등의 영역들이 독립적으로 존재하므로, 어느 한 영역 내에서 배타적으로 발생한 문제에 대해서는 보다 효과적인 성과를 거둘 수 있다. 따라서 내담자의 문제가 가족이나 동료, 혹은 여타 환경과 무관하게 일어난 것이라면 근로자 개인만을 대상으로 집중적인 진단과 위탁서비스를 펼치는 것만으로도 소기의 성과를 거둘 수 있다(Roman, 1989). 그러나 내담자의 스

트레스가 외부요소와 단절된 채 개인적 기질에서만 비롯되는 경우는 많지 않다. 스트레스는 대개 근로자를 둘러싼 다양한 환경 체계간 상호작용의 산물이다. 따라서 핵심기술모형은 그 적용에 제약점이 많다.

이에 반해 포괄적서비스모형은 개방시스템적 시각에서 개인과 개인을 둘러싼 여러 외부환경(시스템)과의 지속적인 상호관계에 관심을 둔다. 이러한 시스템적 사고관은 EAP 담당자로 하여금 근로자를 둘러싼 모든 환경적 요소들이 상호의존적인 관계로 구성되어 있음을 지각하는데 통찰력을 준다. 따라서 EAP 담당자는 근로자가 경험하고 있는 스트레스의 본질을 파악하고, 내담자가 직 · 간접적으로 영향을 받고 있는 모든 요소와 상황을 종합적으로 파악하여 직장인 스트레스 관리를 위한 다양한 개입 목표를 수립할 수 있다. 다음의 〈그림 1〉은 체계이론에 근거한 포괄적서비스모형의 예를 제시하고 있다.

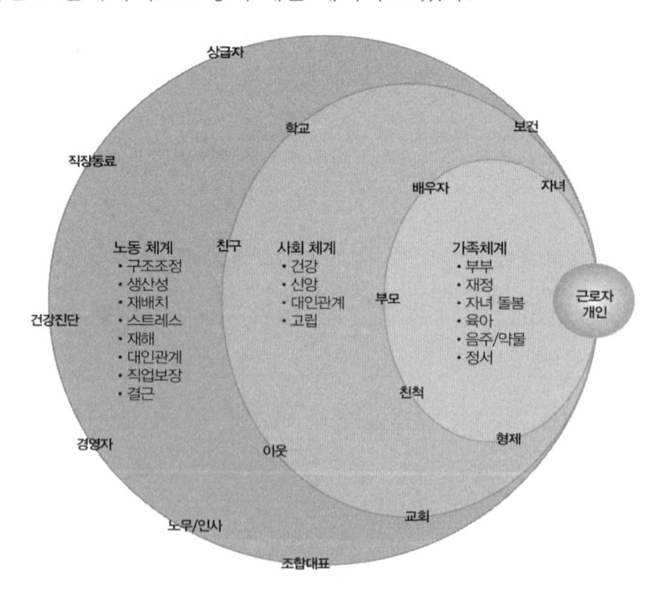

〈그림 1〉 포괄적서비스모형에 근거한 EAP

자료: Quick, J C., Bhagat, R. S., Dalton, J. E., & Quick, J. D. (1987). Work Stress: Health Care Systems in the Workplace, p.257. New York: Praeger.

4. 유형

기업의 규모와 사업, 그리고 근로자 구성 등에 따라 매우 상이한 형태의 EAP가 도입되어 존재하고 있으나, 대체로 사내모형, 외부모형, 컨소시엄모형, 협회모형, 노동조합모형의 5가지 유형으로 분류될 수 있다(Myers, 1984; Van Den Bergh, 1995). 각각의 유형에는 고유한 특성과 장단점이 있다.

1) 사내모형(Internal Model)

EAP의 가장 전통적인 형태로서 EAP가 조직 내에 한 부서로서 존재하며, EAP 담당자 역시 동일한 조직의 직원으로 구성된다. 실제로 1970년대 대부분의 EAP는 이와 같은 내부방식을 채택한 대기업에 의해 이루어졌다. Van Den Bergh(1995)는 대개 상시근로자 2,000명 이상의 조직일 경우, 정규직 EAP 전문가 1인과 행정 및 보조업무 담당자 1인으로 구성된 사내 EAP의 운영이 가능하다고 보고하고 있다.

EAP 담당자는 서비스를 요청하는 근로자에 대해 접수 및 평가를 실시한 후, 근로자에게 필요한 서비스를 EAP 담당자가 직접 제공하거나 여타 지역사회 자원으로 의뢰를 통해 제공한다. 사내모형에서 EAP 상담실은 대개 조직 내에 존재하는 것이 원칙이나, 기관과 매우 근접한 거리에서 이루어지기도 한다. 예컨데 국내의 한 업체에서는 EAP 상담실을 사내가 아닌 회사에서 도보로 약 5분 정도 떨어진 곳에 설치하여 운영 중에 있다. 이는 상담실을 찾는 모습이 동료직원들의 눈에 띌 것을 두려워하는 내담자를 위한 배려에서 비롯되었다.

본 모형은 근로자에 대한 접근성이 용이하고, 즉각적이고 고유한 욕구에 부응하는 서비스를 설계할 수 있다는 장점이 있다. 또한 문제 발생 시 책임소재가 분명하고, 조직의 문화와 역동성에 대한 정확한 이해를 바탕으로 조직 차원의 개입이나 정책 결정, 근로자 옹호 등이 가능하다. 그러나 사내모형은 그 운영에 있어서 상당한 비용이 발생하고, EAP 담당자도 결국 기업에 고용된 자이기 때문에(기업주의 요청이 있을 경우) 상담 내용이 유출될지 모른다는 막연한 불안감을 내담자에게 줄 수 있다. 또한 소수의 EAP 담당자에 의해 운영되어 사정과 개입 기술에 한계가 있을 수 있으며, 서비스의 다양성이 제한받을 수 있다. 이외에도 조직의 구조 변화가 있을 때 유연성이 제한되므로 경쟁적이고 변화가 심한 업종에서는 사용하기 힘들다.

〈표 2〉 사내모형 서비스의 강점과 약점

강점	약점
• 상담자는 회사의 문화를 접할 수 있다. • 조직의 다양한 체계에 입각하여 평가할 수 있다. • 상담자가 조직의 공식적 및 비공식적 구조를 평가한다. • 상담 서비스에 대해 큰 신뢰를 줄 수 있다. • 상담을 통해 조직에 피드백을 줄 수 있다. • 상담 업무를 조직의 요구에 맞게 수정할 수 있다. • 내담자의 욕구에 맞게 수정할 수 있는 융통성이 있다. • 중재를 할 수 있다. • 사람들을 실제 만난다. • 여러 가지 역할을 제공할 수 있다.	• 상담자는 자신의 평가에 더 주관적일 수 있다. • 만약 조직을 재정비한다면 쉽게 무너질 수 있다. • 상담자는 조직이나 개인에 매우 쉽게 동일시된다. • 근로자는 상담자를 관리자로 동일시하기도 하고, 관리자는 상담자를 근로자로 동일시하기도 한다. • 고립될 수 있다. • 조직의 여러 가지 자질구레한 일을 하는 데 이용될 수 있다. • 상담자는 조직의 정치에 관여된다. • 조직에 대항하는 개인에게 이용될 수 있다. • 비밀 보장이 어렵다. 직원은 개인 정보의 유출을 걱정한다.

자료: 전종국, 왕은자, 심윤정(2010). 「기업상담」. 학지사.

2) 외부모형(External Model)

외부모형은 계약을 맺은 외부기관이 사정과 개입, 의뢰 등의 서비스를 전적으로 주관해 나가는 형태이다. 외부모형이라고 해서 반드시 사업장 외부 장소에서만 서비스를 제공하는 것은 아니며, 필요한 경우 사내 현장에서도 제공할 수 있다.

외부모형의 EAP는 최근 그 수가 급증하였는데, 이는 자체적으로 EAP를 설립 운영하는 것이 현실적으로 불가능하여 외부모형을 택할 수밖에 없는 소규모 사업장이 증가했기 때문이다. 실제로 공공부문을 제외한 미국인 근로자의 80%는 100인 미만 규모의 사업장에 속하는 것으로 보고되었다(McClellan, 1985).

외부모형에는 현대적 조직 운용에 부합하는 여러 가지 장점이 있다.

첫째, 사업장 외부에서 상담이 가능하기에 비밀보장 측면에서 신뢰성을 확보할 수 있다. 사내에서 상담이 이루어질 경우, 내담자가 상담실을 드나드는 모습이 여러 동료들에게 목격이 될 수 있으며, 이에 '문제가 있는 근로자'로 소문이 날지도 모른다는 불안감이 나타날 수 있다.

둘째, 서비스의 전문성 확보가 용이하다. 사내모형의 경우, 소수의 전문가를 채용하여 EAP를 운영하기 때문에 몇몇 특정 분야를 제외하고는 그 전문성을 발휘하기 어렵다. 일례로 한 명의 개인상담 전공자가 집단상담이나 위기대처훈련, 생활지원 서비스, 법이나 재정문제에 대한 조언 등을 동시에 수행하기는 거의 불가능하다. 또한 각각의 사업장에 배치된 내부 상담자마다 전공과 경력이 다르기 때문에 통일된 서비스를 제공하기 어렵다. 반면 대다수의 외부 EAP 제공 기관은 세부 분야에 대한 수백 여명의 전문가를 네트워크를 통해 확보하고 있으므로 언제 어디서 어떤 문제가 발생하더라도 즉각적으로 대응할 수 있다. 즉

EAP 외부모형은 경험이 풍부한 전문가를 다수 확보하여 다양하고 전문화된 서비스를 제공하는 것이다. 이외에도 계약을 맺은 EAP 제공 업체와 발주 기관과는 밀접한 관계 유지가 가능하므로 조직의 욕구와 특성이 잘 반영된 서비스를 제공할 수 있다. 이에 따라 초기에 사내모형을 도입했던 많은 기업들도 시간이 흐를수록 조직 내 EAP 담당 인력의 역할이 변화하는 경우가 많다. 사내 담당자가 직접 서비스를 개발 · 제공하기 보다는 프로그램 관리자로서 그 역할이 변모하여 필요한 욕구에 따라 내부와 외부를 단순히 연결하는 역할을 수행하는 경향이 나타난다.

셋째, EAP 운영 경비를 절감할 수 있다. 특히 여러 곳에 사업장이 있는 조직의 경우, 회사 전체 차원에서 EAP를 추진하려면 각 사업장 마다 관련 시설 및 인력을 배치해야하기 때문에 상당한 시간과 경비가 소요된다. 예컨대 서울에서부터 제주도까지 전국 각지에 지점을 두고 있는 은행의 경우, 만일 본사나 서울 소재 지점에만 EAP 서비스를 제공한다면, 해당 지역에 대한 특혜 논란이 제기될 수 있을 것이다. 그렇다고 전국의 모든 지점마다 EAP 상담실을 설치하고, 다수의 전문가를 직접 채용한다면, 그 비용을 감당하기 쉽지 않을 것이다. 이때 전국 각지에 EAP 전문가를 확보하고 있는 외부 EAP 전문 기관과 계약을 맺고, 외부 위탁운영 개념으로 EAP 서비스를 도입 · 제공한다면, 각각의 지점마다 시설과 인력을 투자하는 것보다 훨씬 저렴한 비용으로 전체 사업장의 욕구를 충족시킬 수 있을 것이다.

반면 단점도 있다. 외부 기관과 협력을 꺼리는 관리자가 있을 수 있고, 외부 상담실의 위치에 따라 접근성 문제가 나타날 수 있다. 또한 외부 EAP와의 계약이 파기되면 서비스가 갑작스럽게 종결되어 이용자의 불편이 초래될 수 있다. 이외에도 기업에서 EAP를 발주할 때 비용 절감에만 초점을 맞추고, 외부 EAP 서비스 제공자도 단가를 낮추는 데에만 주력한다면, 서비스 품질이 낮아지고 소기의 성과를 거두지 못할 수 있다.

최근 접근성과 비용절감 차원에서 여러 IT 기술을 이용한 상담이 상용화되고 있지만, 정서적 고충이나 정신건강 문제를 아무런 만남없이 전화나 몇 통의 e-메일로 정확하게 문제를 파악하고 해결책을 제시하기란 쉽지 않을 것이다. 물론 단순 정보만을 열람하거나 제공하는 데에는 별 무리가 없다. 하지만 업무 집중을 저하시킬 만큼 복잡하고 고민이 되는 문제라면, 시간과 비용이 들더라도 직접 얼굴을 맞대고 비언어적 표현까지도 관찰가능한 대면상담이 가장 효과적이다.

〈표 3〉 외부모형 서비스의 강점과 약점

강점	약점
• 조직 정책의 한 부분이 아니다. • 회사 내에서 당연한 것으로 받아들여지는 것에 대해 도전할 수 있다. • 상담뿐만 아니라 훈련도 제공한다. • 확실한 비밀보장이 된다. • 다양한 서비스를 제공한다. • 서로 다른 배경과 기술을 가지고 있는 많은 수의 상담자를 제공한다. • 조직은 상담의 실책에 대해 책임을 지지 않는다.	• 상담을 실시할 때 융통성이 없다. • 비용이 많이 든다. • 개개 회사에 쉽게 적용하지 못한다. • 조직 정책에 의도하지 않게 관여될 수 있다. • 조직의 문화를 이해하지 못할 수 있다. • 잠재적인 내담자에 의해 '외부인'으로 보일 수 있다. • 조직에 상담이 무엇인지를 교육할 수 없다. • 상담자가 기업상담의 경험을 가지지 않는다. • 상담자는 내담자가 속한 조직에 관해 아무것도 모를 수 있다.

자료: 전종국, 왕은자, 심윤정(2010). 「기업상담」. 학지사.

3) 컨소시엄모형(Consortium Model)

EAP의 컨소시엄모형은 여러 기업주들이 지역사회 자원 등을 집단 커버리지(group coverage)의 형태로 공유하는 것이다. 따라서 상호연합과 제휴가 활발한 기관 간에 적합하며, 무엇보다도 규모의 경제 논리에 따라 컨소시엄을 이룬 기업들의 EAP 관련 비용을 절약할 수 있다.

컨소시엄 방식은 개별 사업장이 독자적으로 EAP를 운영하는 것이 어려울 경우 주로 사용된다. 따라서 대기업보다 중소기업에서 도입하는 경우가 많은데, 대개 여러 기업이 하나의 조직을 이루어 외부 EAP 제공 업체에게 가능한 한 저렴한 비용으로 EAP 서비스를 제공하도록 요구한다. 외부 EAP 업체의 입장에서는 한꺼번에 여러 고객사가 생기기 때문에 마케팅이나 여타 관리 비용 등을 최소화 할 수 있으며, 이는 EAP 서비스에 대한 단가 인하로 이어질 수 있다. 이외에도 본 모형은 일반적인 외부모형의 장점을 공유하고 있다. 즉 상담이 주로 외부에서 이루어져 상사나 동료의 목격을 피할 수 있고, 상담 기록이 소속 기관이 아닌 외부 EAP 업체에 보관되므로 내담자의 자율성과 비밀보장을 극대화시킬 수 있다.

하지만 소수의 컨소시엄 담당자가 다수의 기업을 한꺼번에 관리하게 됨에 따라 개별 기업의 문화와 특성, 그리고 직무구조 등에 대한 충분한 정보를 확보하기 어렵고, 이에 따라 내담자와 그를 둘러싼 환경에 대한 이해가 부족할 수 있다. 상담과정에서도 친밀한 상호관계가 잘 형성되지 않아서 상담자는 여전히 이방인으로 인식되기도 한다.

4) 협회모형(Association Model)

협회차원의 EAP는 직업 특성상 멤버십으로 집단화될 수 있는 곳에 적합한 유형으로, 미국의 경우 항공조종사협회(Association of Airline Pilots)나 의사협회(American Medical Association), 사회복지사협회(National Association of Social Workers) 등에서 발견된다. 본 모형은 협회 구성원들의 전문성에 대한 이해력이 높고, 지역본부가 잘 발달된 협회의 경우 구성원들에 대한 접근성이 양호하며, 구성원들이 속한 조직과는 거의 무관하기 때문에 서비스 이용에 대한 낙인을 피할 수 있다는 장점이 있다.

기업주의 입장에서는 직접 EAP를 운영하는 것이 아니기에 관련 비용을 절감할 수 있다. 또한 '약물남용자가 많아서 EAP를 운영하는 것이 아닌가'하는 소비자들의 의심이나 이와 관련한 경쟁사의 공격으로부터 자유로울 수 있다. 예컨대 'A항공사에는 알코올에 중독된 조종사가 많아서 EAP를 운영하고 있다'라는 악의적 유언비어를 경쟁업체인 B항공사가 퍼트릴 경우, A사의 승객은 대폭 감소할 것이다. 실제로 미국의 아틀라스 타이어(Atlas Tires)사는 국제 타이어 제조협회 산하의 EAP와 합작함으로써, 이 회사에만 문제 근로자들이 많이 있어 사내 EAP를 두었다는 낙인을 피할 수 있었다.

그러나 본 모형은 개별 기업체의 특성이 반영되기 보다는 협회 전체의 욕구에만 충실한 프로그램으로 운영될 수 있고, 개별 조직간 의사소통이나 정책결의가 용이하지 못하며, 개별 조직의 적극적인 기여 또한 기대하기 어렵다라는 한계가 있다.

5) 노동조합모형(Union Model)

노동조합모형은 노동조합이 운영 주체가 되어 조합원지원프로그램(Members Assistance Program 혹은 Membership Assistance Program: MAP)이라고 불리는 EAP 유사 프로그램을 노동조합원들에게 배타적으로 제공하는 것을 가리킨다. MAP 담당자는 주로 상담기술이나 의뢰방법 등을 훈련받은 동료 노조원이나 자원봉사자로 구성되며, 사측과는 무관하게 운영되기에 비밀보장에 대한 강한 신뢰를 확보할 수 있다.

기업주의 입장에서 볼 때 노동조합이 직접 운영하는 MAP는 사측의 투자 없이도 실제 EAP를 운영한 것과 유사한 효과를 얻을 수 있다. 노동조합 역시 조합원을 지속적으로 확보 · 유지하고 동료애를 공고히 할 수 있는 수단으로 삼을 수 있다. 즉 MAP는 노조 가입에 대한 혜택 중 하나가 될 수 있으며, 이는 노조 가입률을 제고하는데 일조할 수 있다. 하지만 MAP의 배타적 성격 때문에 비노조원의 경우 아무런 혜택을 받을 수 없으며, 상대적으로 전문성이 떨어지는 동료 노조원이 MAP를 담당할 경우 서비스의 질적 저하가 나타날 수 있다. 또한 자원봉사자들의 활동이 저조할 경우 프로그램의 존립 자체가 위협받을 수 있다.

지금까지 EAP와 관련한 주요 모형에 대해 알아보았다. 각각의 모형은 장점과 단점을 모두 가지고 있지만, 결국 중요한 것은 해당 조직의 상황이나 근로자의 구성에 따라 가장 적합한 EAP 모형을 찾아 서비스를 제공하는 것이다. 사실 각 모형은 상호배타적이기보다 서로의 특성이 공유되는 경우가 흔하므로, 하나의 모형만을 고수하기 보다는 운영상에 유연성을 보장하여 소속 근로자의 문제나 상황 변화에 따라 여타 모형의 장점을 적절히 혼용하는 것이 필요하다. 예컨대 EAP 내부모형을 채택한 기업에서 내담자의 비밀보장을 강화하기 위해 동떨어진 거리에 외부 상담실을 설치할 수 있으며, 반대로 외부 EAP 전문업체가 내담자의 접근성을 고려하여 사내에 상담실을 개설하기도 한다. 또한 노동조합이 주체가 되어 MAP를 설립한 경우에도 동료 노조원외에도 외부 전문기관에 그 역할과 운영을 일부 할당하여 운영하는 예도 쉽게 찾아볼 수 있다.

6) 공공모형(Public Model)

우리나라는 EAP의 설립을 법적으로 명시하고 기업복지의 사각지대에 있는 근로취약계층을 대상으로 정부 주도의 EAP 서비스를 제공하고 있는데, 이는 세계적으로도 그 유례를 찾기 어렵다. 2010년 전부 개정된 근로복지기본법에서는 고용노동부 장관이 5년마다 수립하는 근로복지증진에 관한 기본계획에서 EAP 운영에 관한 사항을 포함하여야 한다(제9조). 또한 근로복지기본법 제14조에서는 근로자지원프로그램을 근로복지종합정보시스템 구축 및 운영 내용에 포함하였다. 이외에도 제83조에서는 근로자지원프로그램의 정의와 사업주의 의무를 규정하였다: '(1) 사업주는 근로자의 업무수행 또는 일상생활에서 발생하는 스트레스, 개인의 고충 등 업무저해 요인의 해결을 지원하여 근로자를 보호하고, 생산성 향상을 위한 전문가 상담 등 일련의 서비스를 제공하는 근로자지원프로그램을 시행하도록 노력하여야 한다. (2) 사업주와 근로자지원프로그램 참여자는 제1항에 따른 조치를 시행하는 과정에서 대통령령이 정하는 경우를 제외하고는 근로자의 비밀이 침해받지 않도록 익명성을 보장하여야 한다.' EAP를 활성화시키기 위해 제91조에 의거하여 근로복지진흥기금을 근로자지원프로그램 관련 지원에 사용할 수 있도록 규정하였다.

사례를 보면 첫째, 전국의 주요한 고용지원센터에서는 구직자를 대상으로 '심리안정 지원 프로그램'을 실시하고 있다. 그 내용은 스트레스 측정 및 개별상담, 자신감 수준 및 구직 효능감 척도 검사, 행동 및 성격유형 탐색 등 각종 심리검사, 분노 · 불안 · 우울 · 좌절 등의 정서 상담 등이다.

둘째, 근로자 복지에 대한 여력이 없는 중소기업의 EAP 도입을 돕기 위하여 근로복지공단에서는 근로복지넷(www.workdream.net)을 구축하고 우수한 EAP 전문기관과 협력하여 중소기업 근로자들에게 직무 스트레스, 조직 내 관계갈등, 업무과다, 건강관리 등 11개 분야에 대한 무료 EAP 상담을 지원하고 있다. 아직은 사업의 규모가 크지 않지만, 중소기업 근로자의 5% 접근을 목표로 할 정도로 사업 범위와 대상자를 넓혀가고 있다.

셋째, 산업재해를 당한 근로자는 의학적 치료가 어느 정도 이루어지더라도 정신적 충격과 만성적 후유증, 의욕 저하 등의 심리적 고충을 겪는 점에 착안하여 고용노동부와 근로복지공단에서는 2010년부터 스트레스 · 정신불안 해소 및 심리안정 회복을 지원하는 심리재활프로그램을 위탁사업으로 운영 중에 있다. 이를 통해 산재근로자가 자신감을 회복하고, 정서를 함양하여 대인관계의 갈등을 줄이며, 재활에 대한 동기 수준을 높여 직업인으로 복귀하는 과정을 돕고 있다.

넷째, 안전보건공단에서는 노사주도의 근로자 건강증진 사업을 통해 300인 미만 사업장을 대상으로 노사가 협력하여 직무스트레스 관리와 생활습관 개선 활동을 할 수 있도록 관련 사업비를 지원하고 있다.

다섯째, 여성가족부는 가족친화인증기업 발굴, 워킹맘 · 워킹대디 지원프로그램 등 일-가정 균형의 기업문화 확산에 주력하고 있다. 특히 기업 내 EAP 등 근로자지원제도의 존재 유무는 정부의 가족친화인증에 있어서 주요 기준 중 하나이다.

끝으로, 취약계층을 지원하기 위해 고용노동부는 전국 16개 고용평등상담실을 통해 근로환경에서의 모성보호와 불평등 해소를 위한 전문상담을 지원하고 있다.

생각거리

1. EAP의 대상자와 목적, 동원할 수 있는 자원을 고려해서 EAP의 정의를 기술한다.
2. EAP의 개입모형과 각 유형의 장단점을 논의한다.
3. 자신이 속한 조직에 적절한 EAP의 개입모형과 유형을 선정하고 그 근거를 제시한다.

제 2 장

서비스의 확장과 통합

1990년대 이후 EAP 서비스의 내용은 획기적으로 확장되었고 다른 서비스와 통합되어 제공되고 있다. 본 장에서는 생활지원 서비스와 건강증진과 웰니스(wellness) 프로그램, 위험관리와 위기상황 스트레스관리 프로그램 등 EAP에 통합되어 지원하고 있는 다양한 서비스에 대해 개괄적으로 살펴보고자 한다. 본 장의 내용은 우종민·최수찬(2008)에서 기술된 EAP 서비스관련 개념의 일부를 수정 및 보완하였다.

1. 생활지원 서비스

1) 개념

생활지원 서비스(Work & Life Service)란 가정과 직장 모두에서 성공할 수 있도록 지원하는 조직의 정책, 프로그램, 행위를 뜻한다. 주로 가정 내의 부부관계 증진, 육아지원 서비스(childcare service), 노인부양지원 서비스(eldercare service) 등을 비롯하여, 이성 관계, 결혼문제, 우울, 분노와 같은 정서적인 불안감 등과 관련된 주제들을 다룬다. 근로자는 자녀의 유학절차, 교육기관 추천, 이사, 집이나 차량 수리 등 일상생활에서 겪게 되는 크고 작은 문제들에 대해서도 신속하고 전문적인 서비스를 제공받을 수 있다.

생활지원 서비스에 대한 근로자의 욕구는 산업사회의 인구학적 변동과 노동 및 생활 환경상의 변화에 따라 더욱 증대되었다. 미국의 경우, 여성 취업률은 2000년도에 이미 60%를 넘어섰다. 특히 6세 미만 아동을 가진 여성의 경우, 1976년에는 39%에 불과했던 취업률이 2000년에는 64.9%에 이르는 등 육아에 대한 지원을 필요로 하는 근로자의 수가 급증하였다(Major & Cermano, 2008). 우리나라의 경우도 통계청의 「2016 일 · 가정양립 지표」에 따르면, 2015년 현재 여성취업자 수가 천백만 명을 넘어섰고, 동년도 10월 맞벌이 가구도 521만 가구에 이르러 배우자가 있는 가구의 43.9%를 차지하고 있다. 이렇듯 육아문제는 이제 가정과 지역사회, 기업의 중요한 이슈가 되었다. 육아 문제가 해결되지 않고서는 여성 근로자가 계속 일하기 어렵고, 이것은 결국 배우자인 남성 근로자와 전체 직장의 문제로 이어지게 된다. 다시 말해 근로자 개인차원에서는 '가정 생활과 직장 생활을 어떻게 관리해서 두 영역 모두 발전시킬 것인가?', 조직 차원에서는 '불안정한 비즈니스 환경에서 근로자들이 업무 목표에 전념하게 하려면 무엇을 해야 하는가?'라는 두 가지 질문과 이에 대한 해답을 찾는 과정에서 생활지원 서비스가 발전하기 시작한 것이다.

일반적으로 EAP 관련 서비스 중 가장 이용률이 높은 분야도 다름 아닌 생활지원 서비스이다. 대형 EAP 제공자들은 육아에 대한 지원 뿐 아니라 부동산, 재테크, 보험 관리, 노후 설계 등의 재무 관련 이슈와 세금, 상속, 유산, 교통사고 처리, 이혼 소송 등의 법률문제에 대한 서비스도 함께 지원하고 있다.

최근 노인인구의 급증, 이혼율 증가, 1인 가구 증가 등 우리나라 근로자의 가족 구성 및 가족 내 역할은 커다란 변화를 맞이하고 있다. 이로 인해 자녀양육이나 노인부양 등 다양한 차원의 가족문제가 현실적으로 직장인의 삶과 정신건강에 부정적인 영향을 미치고 있다. 탁아나 탁노를 위해 전전긍긍하는 직장인에게 일에 몰두하기를 기대할 수 없다. 생활지원 서비스를 통해 이들의 짐을 회사가 덜어 주면 직원의 부담이 경감되고, 가족의 행복이 증진되며, 궁극적으로 일에 대한 몰입도와 회사에 자부심이 증대될 것이다. 이는 결국 근로자와 기업 모두에게 이득이다.

2) 사례

미국 근로자의 평균 26%는 만성질환자, 장애인, 노인을 간호하거나 부양할 상황에 있다고 한다. 이 중 노인부양지원 서비스 이용 사례를 정리하면 다음과 같다(Emener & Dickman, 2003).

58세인 A씨는 대기업 중간관리자이다. 외아들인데 이혼 후 혼자 살고 있는 입장에서 노모를 모시는 것 때문에 스트레스를 받고 있다. 어머니가 독립적으로 위생 관리나 식사 준비를 하기 어렵기 때문에 늘 무슨 일이 생길까봐 마음이 조마조마하다. 지난 몇 달 사이에 어머니가 착각해서 다른 약을 드시고 낙상을 입는 바람에 갑자기 일하다 말고 달려가는 상황을 몇 차례 경험했다. 그 뒤로는 회사에 나와도 일에 집중하기 어렵다. EAP 상담을 신청한 A씨는 이런 식으로 얼마나 더 버틸 수 있을지 의문이라고 한숨을 내쉬었다.

A씨의 어머니는 84세인데 남편과 사별한 뒤 친구도 거의 없이 외롭게 지내고 있다. 최근 상태가 나빠져서 아들이 없이는 마음 놓고 거동하기 어렵다. 자꾸 아들에게 의지를 하게 되는데, 아들 입장에서는 다른 기관에 어머니를 모실 방도를 찾고 싶어한다.

이 사례에 대해 EAP 내 노인부양지원 프로그램에서는 A씨 어머니의 활동능력, 생활방식, 법적 · 경제적 상황, 건강상태, 집안 살림이나 개인 위생관리 능력 등을 조사하였다. 아들과 어머니 양쪽의 관점에서 상황을 파악한 결과, A씨 어머니의 연금 및 보험, 경제적 준비 상태는 양호하였지만, 일상생활 기능이 상당히 저하되어서 안전에 문제가 있었다. 낙상의 위험이 높았고 기억력과 추론 능력도 현저히 저하되었다. 문제 해결 방법은 결국 A씨 어머니를 노인요양시설로 옮기는 것인데, 그 때까지 우선 도우미를 구하기로 했다. A씨는 자신의 직장과 개인생활 모두에 어느 정도 집중할 수 있게 되었다.

이상 노인부양지원 서비스 사례를 살펴보았다. 근로자 본인과 가족의 필요에 맞는 노인부양지원 서비스 기관을 찾아 방문하고, 최적의 기관인지를 판별하며, 계약 후에도 지속적인 관리가 용이한 지를 파악하는 일련의 과정은 결코 쉽지 않고 감정적으로도 소진된다. 다시 말해 나와 가족이 바라는 서비스가 제공될 수 있을지, 신뢰하고 맡길수 있을지 검토하는 작업은 최소한 수일 내지 수개월의 시간이 소요되며, 상당한 지식과 경험, 전문성이 필요하다. 설령 가까운 거리에 있는 서비스 제공자를 찾았다고 해도 그 제공자가 홍보하는 정보만 믿고 가족 구성원을 맡기기는 어렵다. 서비스 제공자들이 제시하는 정보를 고객인 나와 내 가족의 입장에서 검토하고 취사선택해서 가급적 복수의 대안을 제시해주는 서비스가 필요하다. 이것이 바로 EAP에서 제공하는 바로 생활지원 서비스이다.

2. 건강증진 · 웰니스 프로그램

1) 개념

건강증진 · 웰니스 프로그램(Health Promotion/Wellness Program)이란 근로자가 질병에 걸리기 이전에 바람직한 건강의식 및 행동을 고취하여 신체적 · 정신적 건강을 유지하고 증진하는 행위를 뜻한다. 산업구조의 변화에 따라 사고나 재해는 감소하였지만 작업관련성 질환이 증가하고 스트레스 등 정신건강 문제도 중요하게 대두되었다. 그 배경으로는 취업 인구의 고령화와 급속한 기술혁신 등 환경 변화, 좌식 근무의 증가, 생활습관 및 식생활의 변화, 비만과 고혈압 등 생활습관병의 증가 등을 들 수 있다.

건강한 근로자의 업무성과가 더 좋은 것은 자명하다. 그래서 사업장을 건강한 환경으로 개선하고 근로자가 자발적으로 건강한 생활습관을 영위하도록 도와주는 건강증진 · 웰니스 프로그램이 1980년대 이후 확산되었다. 미국에서는 건강위험평가(Health Risk Appraisal)를 이용하여 건강 교육과 건강 증진을 시도했다. 건강위험평가란 건강과 관련된 생활습관(음주, 흡연, 운동 등)과 가족력, 과거력, 현 병력, 고혈압, 당뇨병, 고지혈증 등을 고려하여 개인별 심 · 뇌혈관질환의 발생 위험도를 예측 수치로 제시하는 방법이다. 이를 이용해서 건강문제를 근로자에게 수치로 제시하고 금연, 운동, 식사조절 등 적절한 개입프로그램을 제공한다. 건강증진 · 웰니스 프로그램은 집단차원에서 건강증진 프로그램을 시행하고, 개별적인 질병 관리를 제공하며, 검진과 치료 시스템을 설계하는 역할을 수행한다. 건강 상담과 병원 안내를 서비스하는 경우도 있고, 점심시간을 이용하여 건강 교육을 제공하기도 한다.

근로자 건강문제의 효과적인 예방과 조기 치료, 적극적인 사후 관리가 생산성을 높이고 회사의 이익을 증대시킨다는 사실도 중요한 배경이다. 가령 영국에서는 의료보험제도의 대기자 리스트가 상당히 길다. 대기 기간 동안 질병이 악화되면 병가도 길어지고 기업의 의료비 부담이 증가한다. 가령 근로자가 무릎 수술을 받는 경우, 병원에서 수술을 잘 하는 것이 치료에 가장 중요하겠지만, 업무 공백 최소화와 성공적인 원직 복귀라는 목표를 이루기 위해서는 수술대기 기간에 하지 근력 운동을 체계적으로 실시하고, 수술 이후 재활훈련을 잘 하는 것이 매우 중요하다. 또한 신체적 질병과 사회심리적 고통은 상호 관련성이 깊다. 따라서 일반적인 건강문제가 발생했을 때, EAP 기관의 건강상담을 받아서 초기에 효과적으로 대응하고 적합한 의료기관으로 잘 연계되면, 회복에 소요되는 시간과 비용을 줄일 수 있다. 예컨대 우울로 인한 치료 회피와 지연, 불안으로 인한 흡연과 지속적인 음주질병을 악화시키는 심리적 · 행동적 요인을 교정하고 긍정적인 심리상태를 유지한다면, 치료 성공율이 훨씬 높아지고 재발도 줄일 수 있다. 결국 이에 필요한 건강상담이나 심리치료를 EAP가 적절히 제공했을때 기업은 비용을 줄이고, 생산성을 높일 수 있으며, 근로자의 복지도 향상된다.

우리나라의 기업은 인원규모와 급여에 따라 정해진 비율대로 건강보험료를 납부한다. 소속 근로자의 질병 치료 비용이 늘어나도 기업이 납부하는 건강보험료는 변하지 않는다. 미국이나 영국과 달리, 치료비용 부담을 줄이는 것이 개별 기업의 비용과 수익에 직접 영향을 주지는 않는다. 그래서 EAP가 치료비와 보험료 부담을 줄인다는 장점이 한국의 개별 기업에 직접적인 동기가 되지는 않는 듯하다. 한편 독일과 일본처럼 사회보험이 잘 발달하고 직장 내 산업보건시스템이 발달하여 산업의나 산업간호사 인력이 풍부한 나라에서는 기업 자체적으로 건강증진 · 웰니스 서비스를 진행하는 경우가 흔하다.

하지만 사회보험이나 1차 의료체계가 잘 확립되어 있지 않은 개발도상국에서는 건강증진 · 웰니스 서비스가 업무에 미치는 영향이 매우 크다. 그래서 글로벌 기업에서는 건강증진 · 웰니스 측면에서 EAP에 대한 수요가 높다. 가령 중국이나 인도에서는 1차 의료에 대한 접근이 어려워서 의사를 만나기 어렵고 치료를 빨리 받기도 어렵다. 해당 지역에 수천 혹은 수만 명의 근로자를 고용하고 있는 기업에서는 EAP의 일환으로 온라인 및 오프라인 웰니스 서비스센터를 운영하는 사례가 많다. 직원들에게 건강 문제가 생겼을 때 바로 전화나 인터넷, 직접 방문 등을 통해 의사와 상담하고 적절한 진단과 치료가 이루어질 수 있도록 한다. 결국 질병으로 인한 업무 손실을 크게 줄일 수 있다.

웰니스 프로그램에 따라 의사가 사업장에 상주하여 상담하고 의사결정을 도와주면, 직원들의 회사에 대한 충성도가 높아진다. 세계적 기업인 IBM의 사례를 보면, 인도 뱅갈로르(Bangalore) 지역에만 직원이 5만 명에 달하는데 1차 진료를 무료로 받도록 회사에서 제공하고 있다. 이 곳은 또한 젊은 생산직 여사원이 많아서 모성보호 프로그램의 수요가 크고, 개입결과 그 효과도 좋았다고 한다. 건강증진 서비스를 EAP 차원에서 진행하여 소기의 성과를 거둔 것이다. 한편 정신건강 문제도 아시아나 아프리카 국가에서는 전반적으로 진료와 상담에 대한 장벽이 높은 편이다. 대개 정신건강 문제는 신체건강 문제와 함께 오는 경우가 많으므로 웰니스 차원에서 신체건강 문제를 상담할 때 동반된 정신건강 문제를 파악하고 적절히 의뢰하거나 해결 방향을 잡도록 도와주면, 이용률과 업무 몰입도를 높일 수 있다. 이외에도 금연사업의 경우, 단순히 의학적 설명만 하는 것이 아니라 상담적인 접근을 할 수 있다면 금연성공률이 높아진다. 라이프코칭 기법을 활용하여 '왜 지금 금연하려하는가?' '그게 인생에 어떤 의미가 있을까?' 등 금연을 해야 할 이유를 찾아주고 동기강화 면담기법을 활용할 수 있다.

2) 사례

〈사례 1〉 55세의 B씨는 금융회사의 중역이다. 기혼이고 두 명의 대학생 자녀가 있다. 직장에서는 늘 바쁜 일정을 보내고 있다. 그동안 일과 가정생활의 균형을 잡으려고 노력해왔는데, 최근 일이 너무 많아져서 집에서 시간을 많이 보내지 못했고 부인의 불만도 커졌다. 무엇보다 가장 큰 문제는 건강에 적신호가 켜졌다는 점이다.

어느 날 구내식당에서 나오는 길에 무료로 건강 위험 평가를 해주는 웰니스 서비스를 우연히 접하게 되었다. 다음 미팅까지 1시간 정도 여유가 있었기 때문에 측정을 한 번 받아보기로 했다. 며칠 후 결과지를 받아본 B씨는 마음이 착잡했다. 체중은 정상체중보다 10kg 이상 높았고, 고혈압과 고지혈증도 있었다. 게다가 말은 하지 않았지만 치질도 생겼다. B씨는 정신이 번쩍 들었다. 건강이 없으면 모든 것을 잃는다는 평범한 말이 갑자기 가슴 속에 다가왔다. 그는 EAP 내 웰니스 상담원에게 전화를 해서 건강과 결혼 생활에 대해 상담을 받기로 결심했다.

B씨는 EAP 기관에 전화를 해서 비밀이 정말 유지되는지 재차 확인했다. EAP 담당자는 건강 상담을 해줄 수 있는 상담사를 연결해주었고, B씨 동네에 있는 부부상담사도 소개해주었다. 간호사 출신인 건강상담사는 운동과 체중조절 방법을 안내해주었고, 치질을 수술할만한 병원도 안내해주었다. B씨는 수술을 받았고, 운동과 식사 조절도 시작했다. B씨는 직장에서도 더 활력 있는 모습을 보이게 되었다.

〈사례 2〉 C씨는 30세 여성 사무직원이다. 결혼 2년차이며 돌이 갓 지난 아이가 있다. 남편도 직장인인데 야간에 대학원을 다니기 때문에 집에 있는 시간이 적다. 출산 후 친정어머니가 아이 돌보는 것을 도와주셨는데, 지난달부터는 도와주시지 못하게 되었다. C씨는 직장을 그만두어야 하는 지 걱정인데, 경제적으로는 회사를 계속 다녀야 할 상황이다. C씨는 보육 시설 등 아이를 맡길 곳이 필요한 상태이다.

EAP 상담 결과, 보육 문제는 C씨 문제의 일부일 뿐임이 드러났다. C씨는 아이와 둘이 있는 동안 밤마다 우울감에 빠져서 술을 마시기 시작했다. C씨는 회사에 결근하기 시작했고, 상사에게도 일을 계속 할 수 없을지도 모른다면서 걱정을 털어놓았다.

C씨는 EAP에서 개설한 웹사이트에 적절한 정보가 있음을 알게 되었다. 온라인 서비스를 이용해서 아이를 맡길 만한 곳을 이메일로 문의하였고, 24시간 이내에 필요한 정보를 얻을 수 있었다. C씨는 EAP가 제공하는 인터넷 홈페이지에서 음주습관에 대한 자가 테스트를 해보았다. 알코올 중독의 초기에 해당되었고, 웹사이트를 통해 우울증 테스트도 받도록 권유받았다. 해당 결과가 나오면서 바로 EAP 상담사로 연결되는 전화번호가 나타났다. 밤이 늦은 시각이었지만 C씨는 상담사와 연결이 되었다. 상담소가 출퇴근길에 있었기 때문에 다음날 저녁에 방문하여 우울증과 음주문제에 대해 상담을 받았다. 그 덕분에 C씨는 직장에 계속 다닐 수 있었다.

3. 위험관리로서의 EAP

1) 행동적 위험

위험관리(risk management)는 현대 비즈니스의 중요한 요소이다.

위험관리를 하려면, 우선 위험평가 프로세스가 잘 이루어져야 한다. 위험평가는 위험요인의 식별, 식별된 위험의 분석, 위험의 우선순위를 결정하는 세 단계로 이루어진다.

여기서 주지해야 할 것은 작업장 내의 행동적 위험요인을 반드시 파악하고 있어야 한다는 점이다. 물리적 요인은 장비나 물자의 파괴로 즉각적으로 나타나고, 그 해결도 상대적으로 빨리 이루어진다. 실제로 물리적 위험요인과 그 영향에 대해서는 비교적 많은 선행 연구와 조사가 이루어졌고, 지나친 노출을 막기 위한 법적 · 제도적 장치도 꾸준히 발전해 왔다. 그러나 행동적인 위험 요인은 인간의 행동으로 인한 것으로서 문제가 오래 지속되고 가시적으로 드러나지 않는 경우가 많기 때문에 해결이 쉽지 않다. 그래서 그동안 경험적으로는 중요성을 인식하였지만, 실질적인 조치나 제도적 뒷받침은 미흡한 수준에 머물렀다. 하지만 최근에는 행동적 위험 요인을 관리하는 데에 많은 관심이 기울여지고 있다. 위험 요인의 형태도 지진 등 대형 사고에서 작업장내 다툼이나 갈등 등 작은 사고까지 다양하게 다루어지고 있다.

이처럼 다양한 위험 요인에 대처하기 위해 EAP는 근로자와 관련된 여러 가지 위험성, 예를 들어 업무관련 정신질환의 발생을 사전에 예방하고, 개인적 문제에 의한 업무수행능력 저하나 업무상의 사고를 방지하기 위해서 본연의 기능을 수행한다.

2) 사례

통상적으로 위험관리 차원에서 EAP를 이용할 경우, 위험 수준에 따라 위기경보와 경계경보로 나누어 관리한다. 위기경보 사례에 대해 적절한 조치를 취한 후에는 경계경보로 변환이 가능하다. 그 이후에는 지속적으로 모니터링하면서 위험 요인을 관리한다. 이 때 위험요인을 판정하는 EAP 컨설턴트는 사업주와 근로자 사이에서 잘잘못을 판단하는 역할을 수행하는 것이 아니다. 다름 아닌 중계자로서 양쪽 모두 이익이 되도록 균형을 유지하는 역할을 수행하는 것이다.

위험 사례에 대해서는 각별한 비밀보장이 요구되지만, 그 수위는 회사 사정에 따라 상이할 수 있다. 예를 들어 금융권에서 재정적인 이슈는 조직 전체의 신뢰에 심각한 위험을 미칠 가능성이 높으므로 위기경보가 될 수 있다.

기업이 EAP 제공 업체를 통해 위기관리 서비스를 제공하는 이유는 첫째, 위험행동을 할 것으로 보이는 동료에 대해서 익명성이 보장되는 응급전화를 이용하도록 유도할 수 있고, 둘째, 사내의 위험요인을 외부에 노출하지 않으면서 EAP 기관과 협력하여 문제 해결을 도모할 수 있으며, 셋째, 연말 결과보고서를 이용해서 위험관리에서 얻은 이익을 분석할 수 있고, 넷째, 문제에 대해 의사, 컨설턴트 등 전문가가 진단해주는 것 자체가 의미가 있기 때문이다.

〈사례 1〉 원자력 발전소의 방사성 폐기물을 처리하는 회사의 한 직원으로부터 핵폐기물을 실수로 일반 하수에 버렸다는 전화가 걸려왔다. 당사자는 자신의 실수로 엄청난 재난이 발생할까봐 매우 불안해하면서 계속 되뇌었다. EAP 상담사는 적색경보 사례로 판단하여 해당회사에 관련 정보를 제공하였고, 사내 안전관리부서에서 이 문제를 점검하도록 했다. 실제로는 다른 안전장치가 가동되어 사고는 발생하지 않았으나, 불안에 떨면서 자신의 실수라고 단정지은 근로자가 주변 사람이나 언론에 말을 했을 경우, 엄청난 파국이 예상되는 사태로 번질 수 있었다. EAP의 위험 방지기능이 입증되는 순간이었다.

〈사례 2〉 정리 해고된 직원이 격분한 나머지 자기에게 나쁜 평가를 내린 상사를 죽이고 싶다는 충동을 느꼈고, EAP 상담사에게 전화해서 자신의 억울한 심정을 토로하면서 꼭 복수하겠다고 말했다. 당시 퇴근을 앞둔 시간인데 주차장에서 흉기를 지니고 기다리고 있다고 말했다. EAP 상담사는 이른바 위기경보로 판단하여 회사에 관련정보를 제공하였다. 상담과정에서 직원의 구체적 신원은 비밀이 보장되었지만, 사내 보안팀에서 정문 앞 주차장 순찰을 강화하고 해당 상사에 대한 보호를 실시하여 사고를 예방하였다.

〈표 4〉 위험 수준별 대처(예)

분류	현상
위기경보 (Red-flag)	- 실제 자살기도 - 임박한 자살 위험 - 알코올/약물남용 - 심각한 타해 위험 (예: 흉기 소지 등)
경계경보 (Pink-flag)	- 중등도의 자살 위험성, 자해나 타해 위험성 (예: "죽고 싶다", "한 방 먹이고 싶다" 등) - 아동학대나 가정폭력에 대한 의심

4. 포괄적 EAP

1) 통합의 배경

현대 산업사회에서는 여성의 노동시장 참여가 증가하고 베이비붐 세대의 노령화에 따른 은퇴인구가 급증하면서 직장-가정 양립과 균형에 대한 요구가 늘어났고, 이것이 핵심인재의 선발과 보유에 중요한 요소가 되었다. 특히 서비스 산업과 지식 산업의 경우 근로자 자체가 중요한 자산이며, 이들이 의욕 있게 업무에 집중하기 위해서는 생활상의 문제를 신속히 해결하고 일과 삶의 균형을 유지하도록 조력하는 것이 필수적이다. 근로자를 존중하는 기업문화를 확립하는 것도 사업성공의 중요한 요소가 되었다.

한편, 기업의 사회적 책임(Corporate Social Responsibility: CSR)이 대두되면서 근로자와 경영자, 그들이 속한 사회와 환경 전체의 조화가 강조되고 있다. 의료에서도 심신의학 즉 신체의학과 정신의학이 통합되는 경향이 있고, 질병보다는 건강증진과 예방, 웰빙 등 통합적인 삶의 질 향상으로 주된 초점이 옮겨 가고 있다.

결국 〈전통적 EAP + 생활지원 서비스 + 건강증진 · 웰니스 = 현대적 EAP〉라고 볼 수 있다.

2) 공통점

EAP와 생활지원 서비스, 건강증진 · 웰니스 모두 서비스의 공통된 목적과 내용이 있다. 첫째, 이들은 개인과 업무 환경의 연계에 중점을 둔다. 일례로 평소 고지혈증을 앓고 있는 근로자가 최근 모친상을 당했다고 가정하자. 이때 그를 위해 3개 조직이 협업할 수 있는 일은 무엇인가? 먼저 EAP에서는 갑작스럽게 사랑하는 가족을 잃어버린 슬픔과 충격을 달래기 위해 구조화된 상담을 제공하고, 건강증진 · 웰니스에서는 장례를 치르는 과정에서 나타날 수 있는 건강상의 위험을 예측하며, 특히 혈압이 잘 관리될 수 있도록 모니터링한다. 또한 생활지원 서비스에서는 장례를 치른 직후부터 일정기간 동안 가정과 일상생활에 좀 더 비중을 둘 수 있도록 근무량을 조절해 주거나 유연하게 근무시간을 조정할 수 있도록 돕는다. 이처럼 3개 조직이 유기적으로 협업할 때 대상 근로자에게 최상의 개입 성과를 이끌어 낼 수 있다.

둘째, 이들 모두는 생산성과 업무 성과를 높이는 방향으로 작용해야 한다. 만약 EAP 상담을 받아서 우울 증상이 호전되었는데도 여전히 부서원들과 갈등을 빚고 있다면, 그 EAP는 근로자 개인에게는 효과가 있을지 몰라도 경영자에게는 큰 도움이 되지 않는다. 또한 생활지원 서비스를 받아서 여성 근로자가 보육 시설을 찾는 데 도움을 받았는데도 결근을 계속 한다면, 비용을 지출하는 기업 입장에서는 만족스럽지 못할 것이다. 따라서 근로자와 경영진, 개인과 조직 전체가 이익을 볼 수 있는 문제해결 중심의 접근을 해야 한다.

3) 최근 동향

1990년대 들어 매니지드 캐어(Managed Care)가 활성화되면서 매니지드 행동건강관리(Managed Behavioral Health Care: MBHC)가 출현한 것이 EAP와 헬스케어의 결합에 가장 큰 계기가 되었다. 전형적인 매니지드 행동건강관리의 요소로는 정신건강과 약물남용 치료계획, 우선제공자 네트워크(preferred provider network)와 비용 협상, 병원 의뢰, 사례관리(case management) 등을 들 수 있다. EAP도 상담에 대한 접근성이 용이하기 때문에 매니지드 행동건강관리와 유사하게 인식되었고, 이에 통합이 시도된 것이다. 또한 접근성을 높이기 위해 하나의 콜센터를 운영하고, 합동 네트워크, 한 세트의 사례관리자를 추구하게 되었다. 대형 헬스케어조직들은 종종 매니지드 행동건강관리 기관을 자회사로 운영하면서 EAP 회사들을 인수 · 합병하여 통합된 EAP · 매니지드 행동건강관리 상품을 만들었다.

하지만 헬스케어와 EAP의 결합은 여러 가지 부작용을 낳을 수 있다. 비용절감 목적에만 치우칠 경우, 정신건강 서비스의 질이 저하될 수 있다. 게다가 EAP가 본래 지녔던 기능, 즉 근로자와 조직 양쪽을 다 돕는 조력자로서의 기능이 저하될 수 있다. 예를 들면, 관리자의 의뢰를 받고 자문에 응하거나 근로자의 업무 복귀를 돕는 등 업무 성과 향상에 집중하는 EAP 고유의 특성이 매니지드 행동건강관리에서는 발휘될 수 없다. 이 때문에 EAP는 헬스케어시스템보다는 생활지원 서비스나 건강증진 · 웰니스 서비스와 보다 조화된 통합을 이룰 수 있다. 매니지드 행동건강관리는 그 적용 대상자의 수가 적은 반면 전문 인력이 집중적으로 관리해야 하므로, 앞서 제시된(1장 3절) 핵심기술모형이 적용된다. 반면 생활지원 서비스나 건강증진 · 웰니스 서비스는 훨씬 더 많은 수의 일반적 대상자가 해당되기 때문에, EAP의 포괄적서비스 모형과 잘 부합된다. 그리고 이 과정에서 개별 근로자에 대한 지원을 일터에서의 문제해결로 연결하는 EAP의 독특한 가치를 살려나가게 된다.

오늘날의 EAP는 대체적으로 다음의 〈표 5〉와 같은 서비스를 제공하고 있다.

〈표 5〉 EAP의 주요 사업 및 내용

주요사업	세부사업	세부내용	
일반상담 및 의뢰	임상서비스	• 약물남용	• 생활주기의 큰 변화
		• 정신질환	• 결혼 및 가족문제
		• 스트레스	• 건강 및 섭식문제
		• 정서적 문제	• 대인관계 곤란
업무 및 생활지원 서비스	법률서비스	• 이혼 및 가정	• 문제상해 및 교통위반
		• 범죄	• 유언장 작성
		• 재산 계획	
	재정 및 신용상담	• 부채	• 문제세금 문제
		• 자산관리	• 은퇴설계
	아동양육	• 아동보육긴급보호 및 예비보호	
		• 재가보호	• 특수교육 프로그램
		• 방과 후 프로그램	
	입양문제	• 입양기관, 변호사, 입양지지그룹 및 입양 후 상담 · 의뢰	

업무 및 생활지원 서비스	노인부양	• 재가보호	• 이동서비스
		• 지지서비스(자원봉사, 지지그룹)	• 재활서비스
		• 노인부양기관 정보제공 및 의뢰	
		• 환자보호서비스(요양원, 생활시설)	
	부모교육 및 상담	• 한부모 가정	• 이혼가족
	학업정보지원	• 정부 보조 프로그램	• 입시정보 제공
		• 교육상담	
위기상황 스트레스관리법	위기상황 스트레스 해소법(CISD)	• 위기 반응 프로그램	• 직장복귀 후 평가
		• 개별상담 및 그룹해소	
경영관련 상담 · 자문	조직 · 인사 관련 상담 및 세미나	• 성추행 및 직장 폭력	• 효과적 시간관리
		• 직무스트레스 관리	• 조직변화 관리 및 대처
		• 리더십 기술발달	• 약물 없는 직장 만들기
		• 대화기술 및 갈등해결	
	프로그램 촉진	• 근로자 오리엔테이션	• 관리자 훈련
		• EAP 브로셔, 소식지, 포스터	
		• 부모교육 및 한부모 가정 생활가이드	

5. 통합적 서비스의 발전

1990년대 이후 기업들은 근로자의 신체적 건강과 심리사회적 욕구를 아우르는 포괄적인 예방적 서비스를 제공하기 시작했다. 이제는 전통적인 EAP만 제공하는 기업은 거의 찾아보기 힘들다. 대부분 어떤 형태로든 EAP와 생활지원 서비스, 건강증진 · 웰니스를 통합하여 운영하고 있다.

1) 경영 측면에서 통합의 장점

전체 프로그램 관리의 효율이 높아지고 하나의 서비스 제공자만 상대하면 된다. 어떤 문제로든 서비스망에 연결되면 문제 파악 과정에서 다른 프로그램으로도 의뢰될 수 있기 때문에 프로그램 참여율이 높아지고 전체적인 이용률이 높아진다(Herlihy, 2000). 운영비가 절감되므로 투자수익률이 좋아진다. EAP 제공 업체인 Ceridian은 EAP 단독형보다 EAP-생활지원 서비스 통합형의 투자수익률이 더 높았다고 보고했다. 또한 통합형의 경우 행동적 위험관리와 사고 예방에 보다 효과적이었다(Attridge, 2005).

2) 근로자 입장에서 통합의 장점

우선 연락처를 하나만 알면 되니까 편리하다. 어떤 문제든 개인적 고충이 생기면 하나의 전화번호를 마치 만병통치약처럼 사용할 수 있고, 자신의 문제를 각각 다른 사람에게 여러 번 반복적으로 설명하지 않아도 된다.

둘째, 자신에게 적합한 서비스로 연결될 가능성이 높아진다. 예를 들어 평소 스트레스가 많고 회사에서 성과가 좋지 않은 이유가 회사 상사와 갈등 때문인지, 적성에 맞지 않아서 그런 것인지, 아니면 집에서 겪는 부부 갈등 때문인지, 술을 자주 마시다보니 피곤하고 낮에 집중이 안 되어 그런 것인지 본인도 그 원인을 구별하기 힘들 때가 있다. 이런 경우 일단 서비스 기관이나 담당자에게 연결이 되면, 초기 상담 과정에서 문제의 본질이 구별되고 정리되어서 결국 자기에게 맞는 서비스를 받을 수 있다. 또한 사내 의무실과 외부 EAP가 연계되어 있는 경우, 기침이 나서 간호사를 방문한 근로자는 웰니스 프로그램과 연결되어 금연 프로그램을 안내 받는 동시에 EAP 상담사에게서는 금연 성공에 중요한 스트레스관리법을 배울 수 있다.

셋째, EAP만 하면 상담소를 찾을 때 남이 볼까봐 눈치를 보거나 신경이 쓰이는데, 생활지원 서비스 등 포괄적인 서비스를 제공하면 방문하기가 편안할 수 있다. 예컨대 집에 손님을 초청할 때 어떤 출장뷔페업소가 가장 적절한지 묻기 위해서도 EAP의 생활지원 서비스를 찾을 수 있다. 따라서 EAP를 이용하면 알코올 중독자로 낙인찍힐지도 모른다는 불안감은 전혀 가질 필요가 없는 것이다.

3) 통합 가치 모델

Attridge 등(2003)은 서비스의 통합으로 증가하는 비즈니스 가치를 설명하기 위해 〈비즈니스 가치 삼각형(Business Value Triad)〉 모델을 제안했다. 증대에 대한 3차원 서비스의 결과는 세 가지 측면으로 나누어 볼 수 있다. 조직 측면의 가치는 행동적 위험관리, 보상비용 절감, 조직문화 개선, 사기 진작, 인사관리 이익 등이다. 인적자원 측면의 가치는 결근과 비효율근무 감소, 인재 확보 증가, 이직률 감소 등이다. 의료비 측면의 가치는 EAP 및 웰니스와 관련된 신체적 정신적 건강 증진, 장애 및 산재보상의 감소 등이다. 통합적인 서비스를 제공할 경우, 이 세 가지 가치가 부가되어 비즈니스 가치가 훨씬 더 커진다. 〈그림 2〉에서 보듯이, 각 서비스의 원이 겹치는 영역, 즉 진한 색으로 표시된 부분이 가치 증대에 해당한다.

현실에서는 프로그램을 '어떻게' 실행했느냐가 서비스의 효과를 좌우하는데, 특히 위험도가 높은 근로자를 개별적으로 드러내지 않으면서 어떻게 집중적으로 지원 서비스를 제공할 것이냐가 관건이다.

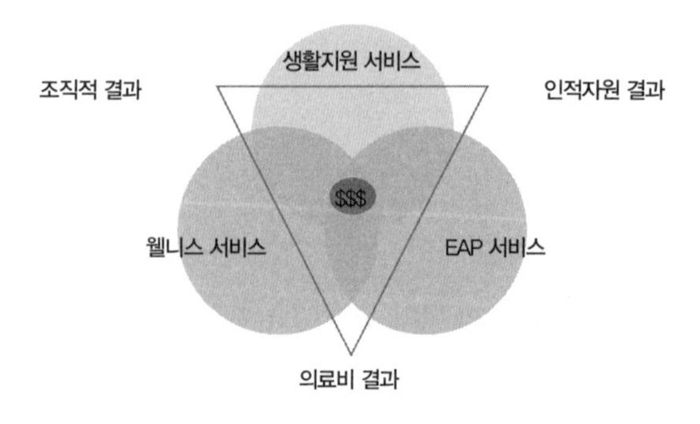

〈그림 2〉 포괄적서비스모델에 근거한 EAP

미국에서는 의료비 지출 절감이 경영자가 EAP 관련 서비스를 도입하는 중요한 경제적 동인이 되었다. 하지만 영국이나 북유럽, 한국 등 전국민 의료보험제도가 확립된 나라에서는 근로자의 의료비 지출에 대한 개별 사업주의 부담이 차별적이지 않다. 한국의 경우 근로자에게 개별적으로 부가된 건강보험료의 일부를 사업주가 일괄적으로 부담한다. 따라서 근로자의 의료비 지출 증가가 개인의 업무손실로 이어져 사업주에게 간접비용 증가 및 산재보험료 부담 증가, 감독부서의 제제 등 무형적 손실로 이어질 수 있으나, 개별 사업주의 직접적인 의료보험료 지출 증가로 이어지지는 않는다. 개별 근로자가 치료비를 많이 지출하는 상황이 발생해도 사업주가 부담하는 건강보험료나 산재보험료는 약간 증가할 뿐이다. 근로자의 건강증진이 직접 비용 절감으로 연결되지 않기 때문에, 개별 사업주 입장에서는 여기에 경비를 사용할 경제적 동인이 부족하다.

하지만 사회보험을 국가에서 주도하는 경우에도 EAP와 웰니스, 생활지원 서비스가 전체 국민건강보험의 보험료 지출과 산재보험료 지출, 국민연금의 장애 보상 지출 등을 절감하는 효과가 있다. 따라서 전사회적 관점에서 인적자원에 대한 지원 서비스를 개발하고 보급하는 논의가 시급하다. 거시적인 관점에서 인적자원 개발과 건강증진, 생활지원과 위험관리를 포괄하는 전사회적 시스템을 확립할 필요가 있다.

생각거리

1. 지금 내가 당면한 문제를 해결하기 위해 EAP만 단독으로 지원하는 경우와 EAP와 생활지원 서비스, 건강증진/웰니스 프로그램이 동시에 협업하여 지원하는 경우, 각각의 유효성을 비교해 본다.
2 〈표 5〉를 바탕으로 자신이 속한 조직에 필요할 EAP 서비스의 내용을 구상한다.

제 2 부

EAP 도입과 운영

제2부에서는 EAP의 실질적인 활용 가능성에 대해 언급하고자 한다. 먼저 사업장내 근로자가 당면하는 문제는 주로 어떠한 것이며, EAP 도입 과정에서 고려해야 하는 사항은 무엇인지 파악해보고, 이후 EAP 운영의 효율성 및 효과성을 극대화하기 위해 고려되어야 할 방안은 무엇인지 살펴보고자 한다.

근로자 문제의 징후

본 장에서는 현대 산업사회에서 근로자가 당면할 수 있는 주요 문제에 대해 살펴보고, 이러한 근로자의 문제가 심각하게 드러나기 시작하는 때가 바로 EAP 도입을 고려할 시점임을 알리고자 한다. 일반적으로 근로자가 당면할 수 있는 문제를 Myers(1984; 우종민·최수찬, 2008 재인용)는 출근, 안전, 품행, 범죄, 업무량, 업무의 질 등의 영역으로 구분하여 설명하고 있다. 본 장은 이를 수정 및 보완하고, 정신건강 영역을 새롭게 추가하여 사업장에 문제 근로자가 생겨나 EAP를 도입을 결정해야 하는 시점이 언제인지 알리는, 이른바 '골든타임'을 구별할 수 있도록 하였다.

1. 출근에 관한 영역

기업의 성과는 근로자의 성실한 근로행위에서 출발한다. 기업의 성과에 가장 근본적인 영향 요인은 '근로자가 근로시간을 잘 준수하고 있는가?'에 관한 항목이 될 것이다. 따라서 출근에 관련된 영역에서 근로자가 문제를 가지고 있을 경우, 근로시간의 결손이 증가하면서 기업의 생산성은 크게 낮아질 수 있다. 또한 결근율은 직무 긴장도나 직무 만족도와도 강한 상관관계를 가지고 있다(Cocker et al., 2013). 출근과 관련된 영역에서 살펴보아야 할 주요 항목으로는 지각, 무단결근, 병가남용, 응급상황에 따른 결근, 개인 욕구의 남용, 무단외출 등이 있으며 각각을 요약하면 다음과 같다(Myers, 1984).

1) 지각

지각이란 일반적으로 정해진 업무 일과가 시작된 이후 출근한 것을 말한다. 그러나 주어진 휴식시간이나 점심시간이 끝났는데도 업무에 늦게 복귀하는 것도 지각의 범주에 들어간다. 지각에 대한 판단기준은 각 조직의 직원 인사규정에 준하여 결정된다. 지각의 원인은 다양하지만 주로 직장-가정 간 역할 갈등이나 정서적인 문제로 인한 불면(늦잠), 알코올 중독의 초기 단계로서 나타나곤 한다.

〈표 6〉 다양한 영역에서의 근로자 문제유형과 비용발생 요인

영역	문제유형		비용발생요인	
출근	• 지각 • 긴급상황 발생에 따른 결근 • 무단결근 • 병가 남용	• 개인 용무의 남용 • 무단외출	• 생산성 저하 • 초과근무 • 휴가수당	
안전 및 보건	• 사고 • 역할 위반	• (보호)장비 위반 • 주의 태만	• 보험료 할증 • 장애관련 청구액 • 부상 및 사망	
품행	• 저주/모독 • 욕설/무례한 행위 • 싸움 • 변덕/비협조적인 행동 • 무관심	• 외모 • 대부(貸付) • 교육훈련 불참 • 잘못된 정보	• 사기 감소 • 호의 상실 • 생산량 감소	
업무량	• 업무량 감소/기준 미달 • 불규칙한 변화 • 급격한 변화	• 이익 없는 고용	• 이익 감소 • 비용 증가	
업무의 질	• 지나친 낭비 • 지나친 결함 • 고객 불만	• 오류 • 리콜 발생	• 비용 증가 • 호의 상실 • 영업 손실	• 소송
범법 행위	• 방화 • 절도 • 횡령 • 사기	• 태업 • 살인 • 폭행 • 산업 스파이	• 무역 기밀 누설 • 국가 안보 위협 • 자산 손실 • 소송	• 보험 청구

자료: Myers, D. W. (1984). Establishing and Building Employee Assistance Programs, p. 43. Westport, CT: Quorum Books.

2) 무단결근

사전 허락이나 동의 없이 일방적으로 이루어지는 결근이나 조퇴를 무단결근 또는 무단조퇴라고 부른다. 이를 가능한 방지하고자 몇몇 기업에서는 정해진 출근시간에서 최소 ○시간 전에는 전화 등으로 반드시 미리 결근을 알릴 것을 규정으로 두고 있다. 일반적으로 무단결근은 근무조건이 마음에 들지 않아 출근에 대한 동기가 낮거나 업무에 대한 불만족이 팽배한 경우, 또는 재정관련 문제가 있거나 음주문제가 심각한 경우에 많이 발생한다.

3) 병가 사용

병가는 병에 걸렸거나 검진 또는 치료의 필요성이 있을 때 정해진 일수만큼 사용이 가능하다. 그러나 이와 같은 목적 이외에 과음으로 숙취가 심하거나 단조로운 업무에 싫증이 날 때, 또는 상사의 성희롱을 회피하기 위해 병가를 사용하는 경우도 종종 있다. 그러므로 근로자가 사용하는 병가의 근본적인 원인을 찾아 해소하려는 노력이 요구된다. 아울러 병가의 남용을 방지하기 위해서는 반드시 의사의 진단서를 제출하도록 하고, 병원과 접촉하여 제출된 진단서의 진위 여부를 확인하는 것이 필요하다.

4) 응급 상황 발생

응급한 사건이나 사고가 갑작스럽게 일어나면 지각이나 결근을 하게 되는 경우가 종종 있다. 출근 도중 자동차가 멈춰서는 바람에 도로 한 복판에서 움직일 수 없거나 갑작스런 아이의 발병으로 병원으로 가야하는 경우, 또는 가족이나 친지가 갑자기 위독하거나 죽음을 맞이한 경우 출근에 영향을 받는다. 따라서 지각이나 결근이 반복될 경우 이에 대한 경향을 기록하고, 지속적으로 지각 · 결근하는 근로자에 대해서는 그 원인을 면밀히 파악해야 한다.

5) 개인 용무의 남용

개인적인 용무의 남용이란 화장실 이용, 의무실 사용, 운동시설 이용, 물 마시기 등 개인 용무에 지나치게 많은 시간을 낭비하는 것을 의미한다. 이러한 문제에 대한 판단 기준은 일반적으로 다른 근로자보다 개인적인 용무를 자주 보고 상사가 찾을 정도로 오랫동안 돌아오지 않는 경우가 이에 해당한다. 다만, 이러한 판단과 결정에 앞서 개인적 행동의 빈도와 장소, 그리고 그 원인을 주의 깊게 살피는 것이 필요하다. 예컨대 근무 중 자주 졸거나 잠에 취한 모습을 보이는 근로자가 있다고 가정하자. 이때 잠에 빠진 근로자의 모습이 언제, 어디서 목격되었는지 기록하고, 상사는 잠을 깨우기 위해 어떠한 노력을 했는지 기록한다. 아울러 수면의 원인이 무엇인지를 파악하는 것이 중요하다. 때로는 근로자가 복용하는 약(감기약 등)이 수면을 일으킬 수 있는데, 이 경우 본인의 의지와는 무관하게 수면에 대한 통제력을 상실할 수 있다.

6) 무단 외출

사전 허가나 보고 없이 근로자가 작업장을 떠나거나, 떠난 후 정해진 시간 내에 돌아오지 않을 경우에는 무단 외출로 간주한다. 대개 무단 외출은 가정 문제로 몹시 불안한 근로자가 집에 속히 돌아가길 원하고 있으나, 직장에서 허락을 받지 못했거나 못할 것이라고 판단될 때 감행된다. 또는 문제 음주자가 허락 없이 밖으로 나가 주차된 차 안에서 술을 마시는 경우도 있다.

2. 안전과 건강

안전과 건강의 영역에서는 주로 사고, 안전수칙 위반, 부적절한 장비의 사용, 근무태만 등의 문제를 주안점으로 놓고 분석한다. 이러한 문제가 많이 발생하는 사업장일수록 근로자의 안전과 건강은 위협받을 수밖에 없으며, 이에 EAP를 통한 문제 해결이 요청된다.

일반적으로 사고의 원인은 직접적인 원인과 간접적인 원인, 기여적인 원인 등 크게 세 가지로 나누어 볼 수 있다(U.S. Department of Labor, 1977). 먼저 직접적인 원인이란 작업 공정상에 안전 문제가 있거나 근로자가 위험한 행동을 자행한 경우, 또는 안전 규정을 위반한 경우 등 직접적이고 즉각적인 이유로 발생하는 사고를 말한다. 반면에 간접적인 원인은 주로 사고를 일으키는 잠재적인 위험 요인을 가리키는데, 근로자의 정신질환을 가지고 있거나 약물에 취해 있을 경우, 이를 간접적 원인의 예로 들 수 있다. 일반적으로 알코올 중독 근로자는 일반 근로자에 비해 각종 사고에 노출된 위험이 약 3.5배 큰 것으로 보고되고 있다(Hunter, 1982). 끝으로 지도 감독이 부적절하게 이루어지거나 안전 기준이 모호한 경우, 또는 근로자가 충분히 안전 교육 훈련을 받지 못하여 발생하는 사고 등을 기여적인 원인으로 분류한다.

〈표 7〉 안전사고의 원인

직접적인 원인	간접적인 원인	기여적인 원인
너무 빠르거나 느린 공정	예전부터 지속된 결함	부적절한 기준
간섭 및 방해	평소와는 다른 상황	부적절한 정책
위험한 행동 및 자세	개인적 상황	불충분한 수퍼비전
과도한 업무	- 영구적(예: 정신장애)	불충분한 집행
부주의	- 일시적(예: 만취)	부족한 계획
잘못된 교정(矯正)		불충분한 훈련
불완전한 상황		

자료: U.S. Department of Labor(1977). Investigating Accidents in the Workplace, pp. 13-14. Washington, D.C.: U.S. Department of Labor.

3. 품행

기업은 근무 중 기대되는 근로자의 품행에 대한 기준을 문서로써 명문화하고, 이를 모두에게 공표해야 한다. 기업이 근로자의 품행을 문서로 준비해 놓아야 할 이유로는 첫째, 근로자 개인에게 기대되는 행동을 공식화시킬 수 있고, 또 이를 근거로 안내와 교육이 가능하다. 둘째, 근로자의 행위에 대해 관리자의 판단 기준이 되는 동시에 객관적인 평가를 가능케 하며, 끝으로 근로자와 관리자를 보호할 수 있는 법적 기준을 제공한다. 법적인 기준을 보다 명확히 하기 위하여 기업에서는 근로자가 관련 기준이 적힌 서류를 읽고 서명토록 요구한 후, 이를 근로자와 기업이 각각 보관하기도 한다.

Myers(1984)에 의하면, 문제를 가진 근로자들이 보이는 태도나 행동을 다음과 같이 8가지로 요약할 수 있다. 이와 같은 예가 목격이 되면, 그 시간과 장소, 문제 행동 및 내용, 관련 상황, 목격자 등을 정리하여 기록으로 남겨두어야 한다. 조직 내부에 이러한 말과 행동을 일삼는 근로자가 많아질수록 조직 내 문제 근로자가 많아졌다는 것을 의미한다.

1) 모욕 · 저주 · 속어 · 무례

이러한 문제 행동의 대표적 유형으로는 싸움이나 위협적인 행동, 고함 등을 들 수 있다.

2) 비협조

가끔은 누구에게나 언짢고 기분 나쁜 날이 있기 마련이지만, 조직은 근로자의 갑작스런 행동 변화에 주목해야 한다. 평소에 협조적이던 근로자가 갑작스럽게 비협조적인 태도를 보인다면, 그에게 어떤 문제가 생겼음을 나타낸다. 일반적으로 근로자 사이에 업무가 불공평하게 주어지거나 주어진 역할이 불분명할 때, 또는 알코올 문제가 있을 때 해당 근로자는 비협조적인 태도를 보일 수 있다.

3) 무관심 · 냉담

근로자가 갖는 무관심이나 냉담은 다양한 행동으로 나타난다. 이들은 대게 피곤해 보이고, 절망적인 의견만을 제시하며, 주어진 업무도 적절히 수행하지 못한다. 이러한 문제의 원인은 다양하게 지적될 수 있지만, Niehouse(1981)는 지나친 도박으로 경제적인 어려움에 빠진 근로자에게 나타날 수 있는 우울증에 주목한다. 즉 이러한 우울증으로 인해 무관심과 냉담함이 나타난다는 것이다. 이밖에도 가정불화나 배우자의 죽음, 정신적 탈진(burn-out), 게임중독이나 SNS(Social Network Services) 과몰입 등으로 인해 발생할 수 있다.

4) 외모

근로자의 옷차림새나 세면 상태 등 소위 외모를 주의 깊게 살펴보면, 문제 근로자 여부를 어느 정도 짐작할 수 있다. 관리자는 회사규정을 위반하지 않는 한 외모를 근거로 근로자를 비난해서는 안되지만, 그렇다고 무관심해서도 안된다. 직종에 따라서는(예: 요리사, 웨이터, 이발사 등) 근로자의 옷차림새나 머리 길이, 청결상태, 단정함 등이 중요한 평가 기준이 되기도 한다.

5) 대부

근로자 사이에서는 흔히 돈거래가 이루어지나, 그 자체를 기업에서 공식적인 문제로 삼을 수 없다. 그러나 자판기 커피 값이나 식사 값 등 일상적으로 사용되는 적은 금액을 제외하고 상사가 부하 직원에게 상당한 금액을 빌리는 행위는 주목해야 한다. 상사가 대부를 요구했을 때 부하직원이 이를 거절하기가 쉽지 않기 때문이다. 이와는 반대로 부하 직원이 뇌물의 성격으로 대부금을 상납하는 경우도 있다. 급전을 필요로 하는 근로자는 도박문제나 알코올 문제, 가계 곤란을 겪고 있는 지 확인할 필요가 있다.

6) 지시 거부

작업을 진행하거나 관련 장비를 사용할 때 수반되는 지시와 안내를 소홀히 여겨 따르지 않을 경우, 안전사고 등 심각한 문제가 근로자에게 나타날 수 있다. 회사의 자산을 임의로 사용하거나 관련 절차를 위반할 경우 역시 근로자의 문제 행동으로 지적된다. 이러한 행동에 대해서는 보다 엄중한 지시를 문서화할 필요가 있다. 그렇게 해도 일부 근로자는 여전히 반복된 지시나 요구를 거절하기도 한다.

7) 허위 보고

근로자는 병가나 결근, 무단외출 등의 이유를 거짓으로 보고하기도 한다. 이를 위해 종종 의사의 소견서를 위조하거나 출근기록부를 바꾸기도 하며, 지각을 핑계대기 위해 출근길 교통상황을 거짓으로 진술하기도 한다. 음주나 도박 등의 문제가 주요 원인으로 꼽힌다.

8) 범법 행위

비록 사업장 내 범죄는 다양한 원인에 의해 발생되지만, 개인적인 문제에 봉착한 근로자가 범죄를 일으킬 가능성은 매우 높다(Gilmore, 1982). 다음은 근로자의 당면 문제가 심각할 경우 발생 가능한 범죄에 대한 요약이다.

- 방화: 정신건강 문제를 가지고 있는 현직 또는 실직 근로자에 의해 발생한다. 특히 직장에서 불이익이나 괴롭힘을 당했다고 믿고 있을 때 자행될 수 있다.
- 절도: 돈이나 장비, 회사 기밀 등의 절도는 도박, 약물(알코올) 중독, 경제적 어려움 등에 봉착한 근로자에 의해 발생할 수 있다.
- 횡령 · 사기: 가족갈등이나 결혼문제를 경험하고 있는 근로자나 도박, 약물(알코올) 중독 증세를 보이는 근로자 등에 의해 발생할 수 있다.
- 사보타주(태업, 파괴): 관리자에 대한 적개심을 품은 근로자는 장비나 상품, 서비스 등에 해를 입힐 수 있다.
- 살인: 직장 내 살인은 종종 근로자의 가정문제나 직장문제로 인해 발생할 수 있다. 즉 상사에게 불공정하게 평가를 받아 실직했다고 믿는 근로자가 그 상사를 찾아 살해하거나, 심각한 가정문제로 인해 실직한 근로자가 동료 직장인을 살해하는 사건이 발생하기도 한다(Richmond Times-Dispatch, 1982).

- 기타: 동료나 관리자와의 갈등으로 인해 회사 기밀을 유출하려는 행동이 나타날 수 있다.

4. 업무량과 업무의 질

업무량은 성과 측정의 중요한 기준이 된다. 대부분의 기업에서는 업무량에 대한 기준을 가지고 있지만 이러한 기준이 문제를 일으키기도 한다. 특히 그 기준에 대해 관리자의 이해가 부족한 경우, 근로자에게 업무량이 공평하게 적용되지 못하여 이들의 불만을 자아낸다. 또한 공동 작업인 경우에는 근로자 개개인의 업무량을 측정하기 어렵다는 현실적 한계도 존재한다. 관리자가 모든 기준을 잘 이해하고 관리 감독을 충실하게 수행해도 자신에게 피해가 갈 것을 우려하여 업무성과를 허위보고하기도 한다. 하지만 업무량과 질에 대한 측정 기준이 명확하다면, 문제를 가진 근로자를 확인하기는 그다지 어렵지 않다. 문제음주자나 정서적 문제가 심한 근로자는 종종 업무량이 감소한다.

Myers(1984)는 업무량에 영향을 미치는 핵심 요소를 다음의 8가지로 정리하였다. 첫째, '인지 외적(non-cognitive)' 측면이란 명확하게 인식하기 어렵지만 업무량을 결정짓는 중요 요인을 의미한다. 대개 한 개인이 가지고 있는 에너지나 일에 대한 동기, 의지력, 리더십, 분석력, 창의력, 독창성, 감각, 소통능력 등을 가리킨다.

둘째, '정신적 능력'은 직무 요구와 관련되어 개인의 생산성에 영향을 미친다. 일부 직종에서는 복잡한 업무를 통합적으로 이해해야 하는 고도의 정신적 능력을 요구하기도 한다. 정신건강이나 정서상에 문제가 심한 근로자는 이러한 직무 요구를 충족시키기가 어려울 것이다.

셋째, 근로자의 생산량에 영향을 미치는 '신체적 능력'은 근로자가 지닌 체력과 여러 근육이 조화를 이룰 수 있는 정도를 가리킨다. 신체적 능력은 주로 휴식 기간, 신체적 부담 정도(무거운 물건을 들 때 드는 부담), 노동력을 경감시키는 장비의 사용(지게차 등), 그리고 기계의 호환능력 등에 좌우된다. 말기 문제음주자의 경우, 신체적 능력에 심각한 손상을 입기도 한다.

넷째, '노력'은 근로자가 가지고 있는 욕구와 동기, 강화 등과 관계있는 개념이다. 즉 일에 대한 충분한 동기가 있고, 일에 대한 긍정적인 측면이 강화되어야 노력이 수반될 수 있다. 일반적으로 자신이 한 일에 대해 정당한 평가가 이루어지고, 이러한 업무성과에 대해 보상이 기대될 때 업무동기가 담보될 수 있다.

다섯째, 근로자가 가지고 있는 '사적인 문제' 역시 업무량에 직·간접적인 영향을 줄 수 있다. 일례로 아내가 병상에 있는 남편의 경우, 아내에 대한 염려와 함께 자녀 양육을 위해 시간과 노력을 할애할 수밖에 없다. 이것은 직장 내 업무 성과에 부정적인 결과로 이어질 수 있다.

여섯째, '조직의 성격과 특성'도 생산량에 영향을 미친다. 기업에서 제공하는 기계나 장비가 우수하고, 관리자의 경영 능력이 탁월할 때 근로자의 생산량은 증가할 수 있다. 이외에도 업무의 디자인과 구조, 업무환경, 산업안전 등 역시 근로자의 생산성에 영향을 줄 수 있는 조직 관련 요소이다.

일곱째, 개별 근로자의 다양한 '역할에 대한 인식' 정도에 따라 조직의 생산성은 달라질 수 있다. 그러므로 관리자는 근로자가 배우자, 부모, 주민 등 다양한 역할을 수행하고 있음을 인식하고 있어야 한다. 부모로서의 역할 수행이 기대되는 근로자가 조직 내부에 많다는 것을 잘 인식하는 기업일수록 직장보육시설 건립에 적극적일 수 있다.

여덟째, 근로자의 높은 '인지적 능력'은 생산성과 이익에 긍정적인 영향을 미친다. 따라서 기업은 지속적인 교육과 훈련을 통해 근로자의 인지력 향상을 도모해야 하며, 이는 궁극적으로 기업의 경쟁력과 생산성을 높이는 데 이바지할 수 있다. 특히 다양한 교육 훈련을 경험한 근로자는 동료 근로자의 결근, 병가, 휴가 시 이들의 업무를 대신할 수 있어 대체인력 모집 등 추가적 비용을 절감할 수 있다.

〈표 8〉 근로자 성과의 효과성 측정 변수

인지외적 능력	정신적 능력	육체적 능력	노력
스트레스 내성	지능	체력	노력 보상
의지력	장애	근육의 조화	정당성
기타			
사적인 문제	**조직적 측면**	**역할에 대한 인식**	**인지적 능력**
알코올	직무 구조	개인/가족	교육
배우자/가정문제	직무 환경	관리자	경력
기타	관리 스타일	자기 자신	교육훈련

자료: Myers(1984). Building Employee Assistance Programs, p. 43. Westport, CT: Quorum Books.

근로자의 업무량에 부정적인 영향을 미치는 요인들은 업무의 질에도 부정적인 영향을 줄 수 있다. 주로 업무 중 실수가 반복되거나 제품의 결함이나 불량이 발생할 경우, 또는 소비자의 불만이 접수되고 리콜이 증가할 경우, 업무의 질이 저하되었다고 볼 수 있다. 근로자가 작업 도중 스트레스 등으로 인해 집중력이 저하되었을 때 업무의 질이 저하되고 공정상의 낭비가 증가한다.

한편 과도한 업무요구도를 경험하거나 업무재량권이 부족한 상황, 조직 내외의 지원부족 등은 근로자의 직무스트레스(job stress) 문제를 낳는다. 우종민과 채정호(2016)는 근로자가 직무스트레스를 경험할 때 나타나는 비신체적 반응을 4가지 차원으로 나누어 제시하였다〈표 9〉.

이러한 반응의 결과, 미국은 직장인 스트레스로 인해 연간 2,999억 달러 만큼의 사회적 손실을 경험하고 있으며(OECD, 2008), 유럽의 경우도 근로자의 스트레스로 인해 유발되는 평균 근무시간 손실이 1995년 이래 36% 이상 크게 증가하였다(WHO, 2005; 우종민, 2013 재인용).

〈표 9〉 직무스트레스의 비신체적 반응

심리적 반응	행동적 반응	인지적 반응	조직적 반응
감정변화(우울, 불안) 정서불안(초조, 긴장) 실패감, 불확실감 무력감 대처능력 상실감 무관심, 집착, 소진, 싫증 자아존중감 결여	수행능력 저하 스트레스 상황 회피 (대인접촉 회피, 약속 불이행, 지각) 신경과민적 습관 식습관변화(식욕상실, 과식, 과음, 흡연)	의사결정 곤란 집중곤란 기억력 저하 왜곡된 사고 정신 기능의 저하 새로운 정보 습득 곤란	결근 직무불만족 재해사고 이직 업무성과 저하 책임감 상실

자료: 우종민 · 채정호(2016), 정신건강(p.191). 강동묵 외(2016), 직무스트레스의 현대적 이해. 고려의학.

과도한 직무스트레스는 불안, 우울, 분노 등 심리적 반응과 소화불량, 두통, 과민성 대장증상 등 생리적 반응을 일으킨다. 대인관계에서는 갈등을 조절하는 능력이 감소하여 불화가 많이 생긴다. 그 결과, 주변 사람과 좋은 인간관계를 유지하지 못하여 힘들 때 도움을 받지 못한다. 결국 스트레스 대처 능력이 저하되어 더 큰 문제를 겪는 악순환으로 이어질 수 있다.

5. 복합적인 문제를 해결하는 EAP의 장점

전술한 바와 같이 근심에 빠진 근로자는 출근, 품행, 범죄, 안전사고, 업무량과 업무의 질, 직무스트레스 등에 있어서 심각한 문제를 일으킬 수 있다. 근로자 개인의 문제로 단순히 불량품 몇 개가 생산될 수 있지만, 한 기업이나 국가의 장래가 달린 1급 기밀문서가 절도 당하는 사건이 발생할 수도 있다.

이렇듯 다양한 근로자 문제의 징후들이 사업장에서 목격되고, 이로 인해 기업의 생산성과 경영 효율이 저하되고 있다면, 기업은 EAP의 도입을 본격적으로 검토해야 한다. EAP의 주된 목적은 다름아닌 다양한 사업장 내 문제를 최소화하고, 근로자의 업무수행능력을 향상시키는 것이기 때문이다.

결국 업무수행능력이 저하될 수 있는 근무 태도나 가정문제, 직장 안팎의 대인관계 문제, 금전문제, 스트레스 등을 그대로 방치하거나 소극적으로 대처해서는 안 된다. 정서적으로 불안정하거나 알코올중독, 심각한 가정불화, 눈덩이처럼 불어난 카드빚 등 재정적 · 법률적 문제가 있는 근로자들은 본의 아니게 맡겨진 업무를 완수하지 못하고 회사에 큰 손실을 안겨줄 수 있다. 따라서 이러한 문제를 빨리 회복시키거나 조기에 관리할수록 업무 진행을 개선하고, 비용을 감소시키며, 사고와 상해를 줄일 수 있다. 근로자 문제의 징후가 사업장 곳곳에서 발견되고 있다면 이제 EAP를 도입해야 할 시점이다.

생각거리

1. 근로자의 당면문제가 업무에 미치는 영향을 직간접적 경험을 예로 들어 설명한다.
2. 사고나 손실을 일으키는 행동적 위험 요인을 열거한다.

계획과 준비

EAP의 성공 여부는 계획에서부터 시작한다. 사전에 얼마나 체계적이고 면밀하게 EAP를 계획하고 준비했는가에 따라 향후 EAP의 성공여부가 결정될 수 있다. 본 장에서는 Smits와 Pace(1992: 우종민·최수찬, 2008 재인용)의 논거를 기반으로 사업장내 문제 상황을 분석한 후, EAP의 전략과 구조를 디자인하고, 투자비용을 예측하는 일련의 과정을 소개한다. 또한 본격적인 실행에 앞서 EAP의 정책과 절차를 문서화시킬 때의 유의점과 성공적인 EAP 구현을 위해 사내에서 협력해야 할 대상은 누구인지 알아본다.

1. 상황 분석

EAP의 출발은 현재 상황에 대한 분석에서부터 시작한다. 조직 내부에 대한 분석과 함께 외부 환경에 관한 정보를 수집하여 종합적으로 확인해야 한다.

1) 내부 분석

기업 내부에는 반드시 EAP를 도입해야 하는 중요한 요인들이 존재한다. 출근율, 문제행동 발생률, 산업재해 발생률, 건강검진 기록 등의 자료를 확보하고, 관련 문제에 대한 면밀히 조사를 실시한 후, EAP에 대한 구체적인 목표를 수립할 수 있다. 기업은 이를 바탕으로 EAP 설립 여부와 투자수준을 결정하게 된다.

① 출근율

근로자의 결근은 곧 무노동과 무생산성을 의미한다. 따라서 기업의 지속적인 경영과 생산성을 담보하기 위하여 근로자의 출근은 가장 중요한 명제이다. 그러나 문제 근로자는 종종 오랫동안 병가를 사용하거나, 휴가 종료 후 신속한 복귀를 미루기도 한다. 특히 문제 음주자는 평균 근로자에 비해 16배 이상 결근한다는 보고도 존재한다(Quayle, 1983). 그러므로 기업은 다음과 같은 질문에 대한 답에서 소속 근로자의 출근 성향을 분석해야 한다.

- 휴일 다음날의 출근율은 평일 평균 출근율과 어떻게 다른가?
- 얼마나 많은 근로자들이 병가를 초과하여 사용하는가?
- 지난 수년간 출근율의 패턴은 어떻게 변하고 있는가? 결근율이 갑자기 증가한 적이 있는가?

② 개인행동

사업장에서 명백히 드러나는 문제 행동을 보이는 근로자도 있지만, 약물남용처럼 겉으로 잘 드러나지 않은 개인행동도 있다. 따라서 근로자의 행동에 대해 면밀한 분석과 해석이 요구된다.

- 지난해 문제행동으로 해고된 근로자는 몇 명인가?
- 지난해 근로자 문제의 직 · 간접적인 결과로 인해 해고된 근로자는 몇 명인가?

③ 산업재해 및 사망

미국의 경우, 음주나 약물관련 문제를 가진 근로자는 이 같은 문제가 없는 근로자에 비해 산업재해 발생률이 4배 이상에 달하며, 이들의 산재보상신청액도 5배 이상인 것으로 나타났다. 특히 산재의 47%, 산재로 인한 사망의 44%는 알코올남용과 관계가 있는 것으로 보고되고 있다(Quayle, 1983). 그러므로 사업장내 산재 발생률과 그 최근 동향을 면밀히 기록하고, 이를 해당 산업별 사고 발생률 및 우리나라 전체 산업 사고 발생률 평균과 비교하여 분석한다.

④ 건강검진

근로자의 흡연과 음주, 과로 및 스트레스 등은 시간이 지남에 따라 근로자의 건강을 위협하고 각종 질환을 유발할 수 있다. 이 경우 근로자 개인은 물론 조직의 효율성에도 부정적인 영향을 미치게 된다. 따라서 주기적인 건강검진을 이용해서 사업장내 근로자들의 건강 정도를 파악하고, 미래 발생 가능한 기업의 비용지출을 산정해 본다.

- 최근 신체질환을 가진 근로자가 증가하고 있는가?
- 다수의 근로자에게 공통적으로 나타나는 질환이 있는가?

⑤ 관리자(상사)의 관찰

통계 자료에 의해 드러나지 않는 정보를 관리자의 눈으로는 식별할 수 있는 경우가 있다. 예컨대 심각한 음주 문제를 가진 근로자라도 그 일부는 출근에 아무런 문제를 보이지 않는다. 또는 작업 공정상에 사소한 실수를 한두 차례 한 적은 있어도 아직 회사에 손해를 끼칠 만큼 심각한 문제를 초래한 적이 없는 근로자도 있다. 이러한 경우, 객관적인 통계 자료에서는 별다른 문제가 나타나지 않는다.

그러므로 관리자를 대상으로 '자신의 부하 직원이 어떤 문제나 고충을 가지고 있다고 생각하는가?'를 묻는 설문을 무기명으로 실시한다면,

지금까지 겉으로 드러나지 않았던 새로운 문제를 찾아 낼 수 있다. 직원들을 가장 가까이에서 관찰할 수 있는 관리자의 눈이야말로 새로운 정보의 제공처이다.

⑥ 근로자 대상 설문조사

근로자를 대상으로도 어떤 문제를 가지고 있는지를 묻는 설문을 무기명으로 실시할 수 있다. 이는 근로자 문제에 대한 가장 직접적인 정보이며, 소속 근로자 전체의 현황을 보여준다는 면에서 기업이 향후 정책적인 대안을 마련하는데 기초적인 정보를 제공한다. 다만 설문조사 및 분석 과정에서 비밀보장 등 매우 민감한 이슈가 많기 때문에 객관성을 담보하기 위해 외부 연구자들에게 의뢰하거나 자문을 구하는 것이 바람직하다.

근로자 대상 설문조사의 항목은 사업장 및 근로자의 특성에 따라 다양하게 구성할 수 있다. 다음은 근로자의 건강관련 문제, 생활관련 문제, 업무관련 문제, 문화 및 여가관련 문제 등을 중심으로 구성한 설문의 예이다.

<표 10> 근로자 당면문제 설문조사 문항 예시

* 귀하께서 현재 경험하는 문제를 그 심각성의 정도에 따라 해당란에 (V)표 해주십시오. 단, 가족관련 문항 중 가족이 없는 경우에는 해당 문항에 표기하지 마십시오.

건강관련 문제	전혀 문제없음	거의 문제없음	보통임	조금 심각함	매우 심각함
1. (직무외적) 일상관련 스트레스					
2. 음주					

3. 흡연					
4. 신체건강 · 체력증진 문제					
5. 다이어트(식이요법) 문제					
6. 의료비 부족					
7. 가족의 건강 문제					
8. 사내 체육시설(운동공간) 부족					

생활관련 문제	전혀 문제없음	거의 문제없음	보통임	조금 심각함	매우 심각함
9. 부부 · 가족간 갈등					
10. 자녀보육 문제(보육시설, 보육비 부족 등)					
11. 자녀교육 · 학교진학 문제					
12. 자녀 학자금 부족					
13. (본인) 진학관련 · 평생교육 문제					
14. 노인(노부모) 보호 · 간호 문제					
15. 가족 · 친지의 갑작스런 사건 · 사고					
16. 생활 법률정보 부족					
17. 재정 및 신용(관리) 문제					
18. 주거관련 문제					
19. 통근관련 문제					

업무조직 관련 문제	전혀 문제없음	거의 문제없음	보통임	조금 심각함	매우 심각함
20. 성희롱 · 성추행					
21. 직장내 폭력(언어적 폭력 포함)					
22. 직무관련 스트레스					
23. 실직 · 퇴직관련 고충					
24. 경력관리 문제					
25. 비효율적 시간관리					
26. 조직변화 부적응					
27. 조직내 대인관계 문제					
28. 리더십 부족					
29. 업무관련 교육 · 훈련 부족					
30. 산업안전 · 재해 문제					

문화 및 여가 관련 문제	전혀 문제없음	거의 문제없음	보통임	조금 심각함	매우 심각함
31. 여가시간 부족					
32. 여가비용 부족					
33. 휴양 및 여행정보 부족					
34. 문화 · 교양 활동(도서실, 동호회 등) 지원 부족					

* 다음의 문항을 읽고 해당란에 (V)표 해주십시오. 단, 직장에서 인가한 업무와 관련되었거나 이미 허가받은 교육활동(학원, 대학원 출석 등)에 의한 결근, 지각, 또는 조퇴 등은 제외시켜 주십시오.

업무관련 문제	전혀 없음	거의 없음	간혹 있음	자주 있음
35. 귀하께서는 지난 3개월간 지각 또는 조퇴한 경우가 있습니까?				
36. 귀하께서는 지난 3개월간 결근한 경우가 있습니까?				
37. 귀하께서는 지난 3개월간 업무에 대한 집중력 저하를 경험한 적이 있습니까?				

2) 외부 분석

조직 외부에 존재하는 각종 정보를 수집하여 이를 조직 내부의 상황과 비교 분석하고, 향후 EAP 도입 및 운영에 참고자료로 삼는 과정이다. 외부에서 취득 가능한 정보는 크게 전국단위와 지역단위로 나누어 살펴볼 수 있다.

① 전국단위 정보

EAP 도입 결정에 참조할 수 있는 외부정보로는 우선 공신력 있는 조사기관에서 제공하는 전국단위의 자료가 있다. 전국 사업장의 산업재해 발생률이나 약물중독 근로자 비율, 직장폭력 발생률, 직무스트레스 유보율 등이 여기에 속한다. 이와 같은 자료는 정부 및 정부산하 기관, 국책 및 민간 연구소, 전국 단위의 협회 등을 이용해서 수집할 수 있다.

수집된 외부정보는 조직 내부 정보와 비교 분석의 과정을 거치게 된다. 이 과정에서 소속 근로자의 문제를 우리나라 전체 근로자와 비교하여 어느 정도 심각한 지 판단하게 된다.

② 지역단위 정보

앞서 전국단위의 정보가 비교 분석의 큰 틀을 제공하는데 유용하다면, 사업장이 위치한 지역이나 근거리에 위치한 지역에 관한 정보는 직접적인 서비스를 제공하는 데 필요한 정보를 제공한다. 동일한 지역의 유사 업종 종사자들은 역시 흡사한 문제를 경험하는 경우가 종종 있다. 예컨대 한 지역의 산업단지공단에 위치한 인쇄업 종사자들은 엇비슷한 노동환경 속에서 유사한 고충을 호소할 수 있다. 이 중 EAP를 이미 도입하여 운영하고 있는 기업이 있다면, 사적 네트워크를 이용해서 그 기업이 어떻게 EAP를 시작하였고, 어떤 규모의 비용을 투자하였으며, EAP가 어느 정도 성공적이었는지 문의할 수 있다.

다만 유사한 업종과 기업 규모에 종사중인 근로자라 할지라도 근로자의 문제는 반드시 개별적으로 접근되어야 하며, 한 기업의 특성과 여건이 반영된 EAP 모델이 모든 기업에 동일하게 적용되어서는 안 될 것이다.

2. 전략과 구조에 대한 결정

1) 기본적인 EAP 전략

EAP의 기본 전략은 크게 예방과 개입으로 양분하여 설명할 수 있다. 이러한 전략은 조직 내 근로자의 문제를 궁극적으로 해결하기 위해 고안된 EAP의 핵심요소이다. 근로자의 문제행동으로 인한 비용 지출을 피하기 위해서는 무엇보다도 예방 전략이 요구되며, 동시에 비용 억제를 위해서는 시의적절하며 효과적인 개입 전략이 필요하다.

① 예방

EAP는 문제에 대한 사후 해결보다 장기적인 관점에서 문제를 예방하는 편이 더 효과적인 것으로 간주한다. 그러나 어떤 유형의 예방활동에 어느 정도의 투자를 할 것인지를 결정하는 것은 여전히 쉽지 않은 과제이다.

우리가 예방활동 전반에 신중을 기해야 하는 이유는 다음의 예에서 알 수 있다. 자동차의 엔진은 주기적인 교체를 필요로 한다. 예방적인 관리방법은 3개월이나 5,000km 주행 시마다 오일과 필터를 교환할 것을 제안한다. 물론 이것은 사전행동적 전략에 기반을 둔 방법이다. 6,000km를 운행할 때까지 엔진오일을 교체하지 않으면 몇몇 사소한 문제가 발생할 수 있다. 물론 발생하지 않을 가능성도 꽤 높다. 그러나 20,000km 이상 운행하면서 엔진오일을 한 번도 교체하지 않을 경우, 차 주인은 분명히 종합적인 수리를 위해 엄청난 돈을 지불해야 할 것이다. 이와는 정반대로, 100km 또는 1,000km 마다 엔진오일을 교체한다면, 불필요한 시간과 노력, 수고와 돈을 낭비하는 셈이 된다. 따라서 아직 효과가 검증되지 않은 예방프로그램이나 과도한 기술을 요하는 프로그램을 이용하면서 값비싼 비용을 지불할 수는 없다. 조직 차원에서 현명한 투자를 해야 한다.

② 개입

근로자의 문제행동을 최소화하기 위한 개입은 다양하게 전개된다. 개입관련 변수로는 치료서비스를 받는 내담자에 대한 비밀보장, EAP 상담사에 대한 신뢰, EAP를 뒷받침하기 위한 회사 내 정책과 그 정책이 만들어지고 공표되는 방식, 업무수행평가제도의 질과 업무수행에 문제가 발생했을 시 신속하게 파악할 수 있는 역량, 내부나 외부 서비스 제공자의 능력, 직장 내의 애사심 등을 들 수 있다.

문제가 있는 근로자를 대상으로 개입을 시도하는 경우, 우선 당사자가 문제를 인정해야 한다. 이것은 조직 차원의 개입에 있어서 반드시 선행되어야 할 필수조건이다. 음주나 약물남용 문제가 있는 이들은 자신의 문제를 강하게 부인하는 특징을 보인다. 당사자가 자신의 문제를 인정하기까지는 상호간의 관심과 신뢰가 필요하다. 효과적인 개입은 내담자 문제에 대한 관심과 함께 문제 예방과 개입에 드는 비용의 엄격한 관리를 포함한다. 이 두 가지 중 하나라도 놓치게 되면 개입의 결과가 좋지 못한 상황이 발생하거나 비용 초과가 발생할 수 있다.

2) EAP 미션

기업의 성과를 저해하는 문제들의 원인을 찾아 최소화하고, 문제를 가진 근로자에게 포괄적인 서비스를 제공하기 위해서는 EAP의 미션과 목표, 우선순위 등에 대한 결정이 필요하다. 물론 기업의 상황과 특정 욕구에 따라 그 결정은 상이하다. 하지만 EAP의 가장 중요한 두 기능, 즉 예방과 개입이 서로 조화를 이룰 때 가장 이상적인 EAP라고 할 수 있다. 다음은 EAP의 예방과 개입 기능이 모두 잘 반영된 예이다:

A사는 수년 전부터 개인 생활에서 오는 스트레스와 직무관련 스트레스를 해결해 달라고 하는 직원들의 요구가 있었다. 회사는 스트레스를 중점 관리해 줄 수 있는 EAP 부서를 설립하기로 했다. 회사는 전문 상담사를 고용하고 직원들의 자발적인 참여를 유도하여 과도한 스트레스에 대해 개인 상담 서비스를 제공했다. EAP 상담사는 스트레스 예방에 대한 교육 서비스와 컨설팅을 외부 자원과 연계하여 제공했다. 간혹 회사 내 EAP 상담서비스로 해결할 수 없는 문제의 경우, 외부에 의뢰하

거나 이들과 연계하여 개입을 시도했다.

3) 조직 구조 결정

EAP를 제공하는 조직 구조를 결정하는 데에는 EAP 모형과 조직 내 배치, 연계기관 등 세 가지를 우선적으로 고려해야 한다. 첫째, 조직 내부에 EAP 부서를 설립하여 관련 서비스를 제공하는 구조가 바람직할지, 아니면 EAP 전문 업체와의 계약해서 조직 외부에서 서비스를 제공하는 것이 효과적일지 결정한다. 이것은 조직의 특성에 잘 부합되어야 한다. 대기업일수록 조직 내부에 EAP 기관을 설립하는 비율이 높고, 작은 조직일수록 지역사회 등 외부 자원을 활용하는 방향으로 결정하려는 경향을 보인다. 결정하기 어려울 때는 일정 기간 두 가지 모형을 병행해보는 것도 좋다.

둘째, EAP를 조직 내부에 설치하는 경우 EAP를 어느 부서에 두어야 할지 결정해야 한다. EAP를 인사관리부서나 보건관리부서의 아래에 두는 방안이나 새롭게 단독 부서로서 신설하는 방안이 논의될 수 있다.

셋째, 연계서비스를 제공할 외부 기관들을 찾아 명단을 만들고, 각각의 특성과 업무능력, 사회적 평판과 지리적 위치, 접근성 등을 면밀히 파악한다. 향후 EAP가 정식으로 도입되면 이를 근거로 외부기관과의 제휴를 모색할 수 있다.

위의 세 가지 조건-사내 · 외부모형, 조직 내 배치, 연계기관-을 고려하여 서비스를 제공할 경우, 비용효과성에 대한 고려가 뒤따라야 한다.

3. 투자액 산정

지금까지 분석한 자료를 기준으로 EAP에 대한 적절한 투자 수준을 결정해야 한다. 특히 EAP의 치료 · 개입 기능과 예방 기능을 모두 고려하여, 첫째, 개입 서비스의 종류에 따라 각각 요구되는 실제 비용의 평균과 서비스 이용자 수를 예측하고, 둘째, 교육, 훈련, 홍보 등 예방프로그램의 단가를 산정해야 한다. 아래는 음주문제만을 가정하여 제시한 EAP 서비스 투자액 산정표이다. 음주문제 이외에 다양한 개입 서비스를 고려한다면, 각각의 개입서비스 평균 비용과 관련 근로자 수를 추가적으로 산정하면 된다.

〈표 11〉 A사의 EAP 서비스 투자액 산정

실제 개입 비용 × 1년간 알코올중독 사례 수	$ 7,000 × 50명 = $ 350,000
예방 서비스 단가 × 전체 직원 수	$ 30 × 5,000명 = $ 150,000
합계	$ 500,000

자료: Smits, S. S., & Pace, L. A (1992). Investment Approach to Employee Assistance Programs, p. 39. Westport, CT: Quorum Books.

4. 정책과 절차의 기술

EAP 계획과 준비의 마지막 단계는 EAP 관련 정책과 절차를 기술하고 문서화하는 것이다. EAP 정책은 가능한 자세히 기술되어야 하고, 회사 내 모든 구성원들을 대상으로 삼을 수 있어야 한다. 또한 EAP 정책은 기존의 다른 정책과 상충되어서는 안 된다. 만일 다른 정책과 상충될 경우에는 문제가 발생하지 않도록 두 정책 중 하나를 바꾸어야 한다.

EAP 정책은 포괄적인 동시에 유연해야 한다. 또한 기록과 평가 방법이 용이해야 하고 프로그램을 운영하는 데 있어서 적절해야 한다. 적절하지 못한 EAP 정책은 EAP 자체를 혼란스럽게 하거나 실패로 이끌 수 있다. 따라서 EAP 정책을 세우기 위해서는 구성원들의 참여와 충분한 논의가 필요하다. EAP 정책을 기술하는데 필수적인 요소는 다음과 같다(Wright, 1985).

1) 프로그램 철학

프로그램 철학은 짧으면서도 중요한 메시지를 담을 수 있도록 기술해야 한다. 일반적으로 다음과 같은 내용이 들어간다.

- 모든 근로자는 그들의 삶 속에서 다양한 문제에 직면하지만, 어디에서 어떻게 해결해야 하는지 알지 못하는 경우가 대부분이다.
- EAP는 사람들이 겪고 있는 광범위한 문제(결혼 · 가족문제, 경제적 문제, 업무관련 문제, 알코올 · 약물중독, 정서적 문제 등)을 최소화 한다.
- EAP는 내담자의 비밀을 엄격히 보장하고 필요한 서비스를 제공하는데 목적을 두며, 단순히 정보를 모으거나 처벌하려는 목적을 지양한다.
- EAP는 근로자와 그 가족의 삶의 질을 높이기 위한 것이다. 궁극적으로는 업무성과를 높여 회사의 이익에 공헌될 수 있도록 한다.

2) 정책

EAP 정책은 위에서 언급된 EAP 철학에 부합되어야 하며, 구체적으로 기술한다. 다음의 예를 참고하여 EAP 정책을 기술하도록 한다.

- EAP는 개인 문제로 어려움을 겪으면서 도움을 찾고 있는 근로자와 그의 가족들을 돕기 위해 설계되었다.
- 근로자를 지원하는 모든 과정의 개인 정보는 해당 근로자의 동의 없이 다른 사람이나 회사에게 공개되지 않는다.
- 근로자는 자기의뢰나 동료에 의한 의뢰, 관리자에 의한 의뢰를 이용해서 프로그램에 접근한다.
- 관리자에 의한 제안이나 강제적 의뢰에 의한 경우, 근로자의 성과에 대한 개입은 임의 절차에 해당한다.
- EAP의 정책 유지, 기획, 평가는 근로자와 경영진 대표로 구성된 위원회의 책임이다. 이것은 프로그램이 단지 문제가 있는 근로자만을 위한 것이 아니라 모든 근로자를 위한 것임을 증명하는 것이다.
- 의뢰서비스 협력기관의 전문가는 회사나 노조, 대상 근로자 등에 대해 중립적인 위치를 유지해야 한다.
- 직접 서비스를 제공하는 전문가는 EAP 설계 과정에 참여해야 하고 서비스를 제공에 책임을 져야 한다. 이러한 대표들은 위원회와 그 위원들의 결정에 영향력을 행사해서는 안 된다. 또한 전문가로서의 윤리를 지켜야 하며 해당 기관의 정책을 위반해서도 안 된다.

3) 목표

EAP의 목표는 단순명료하고 양적 측정이 가능하도록 기술하는 것이 바람직하다. EAP의 목표를 기술할 때, 훈련 대상 근로자 수나 목표 완수일 등 구체적인 숫자나 날짜를 삽입한다. 그래야 향후 EAP 성과를 평가하기 좋다. 다음은 EAP 목표기술에 대한 예이다.

- 개인 생활 문제나 업무관련 문제를 가지고 있는 근로자와 가족

을 돕기 위해 비밀이 보장된 상담 서비스를 연 6회까지 무상제공한다.
- 사업장 내 모든 근로자에게 교육훈련과 오리엔테이션을 연 1회 이상 시행한다.
- 근로자에게 프로그램에 대해 알리고 이를 실제로 이용할 수 있도록 종합적인 홍보방안을 수립한다.

4) 역할과 책임성

프로그램의 구성 요소를 확인하고, 구성 요소들 간의 역할과 관계에 대해 기술한다. 주요 구성 요소로는 운영위원회, 훈련가, 상담사, 관리자, 노동조합, 보건관리자, 근로자 등을 들 수 있다.

① EAP 담당자

조직에서 EAP 서비스를 실행하고자 할 때 담당자의 역할은 매우 중요하다. EAP 담당자가 가장 먼저 하는 일은 조직 내부의 욕구를 파악하는 일이다. 현재 조직 구성원들이 경험하는 스트레스의 수준이나 심리적 어려움, 전문적인 도움의 필요성 등을 파악한다. 내부의 욕구가 파악되고 EAP 서비스를 도입하기로 결정되면, 조직 내 EAP 담당자는 내부 상담사를 고용하거나 외부 EAP 업체를 찾고 선정하는 일을 담당한다. 또한 조직의 욕구에 맞게 EAP 서비스를 기획하고 운영을 관리감독하는 일도 담당자가 하게 된다. 담당자가 하는 업무 중 가장 민감한 부분은 EAP 상담사와 조직 내부 사이에서 균형을 맞추는 일이다.

② 운영위원회

운영위원회는 전문가들과 협력해서 프로그램을 기획하고, 프로그램

수행 이후에는 전체 프로그램 관리에 대한 책임을 가지며, 정책의 수준을 결정한다. 또한 EAP 담당자로부터 통계자료와 결과보고서를 받는다. 단, 이 과정에서 내담자의 비밀이 유지되어야 한다. 운영위원회는 교육훈련과 오리엔테이션 전문가와 협력하여 프로그램에 대한 지휘권을 갖는다.

③ 교육훈련 담당자

교육훈련 담당자는 EAP 상담사 및 운영위원회와 협력하여 서비스의 구성과 이용법을 근로자에게 주지시킨다. 본 업무는 프로그램이 수행된 이후에 제공될 수 있다. 이외에도 교육훈련 담당자는 스트레스관리, 직장-가정 양립 등 근로자가 관심 갖는 분야에 대한 세미나도 진행한다.

④ EAP 상담사

프로그램 내에서 심리사회적 문제에 대해 광범위한 서비스를 제공한다. 상담사는 사내와 사외 구별 없이 활동해야 한다. 상담사의 가장 중요한 업무는 상담 내용의 비밀 유지라고 할 수 있다. 특히 상담 기록 내용과 파일은 회사에 대해 비밀을 유지해야 한다. 기타 업무로는 교육훈련 담당자와 함께 교육훈련이나 오리엔테이션 프로그램을 준비한다.

⑤ 관리자

관리자는 프로그램을 지원하고 근로자에게 필요한 정보를 제공한다. 동시에 관리자는 근로자의 업무 성과를 확인하고 문제를 확인하는 역할을 수행한다. 기타 업무로는 근로자에게 제공되는 의뢰서비스 과정에서 비밀 유지와 근로자의 업무수행에 협력하는 것이다.

⑥ 노동조합

노동조합의 대표는 프로그램 기획 과정에 참여하고 노조원들의 프로그램 참여를 돕는다. 사업장 내에서는 노조원과 상의하고 관리자와 협력한다. 근로자가 EAP의 정책과 절차에 대해 긍정적인 인식을 갖고 문제를 빨리 해결할 수 있도록 돕는다.

⑦ 보건의료담당

회사 내 보건의료 전문가들은 회사의 특별한 요구에 협력한다. 다양한 문제를 가진 근로자에 대해 비밀을 보장하고 통합적인 서비스를 제공한다. 보건의료 부서는 프로그램의 일반적인 정책 내에서 운용되어야 하며, 보건의료 부서에 대한 만족도가 낮은 기업에서는 EAP의 기능과 분리하여 운영하는 것이 바람직하다.

⑧ 근로자

근로자는 문제가 발생한 경우 도움을 구하고 자발적으로 프로그램에 참여할 책임을 가진다. 서비스과정에 적극적으로 참여하고, 상담사와 협력한다.

EAP 상담 이후에도 근로자의 업무 성과가 향상되지 않을 경우에는 인사담당자나 부서장, 노조와 협력하여 의료서비스가 필요한지에 대해 논의하고, 근로자가 동의할 경우 해당 서비스를 제공한다. 이 모든 과정을 기록한 문서 및 관련 자료는 근로자의 동의 없이 타인에게 제공될 수 없다.

이제 최종적으로 EAP 설립과 관련한 투자 계획이 완성되면, 관련 결제라인의 책임자나 최고경영자(CEO)에게 EAP 설립의 타당성을 보고하고 본격적인 논의를 이끌어야 한다. 이때 EAP 기안자는 첫째, 지금까지 조직 내부의 기록 내용과 관리자 관찰 결과에서 수집한 근로자 문제를 확인하고, 둘째, EAP 미션과 목표, 우선순위 초안을 정리하여 발표하며, 셋째, EAP 모형 구조와 수행 전략, 지역사회와의 연계 방안을 제안서로 제시하고, 넷째, 예측되는 실제 비용과 비용 절약 방안을 함께 제시하여 재정의 부담을 최소화하려는 노력을 경주해야 한다. 이외에도 EAP 정책과 절차를 구체적으로 기술하고 문서로 준비해 놓는 것이 바람직하다. 끝으로 EAP에 대해 논의할 수 있는 전문가 2~3인을 자문단으로 구성하여 함께 회의에 참석한다면, EAP에 대한 각종 질의에 효과적으로 대응할 수 있을 것이다.

생각거리

1. 〈표 10〉의 근로자 설문을 직접 작성하고, 자신이 속한 조직에서 흔히 관찰되는 문제 상황을 추론한다.
2. 자신이 속한 조직에 적합한 EAP 조직 구조를 구상한다. 조직 내부와 외부 환경에 대한 정보를 수집하여 EAP를 계획한다.

EAP 마케팅과 홍보

EAP 도입을 결정짓기까지 다양한 조직 구성원들에 대한 전략적인 마케팅이 필요하다. 마케팅 노력 여하에 따라 기업은 EAP 도입 여부를 결정하게 된다. 기업이 EAP 도입을 최종 결정한 이후에도 성공적인 EAP를 담보하기 위해서는 EAP 사업과 서비스에 대한 지속적인 홍보가 필요하다. 본 장에서는 Francek(1985), Maynard와 Farmer(1985)에서 제시한 성공적인 EAP 마케팅을 이끌기 위한 주요 요소와 EAP 홍보 시 유의점을 재정리하였다(우종민·최수찬, 2008 재인용).

1. EAP 마케팅

1) 기획

휴먼서비스 기술과 전통적인 마케팅 방법을 잘 통합함으로써 EAP 마케팅에 성공할 수 있다. 마케팅 기획은 EAP를 성공적으로 도입하는 데 있어서 가장 중요한 기초이다.

효과적인 EAP 마케팅은 대상 조직에 대한 차별화된 분석을 바탕으로 목적 달성을 위한 명확한 개입 전략을 수립하고, 지속적인 모니터링과 평가 활동을 수행하는 것이다. 이를 위해서는 최소한 다음의 4가지 구성요소가 필요하다. 첫째, 조직의 목적을 명확하게 반영할 수 있는 미션이 필요하다. 둘째, 폭넓고 일반화된 목적이 필요하다. 셋째, 측정

가능하고 구체적이며 달성 가능한 방법까지 제시할 수 있는 목표가 요구되며, 넷째, 이러한 목표를 성취하기 위한 프로그램 전략을 수반해야 한다.

EAP 마케팅을 기획하고, 이를 수행하기 위해서는 조직의 참여도를 극대화하는 관리 기술이 필요하다. 특히 구성원간의 합의를 거쳐서 EAP를 기업 운영의 주요사업으로 놓고, EAP에 대한 책임감과 주인의식을 이끌어내야 한다. 경영분야에서는 이미 일반화된 SWOT분석[4]을 적용하여 조직의 강점과 약점을 분석하고, EAP를 이용해서 새로운 기회를 모색하는 것도 마케팅 기획에 도움을 준다. 끝으로 마케팅은 분기별로 재평가가 필요하며, 목표 달성의 가능성에 따라 유연하게 전략을 수정한다.

2) 외부 마케팅

외부 마케팅은 마케팅의 대상을 명확히 규정하고, EAP의 도입과 실행을 결정할 수 있는 경영층에 대한 접근을 의미한다. 물론 외부 마케팅의 궁극적인 목표는 단순히 경영층에 대한 접근, 즉 결정권자 앞에서 EAP를 브리핑하는 기회를 얻는 것 뿐 아니라 EAP를 도입하도록 결정(계약)을 이끌어내는 것일 것이다. 결국 기업에서 EAP를 도입하기로 결정하는 순간 외부 마케팅은 종료된다.

3) 마케팅 대상

어떤 조직이 EAP 마케팅의 대상이 되는가에 따라 최종 결정(계약)에 이르는 시간과 노력은 매우 상이하다. 이는 조직마다 역동성이나 그 특

4) 기업을 둘러싼 환경을 강점(Strength)과 약점(Weakness), 기회(Opportunity)와 위협(Threat) 요인으로 분석하고 이를 근거로 마케팅 전략을 수립하는 기법

성이 매우 다르기 때문이다. 예컨대 작은 규모의 조직들은 EAP 도입을 결정하는 구조나 과정이 형식적이지 않은 반면, 대규모 조직들은 보통 공적인 조직 체계에 위임한다. 이에 따라 작은 조직의 경우에는 단 며칠 만에도 EAP 도입을 결정할 수 있으나, 대규모 조직은 최종 의사결정을 이루기까지 수많은 회의와 결제 단계를 필요로 하기에 몇 년이 소요되기도 한다. 조직의 크기 외에도 제조업과 금융업, 서비스업 등 산업별 특성과 노동조합의 유무 등 마케팅 대상의 다양한 특성이 고려되어야 한다.

4) 의사결정권자

조직의 의사결정권자는 EAP 설립을 승인 및 지원해 줄 수 있는 중요한 위치에 있기 때문에, 이들과의 만남은 EAP 설립과 발전에 있어서 매우 중요하다. 이때 CEO를 대면하는 EAP 컨설턴트는 지역 사회 내 다양한 집단과 네트워크를 가진 동시에 EAP 전문가 단체 등에서 리더십을 발휘할 수 있는 사람이 적임이다. 이는 CEO로 하여금 EAP 컨설턴트를 활용해서 기업이 위치한 지역사회 및 관련 전문가 단체 등과 새로운 관계를 모색할 수 있다는 인식을 심어줄 수 있을 뿐 아니라, EAP 컨설턴트의 신뢰성, 윤리성, 전문적 수행능력 등을 인정하는 계기가 될 수 있다. 결국 EAP 컨설턴트는 스스로의 역량을 키우는데 노력해야 하며, CEO 등과의 만남에 앞서 발표 자료와 발표 수단, 질의응답 등 구체적인 사항들을 면밀히 점검하고 체계적으로 준비해야 한다.

5) 성공적인 마케팅

성공적인 EAP 마케팅을 위해서는 다양한 측면을 고려해야 한다. 먼저 EAP 제안서에서 대상 기업이 EAP 도입에 관심을 가지게 된 주요

동기가 구체적으로 드러나 있어야 한다. 물론 이 제안서를 잘 준비하기 위해서는 사전 조사를 실시하거나 및 공식적 혹은 비공식적 모임에 참여하여 대상 기업 및 근로자에 대해 먼저 이해하는 것이 필요하다. 따라서 기업 내 다양한 그룹들과의 관계 형성 및 발전에 많은 시간과 에너지가 투자되어야 할 것이다.

EAP 계약을 좌우하는 결정적인 요인은 기업의 재정 상태와 밀접한 연관이 있다. 그러므로 EAP 계획을 주의 깊게 평가한 후, 컨설턴트는 서비스의 질과 내용, 동원 가능한 자원과 산출된 가격을 비교한다. 성공적인 EAP 마케팅에 있어서 그 핵심은 EAP에 드는 비용과 지출을 정당화하는 기대성과이다. EAP 도입비용보다 기대성과가 클수록 마케팅의 성공률은 높아질 것이다. EAP 컨설턴트는 합리적인 비용 지출을 활용해서 조직의 어떠한 문제를 얼마나 경감하고, 어떠한 인도주의적 성과를 가져올 수 있으며, 또 실용적인 이익을 얼마나 가져다 줄 수 있는지 충분히 제시해야 한다.

마지막으로는 서비스를 패키지로 구성하는 것이 필요하다. 예컨대 우리가 낯선 곳에서 식당 하나를 처음 방문했다고 가정하자. 만일 우연히 들어간 그 식당의 메뉴가 단 하나뿐이고, 개인적으로 그리 좋아하지 않는 음식이라면, 곧장 나와서 다른 식당을 찾을 것이다. 하지만 그 식당이 여러가지 다양한 메뉴를 갖춘 곳이라면, 그냥 그곳에 앉아 식사할 확률이 높아진다. 이와 마찬가지로 EAP를 마케팅할 때 단 하나의 상품(서비스)만을 준비해가기 보다는 유연하게 다양한 패키지를 디자인할수록 성공할 확률이 높아진다. 이처럼 유연성은 EAP 마케팅에 중요한 요건이다.

EAP 마케팅의 대상으로 삼고 있는 기업은 그 규모와 생산품, 인사관리 스타일, 조직 문화, 근로자 복지에 대한 철학이 모두 상이하다. 따라서 기업마다 특화된 패키지를 준비해야 하며, 그 패키지에 포함된 서비스 메뉴도 개입 서비스의 양과 질, 교육과 훈련의 양과 질, 가격 등을 모두 고려해 다양한 조합을 준비해야 한다. 예컨대 기본형, 실속형, 고급형 등 다양한 메뉴판을 제시하면, 그 중 하나가 선택될 확률이 높아진다.

6) EAP 마케팅 컨설턴트

성공적인 마케팅 컨설턴트는 EAP에 관한 체계적인 교육 과정을 수료하고 전문적인 기술과 경험을 지닌 자여야 한다. 동시에 사업적 이익을 이해하고 이를 적절히 조화시킬 수 있어야 하며, 다양한 창조적인 작업을 수행할 수 있어야 한다. 특히 성공적인 EAP 컨설턴트가 되기 위해서는 상품(휴먼서비스)을 사업적 언어로 변환시켜서 설명할 수 있는 능력이 필요하다. 실제 EAP 현장에서는 근로자의 문제 해결을 위해 각종 임상적 · 행정적 개입 기술이 동원되지만, EAP의 도입 여부를 결정하는 경영층은 이러한 개입기술에 대한 이해보다는 비용효과성, 효율성, 성장, 이익, 산업재해 발생률, 커뮤니케이션과 같은 용어에 더 익숙하다.

유능한 컨설턴트는 임상 및 조직관련 이슈에 대한 올바른 이해와 함께 근로자 문제를 해석하고 개입하는데 필요한 이론과 기술을 겸비해야 하며, 무엇보다도 관련 경험이 중요하다. 또한 자신의 생각을 구두로 표현하는 발표력, 협상력과 시장분석력, 조직분석력과 네트워킹 능력도 요구된다.

2. EAP 홍보

EAP 마케팅을 성공해서 조직이 EAP를 도입하기로 결정하면, 이제 내부 EAP 마케팅, 즉 EAP 홍보에 주력해야 한다. 개별 조직의 특성과 현황에 따라 다양한 홍보 전략이 필요하며, 특히 조직과 근로자의 욕구 변화에 민감하게 대응할 수 있는 전략이 유효하다.

1) 조직 내 홍보

조직이 EAP를 도입하기로 최종 결정을 하였다면, 이제 내부 마케팅을 준비해야 한다. 내부 마케팅이란 조직 내 EAP 대상 근로자들이 EAP를 잘 이용할 수 있도록 돕는 일련의 과정을 말한다. 조직 내부에서 EAP에 대한 홍보가 부족하여 EAP 이용률이 떨어지거나 서비스에 대한 불만족이 빈번하게 보고되면, EAP의 지속성을 담보할 수 없다.

무엇보다도 도입단계부터 EAP의 존재와 그 역할을 적극적으로 알리고, 근로자와 그 가족이 어떻게 EAP를 이용할 수 있는지 구체적으로 홍보하는 것이 중요하다. 이를 위해 각종 홍보책자와 포스터, 사내신문과 이메일, 웹진 등을 이용할 수 있다. 신입사원 선발 후 오리엔테이션이 있는 경우에는 오리엔테이션 기간에 EAP를 소개하고 홍보한다. 약 30분간 EAP에 대한 회사의 입장과 간략한 소개, 프로그램 활용방법, 개인정보에 대한 비밀보장 원칙 등을 소개한다. 이때 EAP 관련 정책은 항상 기본적인 인사정책의 하나로서 소개되어져야 한다. 오리엔테이션이 없는 경우에는 개별적인 홍보 일정을 세워 진행한다.

관리자에 대해서는 회사 차원에서 이루어지는 정기적인 교육 과정을 활용하여 EAP를 소개하고 관련 교육을 실시한다. 관리자에 대한 교육이 중요한 이유는 그들이 문제가 있는 근로자를 의뢰하는 역할을 담당하기 때문이다. 또한 관리자 교육은 이들에게 새롭게 개발된 EAP 관련 정책이나 절차를 홍보하는 기회이다. 일반적으로 20~50명 정도의 관리자들에게 교육을 실시하되 되도록이면 같은 직급끼리 교육한다. 관리자 대상의 교육 훈련은 일반적으로 EAP가 회사 내에 알려지고 난 뒤에 실시한다.

사업장 내 근로자가 갖는 개별적 · 집단적 욕구를 주의 깊게 파악하고 이를 체계적으로 대응해 나가려는 노력이 필요하다. 근로자 대상의 설문조사를 실시할 경우, 설문지는 짧은 시간에 쉽게 응답할 수 있고 무기명으로 작성할 수 있도록 준비한다. 조사결과를 바탕으로 근로자 집단을 체계적으로 분석해서 실제적인 도움을 제공한다. 아울러 EAP 서비스 과정에서 파악된 중요한 이슈를 경영층과 노조에 정확히 전달한다. 이 과정에서 EAP가 조직의 건전한 변화에 기여한다는 이미지를 구축한다.

2) 프로그램 장려

모든 근로자와 가족이 쉽게 이해하고 또 편리하게 이용할 수 있는 EAP를 구축하는 것은 성공적인 프로그램을 위한 가장 기본적인 요건이다. EAP 개시 시점에서 가장 일반적으로 사용되는 홍보 방법은 집으로 홍보물을 발송하는 것이다. 우선 EAP 안내 책자를 이용해서 EAP 서비스의 존재를 알린다. 그 다음으로는 주제별 홍보물(스트레스 관리법, 음주와 흡연을 줄이는 방법, 수험생을 위한 건강관리 등)을 이용해서 근로자와 그 가족에게 유익한 정보를 제공하고 EAP에 대한 인식을 높인다.

또 다른 방법으로는 점심시간이나 퇴근시간을 전후하여 대인관계나 건강 관련 이슈로 일련의 현장 교육을 순차적으로 진행하는 것이다. 이 역시 정보 제공 효과와 함께 유사한 문제를 가진 근로자는 EAP를 이용할 수 있도록 유도하는 자발적 의뢰 효과를 목표로 한다.

3) 조직적 네트워크

조직 구성원 간 네트워크를 활성화시켜 공식적인 관계로 육성하고 이를 EAP 참여로 연결시킨다면, EAP의 목표 달성을 위한 조직 내 협력 체계를 공고하게 다질 수 있다. 특히 조직적인 네트워크 구성은 수직적이고 경직된 관료주의 문화를 우회하여 의사소통 경로를 만들고 수평적인 연결 고리를 제공한다.

EAP 도입 초기에는 최고경영자(CEO)나 최고업무책임자(COO), 노동조합 대표 등의 참여가 매우 중요하다. 인사담당자나 주요 부서장들과의 관계도 중요하다. 이를 이용해서 조직 내부에서 다양한 지원 체계를 구축할 수 있기 때문이다. 다만 이 과정에서 여러 구성원들 사이의 균형을 유지하도록 주의한다. EAP에 대한 열렬한 지지자도 있을 수 있지만, EAP 도입을 적극적으로 반대하는 입장도 존재할 수 있다. EAP가 특정 부서 산하에 설립될 경우, 경쟁관계에 있는 타 부서에서는 반대 의사를 표명할 수 있다. 이것은 EAP 활성화에 큰 장벽이 되므로, 별도의 노력이 필요하다.

① 최고경영자 · 최고업무책임자 · 노조대표

회사 내 관리 시스템의 대부분은 최고 결정권자들의 의지에 의해 결정된다. 따라서 이들의 지지는 여타 관계자들과의 만남을 촉진하는 계기가 된다. 노조가 있는 경우에는 노조대표와도 만나서 상호 신뢰를 형성하고 관계 증진을 도모한다. 이것은 향후 노조원들이 EAP를 많이 이용하는 데 도움이 된다. EAP 담당자는 이러한 만남의 결과들이 실제적으로 회사 정책에 반영될 수 있도록 노력한다.

③ 중간관리자 · 슈퍼바이저 · 노조실무자

최고경영자나 노조대표 등을 만난 이후에는 최대한 빨리 중간관리자나 슈퍼바이저, 노조실무자 등을 만나 프로그램에 대해 설명할 기회를 갖는다. 사내 워크숍이나 포럼과 같은 형태를 빌려도 무방하다. EAP에 대해 개괄적으로 소개하고, EAP 지원과 관련한 정규 모임을 개최하자고 제안할 수 있다.

④ 인사 · 노무 · 보건 담당자 및 기타 관련자

EAP 홍보 및 운영에 있어서 인사나 노무, 보건관련 부서의 지원이 절대적으로 필요하다. 주로 근로자 오리엔테이션, 욕구 사정, 관리자 교육의 기획, 각종 지원 협력에 있어서 가시적인 협조를 얻기 위해 노력한다.

그간 공식 · 비공식적으로 어느 부서 또는 개인이 EAP와 유사한 역할을 해왔는지 파악하여 그와 새로운 협력 관계를 만들어 나간다. 예컨대 A사가 EAP를 본격적으로 도입하기 이전, 직원들은 평소 다른 사람의 이야기를 잘 들어주는 B씨를 찾아가 자신의 문제를 털어놓고 조언을 구해왔다고 가정하자. 만약 새롭게 설립된 EAP가 B씨의 비전문성을 지적하거나 그간의 노력을 폄하하고, 앞으로는 "전문가"인 자신들에게만 고민을 상담하라고 홍보한다면, B씨가 주변의 직원들에게 EAP를 어떻게 이야기할 지는 자명하다. 조직 내부 사정도 잘 모르면서 전문가인 양 잘난체만 한다는 등 부정적인 입소문이 날 것이다.

이와 반대의 상황도 가정해 보자. EAP가 B씨에게 먼저 다가가 그간의 수고에 감사하고, EAP가 동료 직원들을 잘 도와주려는 것이니 향후 EAP 활동의 중요한 파트너가 되어달라고 제안해보면 어떨까? 아마 B씨는 A사의 근로자들이 어떤 문제로 고민해왔고, 또 어떤 욕구를 가지고 있는지 조언을 아끼지 않을 것이다. 결국 EAP가 순조롭게 조직 내에 안착하는 데에 B씨의 협력이 큰 역할을 할 것이다. 중요한 것은 EAP와 B씨와의 관계가 부정적인가 긍정적인가에 따라 B씨는 EAP의 방해자가 될 수도 있고, 반대로 가장 신뢰할만한 홍보자 역할을 할 수도 있다.

〈**사례**〉 일본 히타치 건설기계의 EAP[5] 홍보

일본의 히타치 건설기계(이하 HCM)는 2007년 7월, EAP를 도입하면서 ① 근로자의 정신건강 상담 및 자문, ② 24시간 전화상담 및 건강지원, ③ 법적 자문과 관련한 서비스를 제공하기 시작했다. 2008년 봄부터 EAP 서비스에 대한 자세한 소개를 담은 사보를 발간하였으며, EAP 사용법을 기술한 EAP 소책자를 다시 배포하여 EAP에 대한 인식과 접근성을 높였다.[6] 그 결과, 195명에 달하는 직원이 EAP를 이용하게 되었다. 히타치그룹 전체에도 EAP의 유효성을 알리고 그 도입을 촉진한 결과, 1개 계열사를 제외한 전체 그룹이 EAP를 도입하기에 이르렀다.

생각거리

1. 자신이 속한 조직에 적절한 EAP의 마케팅 전략을 구상해본다.
2. EAP를 조직 내에 소개할 책임을 맡았다면, 홍보 제목과 내용을 어떻게 구성하겠는가?

---

5) https://www.hitachi-c-m.com/global/company/csr/employee/health/eap/index.html.

6) 일반적으로 사내홍보를 위해서는 EAP를 소개하는 안내문이나 지갑카드(지갑에 넣을 수 있도록 조그맣게 만들어 EAP에 대한 간단한 소개나 연락처를 담은 카드), 포스터(작업장 게시용), 월별 · 분기별 뉴스레터, 전용 웹사이트 · 블로그, 이메일, 소셜네트워크서비스(페이스북, 트위터, 스냅챗 등의 SNS)가 주로 이용된다.

제 6 장

성과 측정과 평가

EAP의 효과성을 측정하기 위해서 이용률 조사나 만족도 평가, 비용편익 분석과 효과성 평가, 사례 연구 등 다양한 양적 · 질적 방법을 사용할 수 있다. 그 중에서도 정량적인 지표는 매우 중요하다. '측정할 수만 있다면 일은 다 된 것이나 다름없다'는 경영분야의 석학 Tom Peters의 말처럼, 수치화된 정량적 지표로 긍정적인 효과가 입증된다면, EAP 도입에 대해 쉽게 의사 결정을 내릴 수 있고 많은 자원을 투입할 수 있을 것이다. 본 장에서는 우종민과 최수찬(2008)에서 논의된 EAP 평가 방법을 대폭 수정 및 보완하여, EAP 서비스에 대한 계량적·임상적 평가에 대해 종합적으로 살펴보았다.

1. 성과 측정의 필요성

1) 성과 측정의 필요성 및 한계

EAP 도입을 검토하는 기업의 입장이나 EAP를 이미 도입하여 운영하는 기업, 혹은 EAP를 세일즈하려는 외부업체 모두가 당면하는 과제 중 하나는 EAP 도입에 따른 투자수익률 검증일 것이다. 직원의 신체 및 정신건강을 확보하여 기업의 생산성을 높이고, 일하기 좋은 직장으로 거듭나기 위해 투자한 금액에 대한 성과는 과연 얼마일까? 재무제표처럼 투자금액과 매출금액이 분명하여 EAP 투자대비 성과가 눈으로 확인된다면 얼마나 좋을까?

EAP 제도를 도입한 많은 기업들과 EAP 운영자는 투자수익률을 정교하게 산출해 내기 위해 고심하고 있다. 서구의 기업들의 경우, EAP 도입에 따른 성과를 결근이나 지각 · 조퇴의 감소, 무단이탈 · 이상행동의 감소 등 각 기업에서 관리하는 인사데이터에 투자수익률이 비교적 잘 나타난다. 하지만 국내 기업의 경우, 가령 무단결근을 월차휴가로 처리하는 등 직원들의 근태 상황을 정확히 관리 · 기록하지 않는 관행이 있다. 따라서 데이터로 EAP 운영 전후의 차이를 확인하기 어렵고, 설령 정확한 인사자료가 있더라도 이것을 조직 내 EAP 담당자가 사용하기 어려운 경우가 있으며, 외부 EAP 제공자가 본 자료에 접근하기는 더더욱 어렵다. 하지만 EAP 발전을 위해서는 EAP 담당부서 또는 인사담당자와 EAP 제공자가 긴밀히 협조하여 관련 데이터를 확보하는 것이 바람직하다.

EAP 성과를 측정하는 주요 방법은 다음과 같다〈표 12〉.

〈표 12〉 EAP 성과를 측정하는 주요 방법

① EAP 서비스 목표 달성을 위한 모니터링 조직 구성
② 관리자와 근로자를 대상으로 서비스 이용도, 만족도, 접근도 등 EAP 서비스 전반에 대한 설문 조사와 인터뷰 시행
③ 근로자 결근율, 사고율, 불만 유형 및 빈도 등의 통계 자료를 이용한 평가
④ EAP 서비스 질에 대한 개인 단위의 패널 조사
⑤ 비용 효과성 분석
⑥ 인사관리 체계 내에서 EAP 서비스의 역할에 대한 평가 보고

하지만 실증적으로 EAP의 성과를 정량화한 연구는 많지 않다. 그 주된 이유는 첫째, 정보에 대한 낮은 접근성이다. 비밀보장에 관한 윤리가 엄격하므로 조직과 개인 모두 정보 공개에 방어적이다. 결근일수나 생산성 관련 자료, 인사자료 등에 대한 접근이 어렵고, 실제 상담 자료는 접근이 불가능하다.

둘째, 연구 비용과 시간의 문제이다. 시행기관이나 조직에서는 빠른 효과를 원하지만, 그 성과를 연구하는 데에는 많은 비용과 오랜 시간이 소요된다. 기존의 연구는 대개 EAP 서비스 직전과 직후를 비교한 결과가 많다. 그런데 서비스 직후에 긍정적 결과를 얻었을지라도 이후 장기간 사후관리를 해야만 그 효과의 지속 여부를 판단할 수 있다.

셋째, 지표 선정의 문제이다. 개인적 고충에 대해 다양한 방식으로 개입하는 EAP의 성과를 간단한 지표로 정량화하기가 쉽지 않다. EAP의 어떠한 요소를 평가 대상으로 삼을 것인지, 내담자의 어떤 변화를 측정하여 EAP의 효과성을 평가할 것인지 결정하기가 쉽지 않다. 최근 비중이 커지고 있는 인터넷과 전화상담의 경우, 신뢰할만한 효과 판정 기준을 확보하기 어렵다는 문제도 있다.

넷째, 비교연구를 하기 어려운 연구 설계의 제한점이다. 통제집단이 없으면, EAP의 성과가 정말 EAP 덕분인지 아니면 다른 요인에 의한 것인지 판단하기 어렵다. 하지만 EAP의 취지는 고충을 호소하는 근로자를 도와주려고 도입한 프로그램인데, 참가자에게 아무런 조치를 취하지 않고 비교집단으로 배정하여 기다리게 한다는 것은 윤리적으로 논란의 여지가 크고 현실적으로 기업에서 수행하기도 어렵다. 무선할당한 통제집단과 대상집단을 비교하는 연구가 이상적이지만, 거의 실현되지 못하였다.

다섯째, 문화적 차이이다. 기업상담 또는 근로자상담은 문화의존적이다. 따라서 서구의 효과 연구 방법이나 결과를 그대로 적용하기에는 제한점이 있다. 한국은 야근 등 초과근무가 많고 결근이나 조퇴를 비공식적으로 사용하는 관행도 있기 때문에 비용-효과 분석의 정량적 지표로서 신뢰성이나 타당성이 서구와 차이가 있으리라 본다(왕은자, 김계현, 2009).

2) 해외 선행 연구

캐나다 국영철도의 EAP 도입에 의한 효과성 측정 연구를 보면, 대상 근로자의 결근과 지각, 건강문제, 업무성과, 동료관계 등을 지표로 삼고 EAP 도입에 의한 효과성을 분석하였다. 그 결과, 〈표 13〉에서 보는 바와 같이 EAP 도입 후 모든 지표에서 현저한 개선이 관찰되었다 (Csiernik, 1998).

〈표 13〉 캐나다 국영 철도의 EAP 효과

업무 성과	도입 전		도입 후	
	빈도	%	빈도	%
결근	37	49.6	20	26.3
지각	10	13.7	5	7.8
건강 문제	18	23.7	10	13.1
생산성 문제	41	53.9	14	18.4
동료와의 문제	13	17.1	3	3.9

캐나다 Prince Edward Island의 행정기관을 대상으로 한 조사에서도 〈표 14〉와 같이 EAP 도입 이후 결근과 업무의 양적 질적 문제, 대인관계 갈등, 직장 내 약물사용 등 모든 지표가 현저하게 개선되었다 (Csiernik, 1998).

〈표 14〉 캐나다 Prince Edward Island 행정기관의 EAP 효과

업무 성과	도입 전		도입 후	
	빈도	%	빈도	%
결근	28	7.6	1	0.6
업무의 양적 질적 문제	85	23.1	15	8.3
대인관계 갈등	114	31.0	7	3.9
직장내 약물 사용	6	1.6	2	1.1
문제 없음	135	36.7	155	86.1

이외에도 캐나다의 한 자동차공장 종업원을 대상으로 대조군 연구를 통해 EAP 도입 전후의 성과를 비교한 연구를 보면, EAP 도입 이후 그 실행군은 손실 노동시간, 상병급여 신청, 상병급여액 등 모든 지표에서 호전되었지만, EAP를 시행하지 않은 대조군은 더 악화되었다〈표 15〉. 여기에서도 EAP의 효과성은 큰 것으로 조사되었다.

〈표 15〉 GM오샤와 자동차 공장의 EAP 효과

	노동손실	①도입 1년 전	②도입 1년 후	경비증감 [②-①]	③도입 2년 후	경비증감 [③-①]
대상집단 (n=192)	손실노동시간	27,520	14,232	-13,288 -48.3%	4,992	-22,528 -81.9%
	상병급여청구	182	99	-83 -45.6%	29	-153 -84.1%
	상병급여액	93,554	48,691	-44,863 -47.9%	18,710	-74,844 -80.0%
통제집단 (n=48)	손실노동시간	5,504	12,168	+6,664 +121.1%		
	상병급여청구	57	68	+11 +19.3%		
	상병급여액	19,082	43,413	+24,331 +127.5%		

근로자지원전문가협회(EAPA)는 일반적으로 EAP에 1달러가 투자되면 기업은 업무 몰입 증가, 산업 재해 감소, 결근과 병가이용 감소, 이직률 저하, 증상 경감 등 각종 비용 절감을 통해 5~16 달러 사이의 비용을 절감할 수 있다고 분석하고 있다(U.S. Department of Labor, 1990).

영국에서 수행된 30여개의 EAP 평가 논문을 종합한 결과, EAP 상담은 임상적 효과와 업무성과 증진, 고객만족도에서 일관적으로 긍정적인 성과를 보였다(McLeod & McLeod, 2001). 경험적 연구에서는 결근

율 저하와 생산성 증가, 이직 저하, 의료비와 장애배상비용 저하에 효과적인 것으로 보고되었다. 고객대상의 사후관리 결과에서는 건강상태 호전과 업무성과 증진을 주요한 효과로 보고하고 있다.

정신건강 문제로 판단될 경우, 해당 근로자를 적절한 정신과나 치료기관으로 의뢰하는 것이 EAP의 중요한 기능이다. 이 경우, EAP가 초기에 문제를 정확하게 사정하여 적절하게 의뢰를 잘 하는 것도 중요하겠지만, 의뢰받은 치료기관이 얼마나 치료를 잘 했느냐가 관건이다. 그런데 결과는 여전히 긍정적이다(Lipsey, 1993). 사실 적절한 정신건강 서비스의 사용은 총 의료비의 감소와 관계된다. 이것을 '의료비 상쇄(medical cost-offset)' 효과라고 하는데 많은 연구에서 입증된 바 있다(Shemo, 1985). 2000년대 초, 미국이나 유럽에서 건강보험회사가 EAP 제공기관을 대거 인수 합병하거나 사업부를 만든 것도 EAP가 의료비 지출을 줄이는 데 공헌했기 때문이다.

건강증진과 웰니스 프로그램의 목적은 건강 위험요인을 예방하거나 조기파악하고, 심각성에 따라 분류하며, 운동과 행동수정 등 개입을 시행함으로써 업무 손실과 의료비 등 경비 손실을 줄이는 것이다. 웰니스 프로그램에 대한 많은 연구에서 밝혀진 사실은 건강 위험 요인이 많으면 많을수록 결근과 생산성 손실이 커진다는 점이다. 그리고 근로자가 지닌 만성 질환의 가짓수가 많고, 자기 건강상태가 좋지 않다고 지각할수록 결근이나 업무 손실이 많다. 웰니스 프로그램 참가자는 생산성과 건강 상태가 호전된다. Otis 등(2003)이 시행한 무작위 대조연구에서는 갑자기 건강 문제가 발생했을 때 전화로 24시간 내 언제든 간호사의 조언을 받을 수 있도록 한 결과, 한 건당 1달러의 의료비 절감 효과가 발생했다고 보고했다. 건강상담 전화번호를 운용하면, 불필요한 응급실과 병원 방문을 줄일 수 있고 결근과 비효율근무를 줄일 수 있다. 이와 유사하게 77,000명의 전화 서비스 이용 근로자를 추적 조사한 Attridge 등(2004)의 연구에서도 조사대상의 1/3은 결근률이 저하되었고, 1/2은 생산성이 높아졌다.

웰니스 프로그램의 효과에 대해서는 연구 결과가 많다. 반면 서구에서 광범위하게 사용된 생활지원 서비스의 효과 평가에 대한 학문적 자료는 상대적으로 많지 않고, 대부분의 결과는 사회학적 설문조사나 사례연구, EAP 제공자가 발표한 임상적 결과들이다. 하지만 여전히 생활지원 서비스의 효과를 긍정적으로 평가한 보고는 수백 건이 넘는다(Work & Family Connection, 2005). 일례로, 미국 고용주들을 대상으로 한 Watson Wyatt의 조사에서 77%는 생활지원 서비스가 근로자의 만족도를 높이고, 54%는 근로자의 건강과 생산성이 증대되며, 39%는 의료비 절감 효과가 있다고 응답했다(Sherman, 2004). 2004년 미국의 대형 EAP 제공자인 Magellan Behavioral Health의 조사에서는 3/4 내외의 근로자들이 업무성과 증진과 임상증상 호전을 보고하였고, 결근문제가 있었던 근로자들 중 94%가 호전되었다.[7] 약 20,000명의 근로자를 대상으로 조사연구를 실시한 PacifiCare Behavioral Health와 Center for Clinical Informatics에서도 생산성 손실이 평균 31%에서 18%로 감소했다고 보고하였다. 북미의 가장 큰 EAP 회사인 FGI가 24,000명의 EAP 사용자를 대상으로 조사한 자료에서는 EAP 상담으로 58%가 결근을 예방할 수 있었고, 2/3이 문제대처 능력이 향상되었으며, 3/4는 동료 및 상사와 관계가 호전되고 건강 악화를 막을 수 있었다고 보고했다(Work & Family Connection, 2005).

---

7) http://www.businesswire.com/news/home/20040205005669/en/Magellan-Health-Services-Announces-Developments-TennCare-Contracts

3) 국내 연구

국내에서도 EAP의 효과성을 평가하려는 노력이 이루어지고 있다. 우종민 등(2010b)은 EAP를 도입한 사업장 10곳에서 EAP 이용자와 비이용자를 대상으로 생산성 차이를 연구하였다. 전반적으로 업무손실이 높은 근로자들이 EAP를 더 많이 이용하였는데, EAP 이용자의 손실노동시간은 4주간 7.19일로서 EAP 비이용자의 평균치인 6.38일보다 유의하게 많았다. 근로자들은 EAP를 이용하기 전 이미 개인적 고충으로 인해 업무효율이나 생산성이 저하되어 있었다.

박은주(2011)는 근로자 148명을 대상으로 EAP 상담을 이용하기 전후에 직무성과 수준을 측정하였다. 그 결과, 직무성과 점수가 상담 전후에 35.79점에서 40.00점으로 유의하게 증가하여 EAP 서비스가 근로자들의 직무성과 향상에 효과가 있음을 시사하였다. 다만 이 연구는 통제집단이 없기 때문에 이 결과가 EAP만의 효과인지, 아니면 다른 가외변인의 효과인지 명확하게 구별하지 못하였다.

이동영 · 노희연(2014)은 사외형 방식으로 포괄형 EAP를 운영하는 기업의 사무직 근로자를 대상으로 조사한 결과, EAP는 직무스트레스가 직무성과에 미치는 부정적 영향을 일정부분 감소시키는 효과가 있다고 보고하였고, 조직의 성과관리를 위한 근로자 스트레스 관리 노력에 EAP가 갖는 다중요소의 장점을 적극적으로 활용할 필요가 있음을 주상하였다.

2. 측정 평가 방법

1) 거시적 비용편익 계산법

Finney(1985)에 의해 제안된 방법으로 기업주가 워크시트를 사용하여 비용절약 효과를 보다 실제와 가깝게 측정할 수 있도록 설계되었다. 그가 처음으로 본 계산법을 만들 때 사용했던 기본 가정은 다음과 같다.

① 개인적인 문제로 EAP를 이용한 근로자의 비율은 전체 근로자의 5%이다.
② 문제를 가지고 있지만 EAP를 이용하지 않은 근로자 비율 역시 5%이다.
③ EAP를 이용한 근로자의 75%는 회복(문제해결)에 성공한다.
④ EAP를 이용한 근로자의 25%는 회복에 실패한다.
⑤ 프로그램 비용은 근로자 1인당 평균 30달러이다.
⑥ EAP 의뢰서비스(의료비 제외)로 문제가 해결 가능한 근로자의 비율은 전체 근로자의 2.5%이며 이 경우 근로자 1인당 225달러가 필요하다.
⑦ EAP 의뢰서비스(의료비 한정)가 필요한 근로자의 비율은 전체 근로자의 2.5%이며 이 경우 근로자 1인당 7,000달러가 필요하다.
⑧ 회복에 실패한 근로자는 생산성 저하와 의료관리비 지출을 지속적으로 일으킨다.
⑨ 문제를 가지고도 EAP를 이용하지 않은 근로자 역시 생산성 저하와 의료관리비 지출을 지속적으로 일으킨다.
⑩ 회복에 성공한 근로자는 생산성과 의료관리비 지출에 있어서 정상 범위로 복귀한다.

한 기업이 EAP를 도입하기 이전에 문제 근로자들로 인해 얼마나 많은 비용을 지출하고 있었는지를 가늠해 보자. 다음과 같이 변수를 설정하고 주어진 순서를 이용해서 그 규모를 산정할 수 있다. 단, 문제 근로자는 전체 근로자의 10%를 차지한다고 가정한다. 일반 근로자의 생산성은 임금과 동일(100%)하다고 할 때, 문제 근로자의 생산성 감소는 정상 임금 대비 37.5% 만큼 발생한다고 가정한다. 경험적으로 문제 근로자를 위한 의료관리비 지출은 그러지 않은 근로자에 비해 2.5배라고 가정한다.

EAP 제공 이전 비용

① 전체 근로자 수
② 문제를 가진 근로자 수(①×.10)
③ 평균 연봉
④ 문제를 가진 근로자의 총임금(②×③)
⑤ 임금대비 생산성 감소 비용(④×.375)
⑥ 근로자 1인당 평균 지출하는 의료관리비용
⑦ 문제를 가진 근로자의 의료관리비 지출 비용(②×⑥×2.5)
⑧ 문제를 가진 근로자로 인해 발생하는 총 비용(⑤+⑦)

이번에는 동일 기업이 EAP 도입을 결정한 후, 근로자의 문제 행동을 최소화하기 위해 투자했던 EAP 운영 및 서비스 비용을 산출해보자. 단, EAP를 설립하였으나 홍보나 설득의 부족으로 근로자가 EAP를 이용하지 않은 경우나, EAP 개입을 시도했으나 문제를 해결하지 못한 경우를 EAP 관련 비용에 포함시킨다.

EAP 제공 이후 비용

⑨ EAP를 이용한 근로자 비율(①×.05)
⑩ 문제가 있지만 EAP를 이용하지 않은 근로자의 비율(①×.05)
⑪ EAP를 이용해서 회복(문제해결)한 비율(⑨×.75)
⑫ 문제를 가진 근로자 중 EAP를 이용했지만 회복에 실패한 비율(⑨×.25)
⑬ 근로자 1인당 프로그램 비용(①×$30)
⑭ EAP 외부기관 의뢰서비스(의료비 제외)에 필요한 비용(①×.025×$225)
⑮ EAP 의료기관 의뢰서비스(의료서비스 한정)에 필요한 비용(①×.025×$7,000)

⑯ 회복에 성공하지 못함으로써 발생하는 비용(⑤* + ⑦*)
[회복에 실패한 근로자 임금(⑫×③=④*), 회복에 실패한 근로자 생산성 손실 (④*×.375=⑤*), 회복에 실패한 근로자 의료관리비용(⑥×⑫×2.5=⑦*)]

⑰ EAP를 이용하지 않음으로써 발생하는 비용(⑤** + ⑦**)
[EAP 이용하지 않은 문제 근로자 임금(⑩×③ = ④**), EAP 이용하지 않은 문제 근로자 생산성 손실(④**×.375 = ⑤**), EAP 이용하지 않은 문제 근로자 의료관리비 지출 비용(⑥×⑩×2.5 = ⑦**)]

⑱ EAP 제공을 위한 총 비용(⑬ + ⑭ + ⑮ + ⑯ + ⑰)

이제 최종적으로 EAP에 의한 비용절감효과를 측정해보자. EAP에 의해 절약된 최종 금액은 EAP가 존재하기 이전의 비용에서 EAP가 도입된 이후의 비용을 차감하면 산출할 수 있다. 그 과정은 다음과 같이 요약할 수 있다.

EAP에 의한 비용 절약 효과

⑲ 회복(문제해결)으로 절약된 비용(⑤*** + ⑦***)
[EAP 이용으로 회복된 문제 근로자 임금(⑪×③ = ④***), EAP 이용으로 회복된 문제 근로자 생산성 손실(④***×.375 = ⑤***), EAP 이용으로 회복된 문제 근로자 의료관리비 지출 비용(⑥×⑪×2.5 = ⑦***)]

⑳ EAP 실제 비용(⑱−⑲)

▶ EAP에 의해 절약된 총 비용(⑧−⑳)

EAP를 도입하여 운영 중인 사업장에서는 EAP의 비용절감효과를 측정하기 위해 Finney(1985)가 제안한 거시적 비용편익 계산법을 다음과 같이 적용해 볼 수 있다.

〈표 16〉 A사 EAP의 비용절감 효과(예)

비용	항목	현황
EAP 제공 이전	① 전체 근로자 수	2,000명
	② 문제 근로자 수(①×.10)	200명
	③ 근로자 평균 연봉	30,000,000원
	④ 문제 근로자 총임금(②×③)	6,000,000,000원
	⑤ 임금 대비 생산성 감소 비용(④×.375)	2,250,000,000원
	⑥ 근로자 1인당 평균 지출되는 의료관리비(양호실 운영 등)	50,000원
	⑦ 문제 근로자의 의료관리비용(②×⑥×2.5)	25,000,000원
	⑧ 문제 근로자로 인해 발생하는 총 비용(⑤+⑦)	2,275,000,000원
EAP 제공 이후	⑨ EAP 이용자(①×.05)	100명
	⑩ 문제가 있지만 EAP를 이용하지 않은 자(①×.05)	100명
	⑪ EAP를 이용해서 회복한 자(⑨×.75)	75명
	⑫ EAP를 이용했지만 회복하지 못한 자(⑨×.25)	25명
	⑬ EAP 투자비(①×20,000원)	40,000,000원
	⑭ EAP 외부기관 의뢰비(의료비 제외)(50명×10만원)	5,000,000원
	⑮ EAP 의료기관 의뢰비(의료비 한정)(50명×30만원)	15,000,000원
	⑯ 회복에 성공하지 못함으로써 발생하는 비용	284,375,000원
	⑰ EAP를 이용하지 않음으로써 발생하는 비용	1,137,500,000원
	⑱ EAP 제공을 위한 총 비용(⑬+⑭+⑮+⑯+⑰)	1,481,875,000원
EAP 비용절감 효과	⑲ 회복(문제해결)로 절약된 비용	853,125,000원
	⑳ EAP 실제 비용(⑱—⑲)	628,750,000원
	▶ EAP에 의해 절약된 총 비용(⑧—⑳)	1,646,250,000원

Finney(1985)의 거시적 비용편익 계산법을 적용하여 산정함.
② 문제근로자는 전체 근로자의 10%로 가정함.
⑤ 임금 대비 생산성 감소분은 37.5%로 가정함.
⑥ 근로자 1인당 평균 지출되는 의료관리비는 50,000원으로 가정함.
⑦ 문제 근로자를 위한 의료관리비 지출을 비문제 근로자에 비해 2.5배라고 가정함.
⑨ EAP이용률은 전체 근로자의 5%로 가정함.
⑩ 문제가 있지만 EAP를 이용하지 않은 근로자 비율은 5%로 가정함.
⑬ 근로자 1인당 EAP 투자비용은 20,000원으로 가정함.
⑭ EAP 외부기관 의뢰비(법률서비스, 재무관리서비스 등; 단, 병원비는 제외)는 10만원/명으로 가정함.
⑮ EAP 의료기관 의뢰비(치료비, 입원비 등 병원비에 한정)는 30만원/명으로 가정함.

2) 개인별 평가 방법

EAP 효과성에 대한 개인별 평가 방법으로는 업무수행을 금전으로 환산한 카시오-라모스 평가법(Casio-Ramos Estimate of Performance in Dollars: CREPID)이 대표적이다. Cascio(1987)가 발표한 CREPID는 원래 약물남용에 대한 비용 계산을 위해 개발된 모델이다. 조사 대상자는 문제가 확인되어 EAP에 의뢰가 되었지만 본격적인 개입이 이루어지기 전 단계의 근로자를 대상으로 실시한다. CREPID는 이들을 대상으로 약 1시간 동안의 인터뷰를 시행한다.

CREPID의 과정은 다음과 같이 크게 7단계로 나누어 설명할 수 있다. 여기서 '주요 업무'란 전체 근무시간 중 최소 10% 이상을 할애하는 업무를 가리킨다. 확인된 주요 업무는 시간뿐 아니라 그 업무의 중요성까지 고려되어야 한다. 업무의 중요성에 비해 그 시간은 매우 짧은 경우가 종종 있기 때문이다. 상대적으로 빈도가 떨어지는 응급환자가 갑자기 병원을 찾았을 때 간호사가 그를 위해 보낸 시간은 길지 않으나 그 업무의 중요성은 매우 크다.

---

① 주요 업무의 확인
② 주요 업무별 시간/빈도/중요성에 대한 비율 결정(0-7점 척도)
③ 주요 업무별 시간/빈도/중요성에 대한 우선순위 점수의 곱을 계산
④ 주요 업무별 비율에 대한 해당 근로자의 연봉 배분
⑤ 주요 업무별 성과 측정(0-200)
⑥ 주요 업무별로 배분된 연봉 비율과 성과 측정 결과의 곱을 계산
⑦ 업무별 성과에 대한 경제적 가치 합산

끝으로 CREPID에 의해 계산된 결과를 기준으로 전체 근로자의 합을 예측한다. 이 총합에 대해 EAP 서비스가 제공하는 비용을 연봉의 비율로 계산하여 문제가 있는 경우와 없는 경우 근로자들의 총 가치를 계산

한다. 두 경제적 가치를 비교함으로써 EAP의 비용 절약 효과를 산정할 수 있다.

다음은 CREPID 분석 방법에 따라 A사의 EAP 효과성을 분석한 예이다. 먼저 〈표 17〉에서와 같이 B씨의 주요 업무에 대한 빈도와 중요성 정도를 '0~7점' 척도에 근거하여 적절하게 평가한 후, 빈도값과 중요성 값을 곱하여 절대 가중치를 도출한다. 이를 다시 100% 비율에 맞도록 재조정하면 주요 업무에 대한 상대적 가중치를 산출할 수 있다.

<표 17> 주요 업무에 대한 CREPID 가중치 계산

① 주요업무	② 빈도(시간)	③ 중요성	④ 가중치	⑤ 상대적 가중치
A	4.0	4	16.0	20.1
B	5.0	7	35.0	44.0
C	1.0	5	5.0	6.3
D	1.0	4	4.0	5.0
E	0.5	3	1.5	1.9
F	3.0	6	18.0	22.7
			합계: 79.5	합계: 100%

② 전혀 없음(0점) . . . 매우 잦음(7점)
③ 전혀 중요하지 않음(0) . . . 매우 중요함(7점)
④ 절대 가중치: (②×③)

주요 업무에 대한 상대적 가중치를 구하였으면, 이를 근거로 각각의 업무에 해당하는 금전적 가치를 산출해야 한다. 조사대상 근로자의 총 임금을 각 업부가 차지하는 비중만큼 할당하면 그 답을 도출할 수 있다.

<표 18> 주요 업무별 CREPID 단순 임금가치

① 주요업무	② 상대적 가중치	③ 단순 임금가치(원)
A	20.1	6,030,000
B	44.0	13,200,000
C	6.3	1,890,000
D	5.0	1,500,000
E	1.9	570,000
F	22.7	6,810,000

대상 근로자의 연봉은 30,000,000원으로 가정함. (예) 업무A는 전체 업무에서 20.1%를 차지하고 있으며, 이를 금액으로 환산하면 약 5,880,000원의 가치에 해당함(30,000,000 × 0.201 = 6,030,000)

다음의 과정에서는 B씨가 수행 중인 업무의 성과까지 고려했을 때 산정 가능한 금전적 가치를 보여준다. 즉 다른 근로자와 비교했을 때 B씨가 어느 정도의 업무 성과를 올리고 있는지 확인한 후, 이를 금전적 가치로 환산하는 과정이다. 이때 B씨의 업무성과에 대한 측정은 '0-200점' 척도 결과를 따른다.

0점	50점	100점	150점	200점
하위 99%	하위 25%	상위 50%	상위 75%	상위 99%

<그림 3> CREPID 업무성과 측정

B씨의 업무성과에 대한 측정 후, 이제 업무성과를 반영한 금전적 가치를 산정한다. 다음의 <표 19>에서 보는 바와 같이, 주요 업무에 대한 B씨의 성과는 여타 근로자에 비해 높은 수준이며, 그 결과 총 임금 가치도 33,052,500원에 이르는 것으로 나타났다. 이는 B씨의 연봉 30,000,000원 보다 3,052,500원 많은 금액이다. 다시 말해, B씨는 원래 주어진 연봉보다 10% 이상의 가치를 더 발휘하고 있는 셈이다. 만일 같

은 회사에서 동일 임금을 받고 있는 C씨가 알코올중독증세를 보이는 근로자라면, 그의 CREPID 임금가치는 본봉보다 낮게 측정될 것이다.

〈표 19〉 업무성과를 고려한 CREPID 임금 가치

① 주요업무	② 업무성과 점수	③ 업무성과 가중치	④ 업무별 단순임금 가치(원)	⑤ 업무성과반영 임금가치(원)
A	135	1.35	6,030,000	8,140,500
B	100	1.00	13,200,000	13,200,000
C	125	1.25	1,890,000	2,362,500
D	50	0.50	1,500,000	750,000
E	75	0.75	570,000	427,500
F	120	1.20	6,810,000	8,172,000
				합계: 33,052,500

③ 업무성과에 1/100을 곱하여 소숫점화(②×0.01)
④ 〈표 18〉의 '③ 단순 임금가치'와 동일값
⑤ 업무성과 반영: (③×④)

이제 각 개인을 기반으로 EAP의 효과성을 측정하고자 한다. 먼저 A사에 문제 근로자 10명이 있다고 가정하자. 이들은 여러 가지 문제로 고충을 겪다가 최근 EAP에 의뢰되었으며, 아직 본격적인 개입은 시작되지 않았다. 이들의 CREPID 가치와 실제 연봉은 다음의 〈표 20〉에서 나타난 바와 같다. 이때 이들과 인구사회적 배경이 유사한 근로자 10명을 선별하여 비교집단으로 구성한다.

〈표 20〉 A사의 CREPID 결과: 집단 간 비교

(단위: 원)

근로자	문제근로자		비교집단	
	CREPID 가치	연봉	CREPID 가치	연봉
A	24,005,000	30,000,000	32,500,900	30,500,000
B	20,575,000	27,000,000	27,255,000	27,000,000
C	29,600,000	39,500,000	43,040,000	39,500,000
D	17,615,000	22,000,000	25,600,000	21,000,000
E	24,316,000	33,400,000	38,567,000	33,000,000
F	15,655,000	23,900,000	25,080,000	23,500,000
G	27,648,000	47,000,000	47,555,000	42,000,000
H	13,267,000	20,000,000	22,338,000	21,000,000
I	15,442,000	22,700,000	26,150,000	20,000,000
J	17,380,000	29,000,000	30,908,000	26,500,000
평균	20,550,300	29,450,000	31,899,390	28,400,000

〈표 20〉에서 예시된 바와 같이 문제 근로자 집단은 명목임금(평균 29,450,000원) 보다 30.21% 적은 CREPID 임금(평균 20,550,300원)을 보인다. 당면 문제로 인해 연봉보다 훨씬 적은 수준의 업무성과를 내고 있는 것이다. 반면에 비교집단에 속한 근로자들은 실제 연봉보다 12.32% 더 높은 업무성과를 올리고 있다.

실제 기업이 당면하는 비즈니스 환경을 고려한다면 이 두 집단 간의 격차는 더욱 크게 나타난다. 예컨대 경기침체로 A사의 수익이 급감하면서 노동생산성을 50% 향상시키기로 목표를 설정했다고 가정하자. 이 경우 근로자는 평소보다 150% 이상의 노력을 경주해야 한다. 비교집단에 속한 일반근로자는 평소 임금대비 112.32%의 업무성과를 보이고 있었으므로 총 168.48% 이상 노동생산성을 달성할 수 있다(150%×112.32% = 168.48%). 그러나 문제 근로자 집단은 104.69%에 불과하다

(150%×69.79% = 104.69%). 즉 두 집단 간 격차는 63.79%에 달하게 된다. 문제를 가진 근로자는 여타 근로자에 비해 연봉 대비 업무성과가 두드러지게 낮아진다는 것을 알 수 있다. 다시 말해, 문제 근로자는 자신의 연봉보다 약 1,880만원이 저하된 생산성을 나타내는 셈이다(29,450,000원×63.79% = 18,786,155원).

이처럼 노동생산성을 높이려는 시기에 EAP가 문제 근로자의 손상된 기능과 관계를 회복시키고 이들의 업무성과를 향상시켜 준다면, A사의 문제 근로자가 10명이라고 가정할 때, A사가 EAP 운영으로 회복 가능한 임금 가치는 18,786,155원×10명 = 1억 8786만원이다. 여기서 EAP 설립 비용이나 문제 근로자 치료 · 개입비 등을 제하면, EAP를 통한 비용절감 효과를 산정할 수 있다.

3. 비측정 평가 방법

정교한 측정법을 적용하지 않고 EAP의 손익과 비용을 분석하는 방법을 비측정 평가법이라고 한다. 결근율, 산재발생률, 폭력발생률 등 해당 기업이 주로 관심을 갖는 변수만 EAP의 투입 전후와 비교하여 어떠한 변화를 보이는가에 주안점을 둔다.

1) EAP 비용 평가요소

비측정 평가 방법에서 정의하는 비용 분석이란 주로 EAP 설립 및 운영으로 발생하는 직접 비용을 산정하는 과정을 의미한다. EAP와 관련된 직접 비용으로는 인건비, 운영비, 생산성 손실분, 서비스 비용, 기타 부가비용 등이 있다.

첫째, EAP 설립과 관련된 최초 투자비는 내부 EAP와 외부 EAP에 따라 다르게 나타난다. 내부 EAP를 설립한 경우, 조직은 새로운 인력(EAP 상담사 등) 충원을 위한 모집비 및 면접비, 신규 인력에 대한 인건비 및 복리후생비가 소요되며, 이들을 위한 업무환경 조성비(사무실, 업무기자재 구입비 등)가 추가된다. 외부 EAP를 도입한 경우는 그 계약 방식과 규모, 제공 받는 서비스 종류 등에 따라 비용 규모가 상이하다. 대개 외부 EAP가 제공하는 기본 서비스 패키지(예: 근로자 1인당 4회기 내방 상담, 야간 전화상담, 매 분기별 스트레스관리 교육 실시 등을 포함)의 내용을 협상으로 확정짓고, 전체 근로자 수에 해당하는 비용을 외부 EAP 제공자에게 지불하게 된다(근로자 1인당 기본 패키지 비용×총 근로자 수).

둘째, 인건비 지출과는 무관하게 EAP는 행정관리 및 운영비를 필요로 한다. 예컨대 서비스나 프로그램을 새롭게 기획하고 입안하는 과정에서 근로자 대상의 욕구조사를 실시한다면, 관련 비용이 발생한다. 또한 EAP 홍보물을 제작하고 이를 각 가정에 발송하는 것도 상당한 비용이 든다.

셋째, 근로자가 업무시간 중 스트레스관리 교육을 받거나 EAP의 권고로 외부 치료기관을 방문하게 되면, 그 시간만큼 생산성 손실이 발생한다. 만일 어떤 근로자의 약물중독 증세가 심각하여 EAP를 통해 치료병동에 의뢰되었다면, 그 입원 기간만큼의 손실이 발생한다. 물론 이것은 더 큰 손실을 막는 운영비용으로 간주할 수 있다.

넷째, EAP 서비스를 제공하는 데에 비용이 든다. 외부 전문가를 직접 초빙하여 직원 교육을 실시하거나, 외부 시설에 근로자를 의뢰하여 치료를 시도할 경우, 관련 비용이 발생함은 물론이다. 특히 근로자가 복잡한 법률문제나 심각한 건강상의 문제로 EAP를 내방할 경우, 그를 위한 서비스 비용은 더욱 커지게 된다.

이외에도 직접적인 서비스 비용은 아니지만, 서비스를 준비하는 과정에서 추가적인 비용은 발생될 수 있다. 예컨대 불법 약물 복용 및 남용 여부를 찾기 위한 도핑테스트 자체는 직접적인 EAP 서비스라고 할 수 없다. 그러나 약물남용과 관련된 서비스를 본격적으로 실행하기에 앞서 전체 직원을 대상으로 실시할 수 있다. 또한 의뢰 가능한 외부 기관이나 외부 전문가의 리스트를 확보하고, 공식적인 EAP 파트너로 계약(임명)하기까지는 상당한 시간과 비용이 투자되어야 한다. 이 역시 드러나지 않는 EAP 비용 중 하나이다.

2) EAP 편익 분석

(1) 카시오 Cascio 분석

편익 분석(benefit analysis)이란 EAP 서비스 도입으로 인해 얻을 수 있는 긍정적 결과(예: 생산성 저하 요인의 감소)에 대해 경제적 가치를 계산하는 방법으로 EAP의 간접적인 효과를 평가하는 방법이다. Cascio(1987)는 크게 산재 발생 비용, 무단결근일, 장애손실일, 보건소 방문건수, 고용 및 교육 관련 투자비용 등에 있어서 EAP 투입 전후의 변화를 평가하였다. 〈표 21〉에서는 이들 변수 중 일부를 사용하여 EAP 설립 전후의 변화를 산출하였다. 주로 무단결근이나 산업재해 등 문제 행동(또는 문제 행동의 결과)의 빈도와 관련 비용을 EAP 설립 이전과 이후를 기준으로 각각 산성하고, 그 차이를 확인함으로써 EAP의 효과성을 짐작하게 된다. 예시된 바에 따르면, EAP 투입 이후 매해 26건에 달하던 산업재해가 4건으로 감소하였고 관련 비용도 4,346,000원 절감되었다. 이와 비슷하게 EAP 설립이후 무단결근과 장애손실, 보건소(양호실) 방문 횟수 등도 눈에 띄게 감소하여 총 20,866,000원의 비용절감 효과가 도출되었다.

<표 21> EAP의 비측정 평가 방법(예)

변수	① EAP 투입 전		② EAP 투입 후		EAP 손익(원) (②-①)
	빈도	관련 비용(원)	빈도	관련 비용(원)	
산업재해	26	5,700,000	4	1,354,000	4,346,000
무단결근	121	9,680,000	34	2,720,000	6,960,000
장애손실	92	9,200,000	23	2,300,000	6,900,000
보건소 방문	234	4,680,000	101	2,020,000	2,660,000

Mountany(2008)도 EAP 개입 효과에 대한 간단한 측정 방법을 다음과 같이 제시하였다. 본 예시는 근로자가 당면하는 다양한 문제 중 스트레스 문제에 국한된 EAP 효과 측정 결과이다. 따라서 해당 사업장에서 스트레스 이외에 음주문제나 법적 문제, 재정문제 등이 발견되어 각각에 대한 EAP 서비스가 시행되었다면, 해당 이슈에 대한 비용절감 효과를 추가로 산정하여 총합을 구한다. 이후 EAP 투자비(운영비)를 제하면, 최종적인 EAP 개입효과를 산출할 수 있다.

스트레스 문제에 대한 EAP 효과성 측정

① 해당 업체 근로자 수: 1,000명
② 스트레스 문제 근로자 수(EAP로 의뢰된 문제 중 스트레스 문제 비율 = 10%): 100명
③ 스트레스로 업무능력이 저하된 근로자 수(1차년도): 42명
④ 스트레스로 업무능력이 저하된 근로자 수(2차년도): 22명
⑤ 평균 EAP 운영비: 30,000,000원
⑥ 스트레스로 업무능력이 저하된 근로자 임금(1차년도): 1,260,000,000원(해당 기업 평균연봉 30,000,000원 × 42명)
⑦ 스트레스로 업무능력이 저하된 근로자 임금(2차년도): 671,000,000원(해당 기업 평균연봉 30,500,000원 × 22명)
⑧ EAP 개입(스트레스)으로 인한 비용 절감 효과: ⑥-⑦= 589,000,000원

(2) DTC 사(社) 분석

비측정방법의 또 다른 예로서 호주의 EAP 제공업체인 Davidson Trahaire Corpsych(DTC)가 자사의 서비스를 이용하는 고객사를 대상으로 한 설문조사와 투자수익률(Return On Investment: ROI) 분석을 들 수 있다. DTC는 측정대상 항목을 고객의 개인생활과 직장생활로 크게 이분화하고, 각각의 하위 항목에서 가장 이상적으로 기능할 경우를 100으로 할 경우, 자신의 현재 상태는 어떠한 지를 점수화(1~100점)하도록 하였다.

A. 개인생활 기능(personal functioning)
  ① 정서적 안녕(emotional wellbeing)
  ② 신체적 안녕(physical wellbeing)
  ③ 개인과 직장생활과의 조화(work-life management)

B. 직장생활 기능(work functioning)
  ① 업무생산성(work productivity)
  ② 의욕과 동기화(morale & motivation)
  ③ 업무관계(work relationships)

조사 결과, 다음의 〈표 22〉에서 제시된 바와 같이 모든 영역에서 통계적으로 유의미한 성과가 있는 것으로 조사되었다. 그중에서도 특히 정서적 안녕에 있어서는 EAP 개입 전후의 차이가 무려 87.46%로 나타나 근로자의 정신건강에 EAP가 공헌하는 바가 크다는 것을 다시 한 번 확인해 주었다.

〈표 22〉 개인생활 및 직장생활 영역: EAP 개입 전후 비교

(n = 4,707)

대분류	소분류	개입 전	개입 후	평균 차	증감(%)
개인생활 영역	정서적 안녕	37.32	69.95	32.64**	87.46
	신체적 안녕	58.59	73.65	15.06**	25.70
	개인-직장생활 양립	48.10	69.85	21.75**	45.22
직장생활 영역	업무생산성	61.24	70.77	15.44**	25.21
	의욕과 동기화	46.90	70.77	23.87**	50.90
	업무관계	57.27	74.64	17.37**	30.33

주 1: 각 영역별 가장 이상적인 상태를 100점으로 가정했을 때, 현재의 상태를 평가한 자기응답식 설문 결과(최소값 1점, 최대값 100점).
주 2: **$p < 0.01$

비록 근로자가 EAP를 찾아간 이유는 다양하겠지만, 그중에는 결근을 할 만큼 심각한 문제도 있을 수 있다. 이에 〈표 23〉에서와 같이 지난 8주간 고객이 호소하는 문제로 인해 발생한 결근 일수를 파악해 비교해보니, EAP 개입 전에는 평균 2.94일이었으나, EAP 개입 후에는 2.01일로 급감한 것을 확인할 수 있었다.

〈표 23〉 고객 문제로 인한 결근: EAP 개입 전후 비교

(n = 4,689)

결근	EAP 개입 전	EAP 개입 후	평균 차	증감(%)
(직전 8주간) 병가일	2.94	2.01	0.93**	-31.63

주: **$p < 0.01$

단순히 상태에 대한 호전에나 기능의 회복 수준을 제시하는 것에서 한걸음 더 나아가 DTC는 EAP의 투자수익률을 파악하고자 했다. 본격적인 투자수익률 산정에 앞서 DTC가 제시한 가정은 다음과 같다:

① 모든 근로자는 정규직(full-time)인 것으로 가정한다.
② 각 급여 구간에 해당되는 근로자의 실제 급여는 모두 중간값으로 산정한다.
③ 고객의 문제는 모두 업무에 영향을 미친다고 가정한다.
④ 각자의 급여는 업무성과(job performance)를 대변하는 것으로 가정한다.

이제 2,045명의 내담자를 대상으로 DTC는 다음과 같은 공식과 과정을 통해 ROI를 산정하였다.

$$\Delta U = d_t \times SD_y$$

ΔU = EAP 개입 효과($)
d_t = EAP 개입 전후 업무생산성의 변화
SD_y = 업무성과의 표준편차($)

첫째, EAP 개입 전후 업무생산성의 변화는 앞서 〈표 22〉에서 시도된 바와 동일한 방식을 따랐다. 즉, 자신의 업무생산성이 가장 최상인 상태를 100점으로 가정했을 때, 현재의 상태를 평가하도록 하였다(최소값 1점, 최대값 100점). 이를 EAP 개입 전과 후로 각각 나누어 측정하고, 그 변화의 차이를 산정하여 d_t 값을 구하였다.

둘째, SDy 값은 구하기 위해서는 먼저 업무성과를 측정해야 한다. 앞서 〈가정 ④〉에서 기술한 바와 같이 한 근로자의 업무성과는 그가 받는 급여로서 대신할 수 있다. 예컨대 업무성과가 우수한 사원은 급여가 높을 것이고, 반대로 업무성과가 부족한 자는 급여 수준이 낮게 정해질 것이다. 이와 같은 가정을 근거로 응답자의 급여구간 및 급여산정 과정을 살펴보면 다음의 〈표 24〉와 같다.

〈표 24〉 응답자의 연간 평균 급여

(단위: 호주 달러, 명)

급여 구간	급여 중간값	내담자 수	총 급여
$30,000 미만	$15,000	84	$1,260,000
$30,000-$50,000	$40,000	297	$11,880,000
$50,000-$75,000	$62,500	726	$45,375,000
$75,000-$100,000	$87,500	544	$47,600,000
$100,000-$150,000	$125,000	309	$38,625,000
$150,000 초과	$175,000*	85	$14,875,000
총 계		2,045	$159,615,000
1인당 평균 급여(가중치)			$78,051.34

주1: *이 구간의 중간값은 산정할 수 없으므로, 단순히 $25,000을 더하는 것으로 대신함.
주2: 각 급여 구간의 간격은 동일하지 않음.

이제 얻어진 값을 앞서 소개된 EAP 개입효과 공식에 대입해 보면 다음과 같다.

$$d_t = 0.326^{8)}$$
$$SD_y = \$78{,}051.34 \times 0.4^{9)} = \$31{,}220.54$$
$$\therefore \Delta U = 0.33 \times \$31{,}220.54 = \$10{,}187.99$$

만약 이 회사에 500명의 근로자가 속해있고, 약 5%의 근로자가 EAP를 이용하고 있다고 가정하자. 이 회사가 EAP 운영을 위해 연간 $10,000를 투자하고 있다면, EAP 투자수익률은 얼마가 되겠는가? 답은 $244,699.75이다(500×0.05×10,187.99－10,000). 즉, 내담자의 업무생산성이 약 33% 증가함으로써 1인당 $10,187.99 만큼의 효용이 발생하였는데, 내담자의 수가 모두 25명이니 총 $254,699.75의 수익이 발생한 셈이다. 여기서 EAP 투자비용 $10,000을 제외하면, 그 나머지가 투자수

8) EAP 개입 후 업무생산성이 32.6% 상승함.
9) 보수적 관점에서 평균 급여의 40%를 표준편차로 산정함(Schmidt et al. 1979; Smith, 1989)

익률로 잡힌다. 결국 이 회사는 EAP에 1달러를 투자하여 총 24.5달러, 약 25배의 투자 수익률을 거두었다고 볼 수 있다. 단, 여기서 1년 이상 지속될 수 있는 생산성 효과는 산정이 되지 않았으며, 생산성 외 근로 의욕이 증가하거나 이직의사가 감소하는 등 EAP의 여타 효과는 측정에서 제외되었다. 이 모든 변수를 포함할 경우, EAP의 경제적 유효성은 훨씬 크게 산정될 수 있다.

(3) 에트리지(Attrige) 분석

마지막으로 소개할 EAP 효과성에 대한 비측정방법은 Mark Attridge 박사가 제안한 ROI 계산법이다(2013).[10] 그는 EAP의 ① 기본 가치(Primary Value), ② 파레토 가치(Pareto Value), ③ 파트너십 가치(Partnership Value), ④ 생산성 가치(Productivity Value) 등 4가지 측면의 가치를 종합적으로 산정해야 EAP의 효과성을 정확히 평가할 수 있다고 주장하였는데, 이를 도식화하면 다음과 같다.

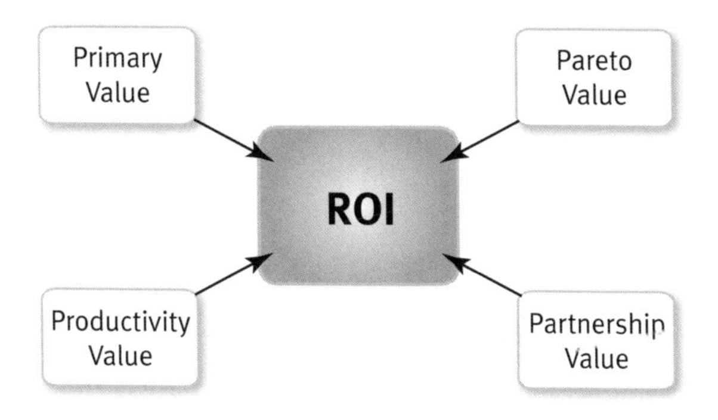

〈그림 4〉 The Four Paths to ROI for EAP and Business Value

자료: Attridge, M. (2013). The Business Value of Employee Assistance: A Review of the Art and Science of ROI. 2013 World EAP Conference. Phoenix, AZ: EAPA.

---

10) Attridge 박사가 2013년 미국 Phoenix 시에서 개최된 세계 EAP대회(World EAP Conference)에서 'The Business Value of Employee Assistance: A Review of the Art and Science of ROI'라는 주제로 기조 강연한 내용을 요약 정리함.

① **기본 가치(Primary Value)**

EAP의 기본 가치(Primary Value)란 EAP가 제공하는 가장 기초적이고 핵심적인 가치로서 근로자 혹은 가족 대상의 일반 상담이나 재정 관련 서비스, 법적 지원, 사내 교육 등을 포괄한다. 기본 가치와 관련된 ROI를 산정하기 전에 EAP 투자비용을 먼저 파악하는 것은 필수적이다.

2012년 미국의 3,000개 기업을 대상으로 건강관리비용을 조사한 결과, 근로자 1인당 평균 EAP 투자비용은 연간 $22에 불과하며, 이는 1인당 전체 건강관리비용(일반의료, 치과, 제약, 정신과 치료 등) $7,983의 1%에도 못 미치는 수준이다. 또한 Attridge가 인용한 미국과 캐나다의 48개 EAP 전문업체의 보고에 따르면, (1,000명 규모 사업장을 기준으로 재산정할 경우) EAP 카운슬러 1인당 약 45개의 케이스를 담당했으며, 이 중 80%는 근로자(36), 20%는 가족(8)이 대상이었다. 이들에 대한 개별상담 횟수는 평균 2.5회였다. 이외에도 EAP에서는 사내 오리엔테이션이나 수퍼바이저 훈련, 경영에 대한 조언 등 조직 대상의 서비스도 제공하였는데, 평균적으로 연간 11회 정도였다. 즉, 1,000명 규모의 사업장이라면, 약 124차례의 EAP 서비스가 제공된 셈이다[개별상담 약 113회(45케이스 × 2.5회) + 조직대상 서비스 약 11회].

다음의 〈표 25〉에서 예시된 바와 같이 EAP의 기본 가치에 대한 ROI를 산정해 보면, EAP를 위해 총 $22,000를 투자하고도 $18,955 밖에 활용을 못하였다. 즉 $1 투자 당 $0.86의 회수(return)만 있었으므로 달러당 $0.14 손해가 발생한 셈이다. 이를 해소하기 위해서는 EAP 업체와 재협상을 벌여 1인당 EAP 가격을 낮추거나(ROI식에서 분모 감소), 보다 적극적인 홍보 등을 통해 EAP 대상을 늘리거나 평균 상담 횟수를 증가시키는 방법(ROI식에서 분자 증가)이 검토되어야 한다.

〈표 25〉 EAP의 기본 가치(Primary Value) ROI 산정(예)

(1,000명 규모 사업장 기준)

EAP 서비스	사례 수	가격*	총 가치
일반 상담	113	$85	$9,605
조직서비스			
- 경영관련 컨설팅	4	$150	$600
- 교육 훈련	3	$500	$1,500
- 위기개입	2	$2,500	$5,000
- 수퍼바이저 훈련	2	$250	$500
법적/재정 문제 지원	10	$75	$750
정보제공	50	$20	$1,000
총 회수(total return)	184		$18,955
총 투자(total investment)	1,000	$22	$22,000

*시장에서의 추정 가격. 일례로 EAP가 아닌 외부상담소에서 1회 상담을 신청할 경우, $85가 부과될 것으로 추정함.

＊ROI = $0.86:$1.00

② **파레토 가치**(Pareto Value)

경제학자이자 사회학자인 파레토(Pareto)는 1906년 이탈리아의 토지의 80%를 20%에 해당하는 인구가 소유하고 있음을 밝혔다. 이후 파레토 법칙(Pareto's Law)은 전체 효과의 대부분이 소수로부터 발생된다는 의미로 통용된다. 실제로 2003년 미국 미네소타주의 건강보험료 청구에 관한 분석 결과, 전체 보험료 지출의 70%를 단지 33%의 구성원들이 쓴 것으로 조사되었다(Birkland & Birkland, 2005; Attridge, 2013 재인용). 이와 유사하게 소수의 근로자가 심각한 정신건강 문제나 중독 문제 등으로 인해 상당한 금액의 치료비용을 소요할 수 있다. 그러나 이들 근로자에 대한 치료가 성공적으로 이루어져서 업무 복귀에 성공한다면, 상당한 금액이 절약될 수 있는 것 또한 사실이다.

앞서 기본 가치(Primary Value)에서 제시된 바와 같이 1,000명 규모의 사업장을 가정한다면, EAP 이용자는 45명이다. 이 중 약 18%(8명)는 정신건강이나 중독 문제가 심각한 케이스로 가정할 수 있는데, 이때 8명 중 6명(80%)은 근로자이고, 2명(20%)은 가족일 것이다. 만일 문제를 가진 근로자가 EAP가 없이 일반적인 병원 치료를 받을 때 소요되는 비용이 연간 $2,704라고 가정했을 때, 6명의 경우 총 $16,224의 비용이 지출될 것이다. 다시 말해 EAP 덕분에 해당 금액만큼 절약이 된 셈이다. EAP를 위해 1달러를 투자했을 경우, 그 회수율은 $0.74 정도라고 볼 수 있다.

이때 EAP를 통해 업무복귀를 한 경우를 산정한다면, ROI는 배가 될 수 있다. 앞서 8명은 중증의 문제를 가지고 있는 근로자로 결국 퇴사할 수밖에 없는 위험이 상대적으로 크다. 만일 EAP 개입을 통해 이들 중 한 사람만이라도 퇴사를 막고 업무에 복귀시킬 수 있다면, 이 근로자의 가치, 즉 $32,126(연봉)를 지킬 수 있다. 최초 $22,000 투자 대비 1.46배의 효과를 거둔 셈이다. 이직하지 않고 업무에 복귀한 근로자가 이보다 더 많은 경우, 그 만큼 ROI가 급증하는 것은 물론이다. 이와 같은 일련의 과정을 요약하면 다음의 〈표 26〉와 같으며, 파레토 가치의 총 ROI는 EAP $1 투자 당 $2.20($0.74 + $1.46)에 이른다.

〈표 26〉 EAP의 파레토 가치(Pareto Value) ROI 산정(예)

(1,000명 규모 사업장 기준)

EAP 서비스	사례 수	가격	총 가치
EAP 장기 개입(18% of 45)	8		
- 근로자 이용(80% of 8)	6	2,704*	$16,224
- EAP 이용자 중 업무복귀(avoid turnover)	1	$32,126**	$32,126
총 회수(total return)	6		$48,350

총 투자(total investment)	1,000	$22	$22,000

*EAP와 무관한 외부 전문기관에 치료 혹은 재활 서비스를 신청할 경우, 사례별 $2,704가 부과될 것으로 추정함.
**2012년 2-4분기, 2013년 1분기 미국 근로자 평균연봉(후생복리비 포함)은 $64,251이나, 이를 보수적으로 산정하여 1/2인 $32,126를 이직없이 업무복귀하여 얻게된 이득으로 가정함.

*ROI = $2.20:$1.00

③ **생산성 가치(Productivity Value)**

많은 선행연구에서 EAP를 경험한 근로자들은 과거보다 생산성(work productivity)이 증가하고, 결근율(absenteeism)은 떨어지는 것으로 보고되고 있다. 이 중 미국과 캐나다를 포함한 12개 국가의 82개 외부 EAP 제공업체를 연구한 Attridge와 그의 동료들(2013)은 조사 대상의 73%에서 생산성 향상을, 64%에서 결근율 저하를 보고하였다. 특히 근로자가 경험하는 스트레스와 우울은 생산성을 떨어뜨리는 가장 큰 요인으로 지목되고 있다(Riedel et al., 2009). 따라서 근로자의 정신건강을 위협하는 원인을 발견하고 업무개선과 EAP를 통해 효과적으로 대처할 수 있다면, 사업장의 생산성은 증대될 수 있는 것이다(Klachefsky, 2013).

근로자의 업무성과를 측정하기 위해 Attridge(2013)는 다음과 같은 설문을 측정도구로 삼았다. 비록 그가 개발한 척도는 단일 항목이지만 WHO의 관리 하에 하버드 의대에서 고안한 full-HPQ (Health & work Performance Questionnaire)와 긍정적 수준의 상관관계(r = .41)를 보이고 있다.

지난 4주간 본인의 전반적인 업무성과를 어떻게 평가하십니까?
최저(least) 1 2 3 4 5 6 7 8 9 10 최고(most)

〈그림 5〉 업무성과 측정을 위한 단일 항목 설문(Attridge, 2013)

미국인 근로자 26,833명을 대상으로 본 단일 설문항목을 적용(1994-2002)하여 EAP 투입 전후를 비교한 Optum사(Attridge, 2004 재인용)의 연구에 의하면, EAP 상담을 받은 근로자 중 70%는 평균 생산성이 4.8점에서 8.3점으로 약 42% 상승했다(EAP를 경험하지 않은 일반 근로자의 평균 생산성은 8.9점). 그러나 나머지 30%의 내담자는 생산성 향상을 전혀 보이지 않았다. 따라서 본 연구에서 전체 내담자에 대한 생산성 향상률은 약 29%로 산정할 수 있다(70% × 42% = 29%). Attridge(2013)는 본 연구를 포함, 미국과 캐나다, 호주 등에서 진행된 6개의 EAP 관련 연구결과를 종합하여 12만 7천여 명의 생산성을 재분석한 결과, EAP 투입 후 한 달간 평균 31%의 생산성 향상이 이루어졌음을 목격하였다. 근로자가 월 160시간(주당 40시간 × 4주) 근무한다고 가정하면, 월평균 50시간(160시간 × 31%) 만큼 생산성 손실을 방지한 셈이다.

근로자의 생산성을 금전적으로 환산하기 위해서 시간당 임금을 파악하는 것은 매우 중요하다. 미국 통계청이 발표한 시간당 평균 임금(2012년 2분기~2013년 1분기)은 $21.39이며, 복리후생비 $9.51를 더하면 $30.89이다. 그러나 대부분의 근로자들은 자신이 받는 임금 이상으로 일을 하거나, 혹은 그 이상의 가치를 가지고 있으며, 이를 산업계 평균으로 환산하면 약 1.5배에서 3배 정도에 이른다(Attridge, 2012). 즉 근로자의 생산성 가치를 가장 보수적으로 산정해도 시간당 $46.34($30.89 × 1.5배 생산성)이라는 것을 알 수 있다.

한편 생산성 가치를 이루는 또 다른 요소인 결근율을 산정하기 위해 Attridge(2013)는 지난 한 달간 5개 분야, 즉 결근, 지각, 조퇴, 근무지 이탈(사적인 전화, 이메일, 웹서핑 등) 개인용무에 소요된 시간을 모두 적도록 하였는데, 이를 EAP 투입 전과 후로 나누어 비교한 결과, 그 차이가 5.8시간(12.6시간 → 6.8시간)으로 나타났다. 일일 8시간 근무를 기준으로 하면, 0.73일(5.8/8)에 해당하는 시간이다. 그는 미국과 캐나다, 호주 등에서 이와 유사한 연구 결과를 종합하여 12만여 명의 근로자를 재분석한 결과, EAP 투입으로 0.99일에 해당하는 결근율이 감소한다는 사실을 밝힐 수 있었다.

이때 한 가지 유의할 점은 결근이 초래하는 금전적 가치란 임금 그 이상이라는 것이다. 즉, 결근이 발생할 경우, 즉각적으로 대체 인력을 찾을 수도 없지만, 만일 찾는다고 하더라도 그 과정에서 구인 광고비, 면접비, 신체검사비, 신입사원 교육비 등 상당한 비용이 지출된다. 또한 결근한 자가 소속된 팀 및 팀 구성원에게도 부정적인 영향을 미치며, 촌각을 다투는 비즈니스 현장에서 업무 공백으로 인한 타격이 심각한 수준에 이를 수 있다. 따라서 0.99일, 즉 1일 결근의 가치는 1일 인건비 이상인데, Attridge(2013)은 선행연구 결과의 평균치를 산정하여 일당의 1.5배를 결근의 가치로 제시하였다. 앞서 동일한 시간당 임금(복리후생비 포함) $30.89의 경우, 1.5배인 $46.34가 시간당 결근의 가치이며, 1일(8시간) 결근의 가치는 총 $371이 된다.

지금까지 논의된 사항을 종합하여 1,000명 규모의 사업장에 적용해 보면, 〈표 27〉에서와 같이 생산성 가치의 ROI는 $1 투자액 대비 $4.40에 이른다. 사실 이러한 ROI는 보수적 시각에서 생산성 상실 구간을 한

달로 한정한 경우에 도출된 값이며, 만일 EAP 개입 후 3달 후에나 생산성 회복이 이루어졌다고 가정한다면, ROI는 3배 이상 치솟는다. 프리젠티즘은 50시간이 아닌 150시간이 생산성 손실을 피한 시간으로 산정되고, 결근율 역시 1일이 아닌 3일이 EAP를 통해 절약된 시간으로 고려되기 때문이다. 종종 심각한 문제를 가진 근로자는 그 치료 기간이 1년에 이르는 경우도 있는데, 이 경우 프리젠티즘 향상 600시간, 결근율 개선 12일이 산정되어 12배 이상의 ROI 효과가 나타날 수 있다.

〈표 27〉 EAP의 생산성 가치(Productivity Value) ROI 산정(예)

(1,000명 규모 사업장 기준)

EAP 서비스	수	가격	총 가치
EAP 이용 근로자(45명의 80%)	36		
- 프리젠티즘(Presenteeism) 향상으로 회복된 가치		$2,317*	$83,412(86%)
- 결근율(Absenteeism) 향상으로 회복된 가치		$371**	$13,356(14%)
총 회수(total return)	36		$96,768
총 투자(total investment)	1,000	$22	$22,000

*50시간 x $46.34
**1일(8시간) x $46.34

＊ROI = $4.40:$1.00

④ 파트너십 가치(Partnership Value)

오늘날의 EAP는 조직내 다양한 프로그램과 협력 관계를 맺고 이른바 '시너지 효과'를 극대화하고 있다. 예컨대 EAP 내담자에게 주기적인 혈압관리가 필요한 경우, EAP는 조직내 웰니스 부서(Wellness Department)로 그를 의뢰할 수 있다. 이와 반대로 과체중 문제로 웰니스 부서를 찾았다가 불안과 우울을 적절하게 다루도록 EAP 카운슬러에 의뢰되는 경우도 존재한다. 이 두 부서의 유기적인 협력을 통해 클라이언트는 자신에게 필요한 최적의 서비스를 제공받을 수 있다. 이처럼 EAP 단독의 가치에 더하여 조직내 여타 기관과의 협력을 통해 얻게 되는 가치에 대한 측정이 바로 파트너십 가치(Partnership Value)를 통한 ROI 산정이다. 대표적인 EAP의 협력 대상은 일-가정양립(work & life), 웰니스(wellness), 코칭(coaching), 교육/훈련, 안전/재해(safety/industrial accident), 질병/장애관리(disease/disability management) 관련 기관일 것이다.

EAP의 파트너십 가치(Partnership Value)에 기반한 ROI를 산정하기 위해 다음의 〈표 28〉에서 제시된 바와 같이 가장 대표적인 EAP 협력 기관을 선정하였다. Attridge(2013)는 연간 50케이스가 EAP를 통해 파트너십 기관에 의뢰되거나 공동 협력을 통해 서비스가 제공된다고 가정하고, 각각의 케이스에 대한 가치는 $500 정도로 산정하였다. 그러나 실제로 몇 케이스 정도가 조직내 유관 부서로 의뢰되는지, 또 각각의 협력 부서가 이들 케이스를 다루는 비용은 얼마나 되는지 입증하는 연구는 현재까지 찾을 수 없다. 이에 대한 정교한 후속 연구가 필요한 시점이다.

〈표 28〉 EAP의 파트너십 가치(Partnership Value) ROI 산정(예)

(1,000명 규모 사업장 기준)

파트너 프로그램	사례수	가격	총 가치
의뢰 및 공동 관리	50		
- 일-가정양립(Work/Life)	20	$500	$10,000
- 건강관리(Wellness/Prevention)	10	$500	$5,000
- 질병관리(Disease management)	10	$500	$5,000
- 장애관리(Disability management)	10	$500	$5,000
총 회수(total return)			$25,000
총 투자(total investment)	1,000	$22	$22,000

*ROI = $1.14:$1.00

⑤ 총 가치 (All Value)

전술한 바와 같이 ROI 산정을 위한 EAP의 가치는 기본적 가치(Primary Value), 파레토 가치(Pareto Value), 생산적 가치(Productivity Value), 파트너십 가치(Partnership Value) 등 총 4가지 측면에서 고려되어야 한다. 종합한 결과, 통합된(combined) ROI는 EAP $1 투자 대비 $8.59에 달한다. 거의 9배 가까운 효과성을 달성하였으며, 다음의 〈표 29〉는 이에 대한 요약이다.

각각의 가치에 대한 ROI를 산정하는 과정에서 연구자나 해당 조직, 혹은 국가에 따라 그 기준은 달리 적용되어야 할 것이다. A기업의 EAP 이용률은 Attridge(2013)가 기준으로 삼은 4.5%와 동일할 수 있지만, B기업의 경우 이와 큰 차이를 보일 수 있다. 또한 C기업의 평균 임금과 D기업의 결근율은 모두 상이할 수 있다. 다시 말해, 앞서 제시된 각종 기준 및 관련 수치는 개별 국가나 기업의 실정과는 다를 수 있는바, EAP의 효과성 분석에 앞서 해당 국가 혹은 기업의 실정에 맞는 객관적 자료를 확보하려는 노력이 선행되어야 할 것이다.

〈표 29〉 EAP의 총 가치(All Value) Total ROI 산정(예)

(1,000명 규모 사업장 기준)

EAP 서비스	사례수	가격	총 가치
EAP 이용 근로자(45명)			
- 기본 가치(Primary Value)	184	$103	$18,955
- 파레토 가치(Pareto Value)	6	$8,050	$48,300
- 생산성 가치(Productivity Value)	36	$2,688	$96,768
- 파트너십 가치(Partnership Value)	50	$500	$25,000
총 회수(total return)			$189,023
총 투자(total investment)	1,000	$22	$22,000

*ROI = $8.59:$1.00

이처럼 비측정 평가방법은 EAP 투입 이전과 이후만을 비교하여 문제 행동의 변화를 측정하므로, 매우 손쉽고 빠르게 EAP의 효과성을 추정할 수 있다. 그러나 문제 행동의 감소가 과연 EAP 개입으로 이루어진 것인지에 대한 논란은 계속될 수밖에 없다. EAP 투입 이전과 이후 사이에 무수히 많은 사건과 사고, 작업장의 변화가 있는데, 이에 대한 통제가 용이하지 않기 때문이다. 예컨대 예시된 사업장의 산재사고 감소는 EAP 때문이 아니라 대대적으로 작업환경을 개선하고 안전교육을 강화한 경영층의 노력의 결과일 수도 있다. 결국 비측정 평가방법의 결과는 EAP 효과성에 대한 참고자료로 활용될 수 있지만, 그 효과성을 확정하기에는 한계가 따른다.

4. 임상적 평가 방법

1) 만족도 조사

정량적 측정지표를 확보하는 것이 바람직하지만, EAP의 특성상 정성적인 성과를 잘 산출하는 것이 중요하다. 직원들의 정신건강에 투자하거나 직원들을 위한 각종 세미세미나, 혹은 관련 교육 프로그램과의 연계 기획 등을 통해 EAP의 기능과 성과를 충분히 부각시킬 수 있다.

EAP 도입 초기에는 임상적 평가로서 만족도 조사가 많이 이루어졌다. 간단한 설문도구를 이용해서 내담자가 얼마나 만족하는 지 조사하는 것이다. EAP 상담사가 보는 상태에서 평가하는 것은 객관적이지 못할 우려가 있으므로, EAP 서비스 이용 후 만족도를 전화로 질문하거나, 외부 주소가 표기된 반송 우편을 이용해서 익명으로 설문지를 회신하도록 하는 방식을 사용한다.

조사를 시행하는 주체는 외부 EAP 제공자일수도 있고, 조직 내부의 EAP 운영자가 직접 시행할 수도 있다. 자체적인 EAP 운영 만족도 조사를 통해 내담자의 경험을 파악하고, 내담자의 변화된 태도나 행동에 대한 피드백을 점검하는 과정을 통해 정성적 평가가 가능하다.

2) 상담 성과 평가

상담 성과 평가는 'EAP를 왜 시행하는가?'하는 존재 목적과 관련된다. 성과 평가는 프로그램 초기에 설정했던 결근율, 민원(불만) 빈도, 작업장의 사고율 등이 EAP를 이용해서 얼마나 감소했는지 평가하는 것이다. 성과 평가에서 가장 큰 장벽은 데이터 출처가 여러 부서에 걸쳐 있고 의료기록 등 외부기관에서 별도 보관하는 자료가 있기 때문에 자료를 확보하기 곤란하다는 점이다.

미국의 경우, 약 1/3의 기업만이 업무 성과에 관련된 통계 자료를 보유하고 있다. 자료가 있어야 효과를 평가할 수 있기 때문에 대개는 자기보고식 조사를 시행할 수밖에 없다. 간혹 자기보고 방식이 객관적 자료에 비해 신뢰성이 떨어질까 우려하는 경우가 있다. 하지만 적어도 근로자 대상의 조사에서 적절한 설문도구를 사용한다면, 자기보고식 설문조사의 결과는 상당히 신뢰성이 높고 타당도도 높다. 예를 들어 5,000명 이상의 근로자를 대상으로 조사한 결과, 15분이 소요되는 자기보고식 설문조사 결과가 회사에서 파악한 결근시간, 산재 신청, 병가 신청, 의료비 지출 자료와 상관성이 높았다(Allen & Bunn, 2003).

EAP가 심각한 행동적 위험요인을 얼마나 감소시켰는지 입증하는 것은 매우 중요하다. 근로자가 음주나 정신건강 문제를 호소했던 경우, 그것이 EAP 개입을 통해 얼마나 호전되었고, 이후 더 심각한 질환이나 자해/타해 등의 사고로 이어질 확률을 얼마나 줄였는지 측정할 필요가 있다. 이것은 위험관리 측면에서 EAP가 얼마나 조직에 기여를 하는 지를 나타내기 때문이다.

하지만 단기간 문제해결 중심으로 시행되는 EAP의 속성 상 근로자를 대상으로 장시간동안 표준화된 면접도구를 이용하여 측정을 하기란 어려운 일이다. 실행하기도 힘들고 설사 한다고 해도 적절한 표본수를 확보하려면 막대한 연구비가 늘 것이다. 따라서 EAP를 전후한 임상적 상태의 변화를 간편하게 측정할 수 있는 도구가 필요하다.

최근 표준화된 GAIN-SS(Global Appraisal of Individual Needs-Short Screener)는 3~5분 안에 정신건강 문제를 네 가지 임상적 범주(내향적 · 정신적 고충, 행동복잡성, 음주 및 약물문제, 범죄 · 폭력성)로 선별하는 도구로서 타당도와 신뢰도가 높아서 많이 활용되고 있다.

최근 EAP 분야에서도 종종 적용되고 있다(Dennis et al., 2006).

생각거리

1. EAP의 효과성 측정 방법의 유형과 각 유형의 장단점을 논의해본다.
2. EAP의 효과 측정에 사용할 수 있는 새로운 지표를 제안한다.

제 7 장

EAP 운영의 조직 내 고려사항

21세기 들어서 거의 모든 기업이 스피드 경쟁 시대의 필수 요소인 변화와 혁신을 강조하며 구성원들을 압박하고 있다. 기업의 지속 유지와 성장은 경영에 있어 가장 중요한 요소이기 때문이다. 이런 상황에서 EAP의 운영은 효율적인 기업운영과 인사관리에 꼭 필요하다. 본 장에서는 EAP를 운용하는 조직 내 담당부서와 담당자의 관점에서 고려할 사항과 운영의 성공 요건을 살펴보고자 한다.

1. 훌륭한 일터(GWP)와 EAP

기업은 이윤추구가 최종목적이다. 그래야만이 기업을 운영할 수 있고 주주의 이익을 확대할 수 있어 지속적 투자를 유치할 수 있다. 또한 기업의 사회적 책임으로 대두되고 있는 이윤의 사회 환원도 가능하다. 결국 기업이 이윤을 내기 위해서는 생산성 향상이 절대적 요인이라 할 수 있다. 하지만 생산성 향상이란 결코 쉽지 않은 과제이다. 기업의 생산성을 어떻게 하면 올릴 수 있을까? 생산시간을 늘리는 것으로, 혹은 급여를 높이는 방법으로 가능할까? 베이비부머 시대는 가능했을 일이지만 이른바 Y세대가 생산 현장의 중심을 이루고 있는 현 시점에서는 장시간 노동과 높은 급여만으로는 생산성을 올리기 어렵다.

최근 직원만족도 향상이 기업의 생산성 향상을 이루기에 가장 빠르고 적합한 방법 중 하나로 제시되고 있다. 2000년대 중반 이후 특히 대기업들은 기업의 생존요건으로서 '훌륭한 일터(Great Work Place: GWP)' 운동을 경쟁적으로 도입하였다. '훌륭한 일터'는 구성원들이 자신의 경영진과 상사를 신뢰하고, 자신이 하는 일에 자부심을 가지며, 함께 일하는 구성원 간에 일하는 재미가 넘치는 곳, 즉 '일하기 좋은 기업'을 뜻한다. '훌륭한 일터' 운동은 우수인재를 영입하기 유리하고 잘 육성된 핵심인재가 기업의 이익에 기여 한다는 논리이다. 과연 일하기 좋은 기업이란 어떤 기업이고? '훌륭한 일터'는 어떻게 만들 수 있을까?

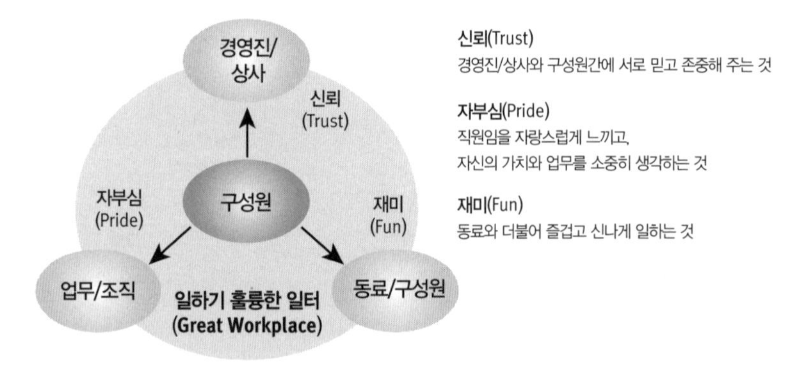

<그림 5> 훌륭한 일터(GWP) 개념도

직장인에게 일터란 신뢰, 자부심, 재미 보다는 상사의 눈치, 피로, 성과 창출에 대한 압박, 대화 부족, 동료, 관리자의 폭언, 협박, 과중한 업무 등 풀어야할 숙제가 더 많은 곳이다. 기업들은 이러한 열악한 상황에 대해 인식하고 있지만, 성과주의를 도입한 상황에서 획기적으로 상황을 개선하지는 못하고 있다. 하지만 직원들의 정서관리가 필요하다고 인식한 기업들은 특히 금융권을 필두로 직원만족팀을 만들고 있다.

이런 기업에서는 EAP 제도 중 비교적 도입 및 운영이 용이한 상담서비스를 우선 제공하고 있다.

사실 우리나라의 경우, 초기에는 대부분의 기업이 근로자의 정신건강을 배려해야 한다는 것에 대해 부정적이었다. 그러나 미국, 유럽 등 선진국의 기업들은 이미 오래 전부터 생산성 향상을 위해 직원들의 정신건강이 중요하다는 사실을 인식해 왔다. 즉 이들 선진 기업들은 구성원이 일과 삶에서 경험하는 고충과 갈등이 조직성과에 부정적 영향을 미친다고 결론내고, 조직 내 갈등을 최소화하고 일과 삶의 조화 및 균형을 지원하기 위해 각종 프로그램을 마련하여 시행 중에 있다.

일과 가정(가족)이 균형있게 양립할 수 있도록 지원하는 것도 GWP를 만드는 데에 중요한 요소로서 EAP와 밀접한 관련이 있다. 국내에서도 가족친화정책 및 가족지원제도가 구성원의 결근과 이직률을 감소시키고 직무 만족과 업무 성과를 제고한다는 연구 결과가 오래 전에 나온 바 있다(강혜련, 2006). 초기의 일-가족지원제도는 사회적 압력 때문에 소극적으로 시행하는 측면이 없지 않았지만, 점점 더 많은 조직에서 기업경쟁력 강화라는 적극적이고 전략적인 차원에서 일-가족지원제도를 고려하고 도입하고 있다〈표 30〉. 이것도 단기 비용관점이 아닌 장기적 기업전략, 기업 경쟁력 관점에서 접근이 필요하다.

최근 국내에서는 삼성과 포스코, LG처럼 조직 안에 전문상담사를 직접 고용하여 운영하거나, 외부 전문기관을 활용해서라도 구성원의 정신건강을 지원하려는 기업이 늘어나고 있다. 이것은 단순히 "경쟁사가 하니까, 우리도 해보자"라는 차원이 아니라, 기업 내 필요성을 충분히 인식했기 때문이다. 이미 운영 중인 몇몇 기업에서는 그 효과성이 입증되고 있다.

<표 30> 주요한 일-가족 지원제도

① 주로 시간에 근거한 일-가족 갈등을 완화하는 제도 예) 탄력근무제도: 탄력근무시간제, 집중근무일제도, 시간근무제, 근무시간 단축제도, 직무 공유제, 재택근무 등 ② 자녀 및 노인 등 보살핌이 필요한 가족에 대한 부담을 덜어주는 제도 예) 가족부양 지원제도: 출산휴가, 육아휴직제도, 직장 내 보육시설, 보육서비스, 가족 간호 휴가 제도 등 ③ 업무로 인한 피로와 긴장을 풀고, 상담 · 교육 등으로 역할갈등을 완화하는 지원제도 예) 근로자 지원제도: 상담실 운영(또는 외부 상담기관 연계), 안식월 휴가제도, 장기근속휴가 제도 등

2. EAP 서비스에 대한 관점

1) 경영진

기업 경영자 관점에서 EAP 서비스를 도입하는데 있어서 가장 중요한 요소 중 하나는 비용이다. 경영자는 누구나 재무적인 투입과 산출을 고려한다. 투입한 비용에 비해 얻을 수 있는 이익이 큰 경우, 즉 투자수익률(Return On Investment: ROI)이 높을 때는 경제적 합리성이 있으므로 제도 운용에 대한 의사 결정을 쉽게 내릴 수 있다. 하지만 투자에 대한 효과성이 입증되지 않는다면, 경영자는 제도를 폐지하거나 운영을 축소할 수밖에 없다.

우리나라는 아직 EAP 서비스를 도입한 지 오래 되지 않았기 때문에 장기적인 효과성을 측정해내기는 어렵다. 하지만 EAP 서비스에 대한 투자수익률이 높다는 객관적인 근거가 마련될 때 EAP 서비스를 계속 운용하고 확대발전시킬 수 있다.

2) EAP 담당자

기업에서 EAP 담당자의 입장은 크게 3가지 측면에서 접근할 수 있다. 그 첫째는 EAP 운영과 유지, 그리고 EAP 효과성 입증의 과제를 잘 수행해야 한다. 매년 EAP 운영전략 및 방향성에 대한 기획을 수립하여 차기 년도 운영 예산을 확보해야 하고, 운영 내용에 대해서도 관련 부서의 동의 또는 합의를 이끌어내야 한다. 회사에서 지원되는 한정된 예산으로 살림을 잘해야 하며, 매 월 · 분기 · 년 단위의 상담 현황과 효과 등을 보고해야 한다. 기업의 경영자는 EAP 투자에 대한 효과성이 궁금하기 때문에 많은 요구사항을 수시로 주문하기도 한다.

둘째는 EAP의 역할 측면이다. 과연 EAP를 운영하는 목적이 무엇이고 어떤 점을 고려해야 하는지에 대한 문제이다. 이 회사에서 '왜 EAP를 운영하는가?'에 대한 의문을 계속 가져야 한다. 예컨대 노동조합과의 합의로 어쩔 수 없이 운영하는 경우인지, 경영학을 공부하면서 필요한 부분이라고 생각하게 된 것인지, 직원의 정신건강이 회사 생산성에 미치는 영향에 대해 알고 있기 때문인지, 다른 회사가 하니까 한번쯤 도입을 해 본 것인지 등 경영층의 의지는 무엇이고, 어떤 것을 얻고자 하는지에 따라 EAP 운영 방향은 달라질 수 있다. 또한 회사의 구성원에 대한 분석 역시 매우 중요하다. 이들의 업무는 무엇이며, 어떠한 스트레스에 노출되고 있는지, 종업원의 구성이 남성 위주인지 여성 위주인지, 학력구성은 어떠한지, 근무형태는 주간인지 야간인지, 교대근무인지 등 운영 회사의 특성과 직무, 인원에 대한 이해가 선행되어야 한다. 이에 근거하여 EAP의 표적집단(target population)을 정하고, EAP 서비스의 구성을 구체화시킬 수 있다.

셋째는 상담자의 정체성 측면이다. 일반 상담과 달리 기업내 EAP 상담은 특수성을 지닌다. 상담 전공자는 대개 상담자로서의 정체성에 민감하다. 기업에서의 EAP 상담사는 내담자와 고용주 사이에 위치한다. 모든 상담자는 내담자 측면에서 생각하고 공감하여야 하는 입장인데, 고용주와 근로자 사이에 놓이게 되면 그 입장이 혼란스러워질 수 있다. 경영자는 EAP의 운영 현황, 운영 내용, 내담자의 특성(경우에 따라서는 자세한 인적사항을 알고 싶어 하는 경우도 있음) 등을 보고받고 싶어 한다. 이는 상담윤리 중 내담자 보호와 비밀보장의 원칙에 위배되는 부분이다. 이렇듯 경영자의 요구와 상담윤리 간 충돌로 인해 고충을 호소하는 상담자가 있을 수 있다. 특히 기업상담에 대한 경험이 전혀 없는 상담자의 경우 더욱 그러하다. 따라서 EAP 상담사는 경영자와 내담자 사이의 관계를 잘 조절할 수 있어야 한다.

EAP 상담사는 상담 윤리를 따라야 한다. 이와 함께 고용주에게 EAP 운영 현황과 특이사항을 보고하여야 한다. 일반 상담에서는 내담자와 상담자의 양자 관계이므로 상담자는 내담자의 이익만 고려하면 된다. 하지만 EAP 상담에서는 내담자와 상담자, 조직의 삼자 관계이므로, 상담자는 내담자와 조직의 이익 모두를 균형있게 고려해서 상호 이익이 되도록 해야 한다.

다만 상담의 내용을 고용주에게 모두 알려야 한다는 것은 아니다. 고용주에게 알릴 수 있는 내용으로는 상담실 방문 인원수와 상담의 종류, 기업 구성원의 정신적 고충의 정도와 스트레스 요인 분석 등이다. 이에 대한 정보를 고용주와 공유함으로써 경영 방침과 운영 제도를 개선해 나갈 수 있다. 구성원의 정신건강이 본인 뿐 아니라 다른 직원 및 근무 환경에 심각한 영향을 미치거나, 특정 제도 또는 구성원으로 인해 조직 내 갈등이나 부적응이 발생한 경우에는 경영진 또는 EAP 담당부서에 알리고 협력을 요청해야 한다.

다만 특정한 내담자의 고충을 해소하기 위하여 인사담당자 또는 회사 경영진과 협의를 해야할 경우, 반드시 내담자의 동의를 구한 뒤에 시행한다. 가능하다면, 일반 상담자 윤리와는 별개로 기업 내 상담자의 윤리 규정을 제정하는 것이 바람직하다.

여러 기업의 사례를 보면, EAP 제도는 인사관리 영역에 포함되는 경우가 흔하다. 인사관리는 흔히 인사(人事) 혹은 인적자원(Human Resources: HR)이라고 불린다. 세부적으로는 인사기획과 채용, 인력관리, 교육훈련, 승진, 성과평가, 급여, 노사문제, 근로자 관리 등 사람과 조직에 대한 거의 모든 일이 인사에 속한다. 임금 문제와 정리 해고 등 민감한 문제를 다루기도 한다. 채용 철이 되면 채용담당자는 매우 분주하다. 다른 대부분의 직무에서 고객은 외부 소비자인 것에 반해 인사담당자의 고객은 내부직원이다.

EAP 제도의 기획이나 도입단계부터 그 현황을 파악하고, 효과적인 운영 방안을 도출하여 경영진에 보고하며, 도입 이후 운영에서도 중요한 역할을 수행한다. 실제로 EAP 상담에서 다루어지는 70~80%의 사례가 인사관리의 영역에 속한다고 할 수 있다. 직장 내 상사와의 대인관계, 동료와의 불화, 성희롱 문제, 직무 부적응 문제, 직무스트레스 등 회사 내 인사부서에서 개입하거나 고민할 사항이 많다. 현업 부적응이나 대인관계에 있어서 신뢰를 회복할 수 없는 인원에 대한 대처로서 인사 전보 조치나 근무조정이 필수적이기 때문에 인사관리와 EAP 제도는 분리될 수 없다. 기업에서 인사부서가 EAP를 직접 운영할 수도 있고 그렇지 않을 수도 있지만, 인사부서와의 업무 협조는 긴밀하게 유지되어야 한다. EAP 상담사는 상담의 특이사항에 있어 인사사고나 조직에 미치는 영향을 판단하여 인사부서와 소통 채널을 확보해야 한다. 상담과 인사부서가 협력하여 운영하는 모델을 〈그림 6〉에 도해하였다.

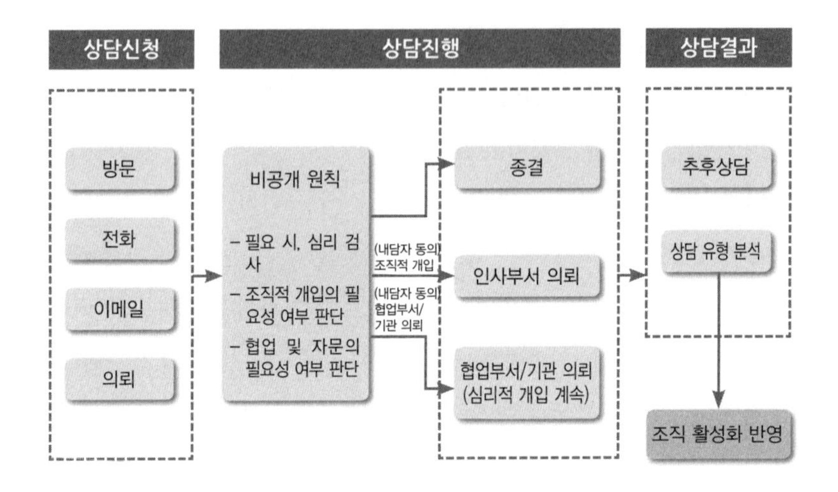

<그림 6> EAP 절차와 인사관리

3) 조직 구성원

EAP 서비스가 갖추어진 기업은 외부에서 볼 때 직원에 대한 복리후생 제도가 잘되어 있고 경영자 의식이 높은 기업으로 비춰질 수 있다. 그러나 내부 직원 입장에서는 만족도가 높지 않은 경우가 흔하다. 특히 단체협상의 결과로 별다른 준비없이 도입되어 운영되는 경우나 대기업 혹은 경쟁사가 운영하니 무조건 도입한 경우에는 직원들의 욕구에 부합하지 못하고 외부에 보여주기 위한 제도로 전락할 수 있다. 이로 인해 EAP를 효과적으로 운영하지 못하고 2~3년 후 폐지를 검토하는 사례도 있다.

따라서 기업에 상담 제도를 도입할 때는 근로자의 욕구와 기업 경영의 필요성 모두에 부합해야 한다. 그리고 해당 기업의 경영 철학에 부합될 때 그 성공을 담보할 수 있다. 기존의 경영전략과 인사전략(인적자원관리 HRM, 인적자원개발 HRD 등), 복리후생제도와 연계하여 시너지 효과를 극대화 시키고, 다양한 EAP를 적극적으로 개발하여 궁극적으로 직원들의 만족도의 향상으로 이어질 때 비로소 '일하기 좋은 기업'이 되는 것이다.

비유컨대 직원 관점에서 기업 내 EAP는 우리가 여름철에 사용하는 에어컨과 같은 존재이다. 덥지 않은 겨울이나 봄, 가을에는 에어컨이 불필요하고 공간만 차지할 뿐이다. 그러나 더운 여름철 폭염이 계속될 때, 열대야에 잠을 이룰 수 없을 때, 습한 공기로 짜증이 날 때 에어컨이 있다면 불편이 해소될 수 있다. EAP도 마찬가지이다. 고충이 없고 직장생활이나 가정생활에 별 문제가 없다면 굳이 EAP를 이용하지 않아도 된다. 그러나 개인적인 고민으로 밤잠을 이루기 어렵거나 이별이나 부부 갈등으로 인해 업무에 집중하기 곤란할 때, 대인관계 갈등으로 이직을 고려할 때, 업무 성과에 대한 과도한 스트레스로 업무 효율성이 떨어질 때, EAP를 이용하여 불편함을 해소하고 만족감을 높일 수 있다.

회사에 EAP가 설치되어 운영되면, 이를 부정적으로 보는 시각도 존재한다. "누굴 정신병자로 보나?" "저런 건 왜 돈 들여 만드는 거야?" "상담을 받으면 인사에서 명단을 관리하여 결국 불이익이 올꺼야!" "비밀보장이 과연 될까?" "사생활을 왜 기업이 간섭하지?" 등 EAP에 대한 다양한 불신이 나타날 수 있다.

관리자의 입장에서는 직원들이 상담을 받으면서 팀 내부 문제가 드러나서 자신이 인사상 불이익을 당하거나 무능력하고 직원들에게 스트레스를 주는 '나쁜 상사'로 낙인찍힐까봐 두려워 팀원들의 상담실 방문을 적극적으로 막기도 한다.

하지만 EAP의 효과성을 일단 직접 경험하고 나면, 이러한 두려움이나 불신은 줄어들고 EAP에 대한 인식이 긍정적으로 변화한다. 따라서 EAP를 도입할 때는 사전에 교육과 마케팅을 통해 EAP에 대한 부정적

선입견을 줄이고 긍정적인 기대를 갖게 하는 것이 중요하다.

EAP 서비스의 대상을 가족까지 확대하면, 회사에 대한 충성도가 더욱 높아진다. 실제로 구성원만이 상담서비스를 받은 경우와 그 가족도 함께 받은 경우를 비교하면, 후자에서 훨씬 더 회사에 대한 만족도가 크다는 것을 경험적으로 알 수 있었다. 이러한 이유 때문인지 최근에는 EAP를 운영하는 기업들이 가족에 대한 지원을 확대하고 있는 추세이다.

개인적인 만족도 측면에서도 본인만 상담을 받는 경우보다 가족이 함께 상담 서비스를 받는 경우, 그 효과에 대한 주관적 인식과 만족도가 높아진다. 또한 함께 상담받은 가족들이 EAP 상담에 대해 긍정적인 인식을 갖고 주변에 EAP를 추천하는 등 적극적인 홍보에 동참한다면 긍정적인 파급효과를 가져올 수 있다. 따라서 장기적인 관점에서 볼 때 구성원 개인 뿐 아니라 가족에 대한 서비스가 포함되는 것이 바람직하다.

3. 담당자가 고려할 EAP 운영의 성공 요건

1) 사전 검토 사항

기업에 직원들을 위한 EAP를 도입함에 있어 신중히 고려할 사항은 다음과 같다. '운영하고자 하는 목표가 회사의 경영 성과와 인사관리 목표를 달성하는데 적절한 수준인가?', '조직 구성원에게 적합한가?', '경쟁사의 주력 프로그램은 무엇이며, 어떤 운영 형태를 가지고 있는가?', '도입과 관련된 구성원의 욕구는 조사해 보았는가?', '투자수익률 검토를 통해 재정적 평가 결과는 긍정적 수준인가?' 등에 대한 검토가 이루어져야 한다. 또한 조직원의 성향과 사회적 변화를 반영하여 근로자의 연령대, 성별 및 가족사항(미혼, 기혼, 이혼, 사별 등), 문화적 배경(기업 소재지, 종교, 근무형태, 사회적 기여 등)을 고려해야 하며, 이를 통해 내부모형이나 외부모형, 혼합모형(내부 · 외부 동시 운영) 등의 운영 형태를 결정해야 한다.

2) EAP 운영자의 내부역량과 책임감

많은 기업들이 EAP를 설치하면서 내부모형 혹은 외부모형을 고민하는데, 이에 대한 근로자의 욕구와 근무환경, 노동조합과의 관계, 사내지원 정도 등 회사 안팎의 현황과 자원에 대해 정확히 인식할 수 있는 내부 운영자의 역량과 책임감이 매우 중요하다. 기업 내부에 자체적으로 EAP를 구축하여 운영하면서 외부 객원 상담사를 두어 서비스의 전문성을 제고한다면, 서비스에 대한 기업의 책임을 명확히 하면서도 개인의 사생활을 보장을 할 수 있다.

3) 경영진의 이해와 지원 확보

EAP 운영 효과에 대해 단기적으로 계량적인 성과를 창출하기란 쉽지 않다. 사람을 중시하는 경영철학과 구성원의 행복해야 결국 회사도 행복하다는 경영자의 의지가 선행되어야만 EAP가 안착할 수 있다.

4) 조직 구성원의 신뢰 확보

처음 도입되는 EAP가 조직 구성원의 신뢰를 얻기 위해서는 무엇보다도 내담자에 대한 철저한 비밀보장이 최우선이다. 이는 단순히 '우리 EAP는 비밀을 보장합니다'라는 홍보물을 통해 얻어지는 것이 아니라 상담자가 비밀보장에 대한 상담윤리를 철저하게 준수해 나갈 때 실현 가능한 과제이다. 특히 노사관계가 원활하지 않아 사측에 대한 불신이 팽배한 기업의 경우, EAP에 대한 조직 구성원의 신뢰 여부는 EAP의 안착을 결정짓는 가장 중요한 요소라고 하겠다.

5) 지속적인 홍보

우리나라 직장에서 '상담' 혹은 '코칭'과 관련한 문화는 여전히 정착되어 있지 않다. 최근 젊은 층의 경우 학교 내 상담을 경험해 본 경우가 상당하여 직장내 상담이 크게 낯설지 않으나, 중 · 장년층의 경우 상담실에 대한 거부감이 적지 않다. 이들에게 상담실이란 '문제근로자가 직장에서 쫓겨나가기 직전에 들리는 곳', 혹은 '약물중독자나 미친 사람이 가는 곳'이란 편견이 팽배하다. 이에 EAP 문턱을 낮추고 잘못된 편견을 줄이기 위한 지속적 홍보가 필요하며, 구성원의 연령별 · 계층별 관심 주제를 찾아내어 '맞춤형'서비스를 기획하거나 다양한 주제를 이용한 워크숍 또는 세미나 개최도 병행하여야 할 것이다. 이때 사내 커리어 또는 회사생활 관련 주제에 대해서는 상담자의 전문성 못지않게 인사담당자 혹은 '사내 선배'의 현실적 조언을 경청할 필요가 있다.

생각거리

1. EAP 상담에 대해 경영자와 근로자 모두 긍정적인 인식을 가질 수 있는 방안은 무엇인가?
2. EAP 활성화를 위해 경영자와 근로자, 그리고 EAP 상담사 사이에서 인사담당자에게 기대되는 역할은 무엇인가?
3. 기업 경영진에게 비밀보장의 원칙을 지키는 것이 근로자와 경영진 모두에게 유익한 이유를 설명한다.

제 3 부

EAP 서비스의 내용과 전개

제3부에서는 EAP 서비스의 임상적 내용과 전개과정을 소개하였다. 시간적 측면에서 근로자가 서비스를 요청한 뒤 문제에 대한 사정과 이후 일차적 지원, 적절한 자원으로 의뢰, 후속 관리와 재평가 등이 뒤따른다. 서비스 내용 면에서는 음주문제 및 정신건강관리, 생활지원 서비스와 웰니스, 건강증진, 법률재정 서비스, 위기상황 스트레스관리 등 다양한 개입이 이루어지며, 전반적으로 통합되고 확대되어 가는 추세이다. 양질의 서비스가 이루어지기 위해서는 해당 내용을 제공할 수 있는 전문 인력의 양성과 훈련이 필수적이다.

EAP 상담

조직은 EAP 상담 과정에 지대한 영향을 미친다. 조직 문화나 방침, 업무 환경과 특성, 상담자에게 요구되는 역할 등 일반 상담과 다른 여러 요소가 관여한다. 상담자는 내담자와 상담자, 내담자와 조직, 조직과 상담자(EAP 제공기관)의 관계를 모두 고려해야 한다. 전문적인 상담은 심리적인 문제가 있는 구성원을 조력할 뿐 아니라, 이를 통해 조직과 조직구성원 사이의 신뢰와 존경, 상호이해에 기반을 둔 새로운 조직문화를 형성하는 데 기여할 수 있다. EAP 상담은 직면한 문제의 평가 및 선별, 치료방법 및 수준 결정, 단기 상담, 의뢰와 사후 관리, 사례관리, 임상적 안내와 연계 네트워크 관리, 전문가 자문의 요소로 이루어진다. 본 장의 내용 일부는 저자 중 1인이 공역자로 참여한 〈기업상담(학지사, 2010)〉과 〈조직개발, 인사관리 관점에서 접근한 기업상담(학지사, 2014)〉, 왕은자(2009)의 연구를 참조하여 작성하였다.

1. 조직과 EAP 상담의 관계

1) EAP 상담 개관

1900년대 초반 기업에 전문 상담서비스가 도입된 이래 각 나라에서는 자국의 경제적 상황과 문화에 적절한 EAP 상담의 형태가 정착되어 왔다. 기업이 자신이 속한 한 나라의 경제적, 문화적 환경과 세계적인 시류의 변화에 민감하게 반응하여 왔다면, EAP 상담은 기업이라는 맥락에 민감하게 반응하여 왔다.

기업 내 근로자 대상의 상담은 학자들 간 혹은 현장 전문가들 사이에 널리 합의된 명칭이 존재하기 보다는 EAP 상담, 기업상담

(workplace counseling), 근로자상담(employee counseling), 조직상담(organizational counseling), 산업 상담(industrial counseling) 등 여러 이름으로 불리고 있다. 상담자의 명칭도 스트레스관리상담자(stress management counselor), 직업건강복지상담자(occupational health welfare counsellor), 근로자상담자(employee counselor), 근로자지원조언자(employee assistance adviser), 일-삶균형관리자(work-life balance officer) 등 다양하게 불리우고 있다. 그러나 위에 언급된 기업상담에 대한 용어 중 EAP 상담이 가장 널리 사용되고 있으며, 특히 구미의 선진국에서는 가장 뚜렷하게 통용되고 있다. EAP의 형태와 내용은 각 기업에 따라 매우 다양하지만, 전문 상담서비스를 핵심적인 개입방법으로 하고 있다는 점은 공통적이다.

EAP 상담의 정의를 살펴보면, 이장호(1992)는 '직장 내의 원만한 인간관계와 노사협력 체제를 확립하기 위하여 산업체 내에서 실시하는 상담활동'으로 정의하였다. 이외에도 EAP 상담은 '일과 관련한 심리적인 어려움을 겪고 있는 근로자와 관련된 상담개입이거나 업무적인 기능을 향상시키는데 영향을 미치기 위한 상담개입(McLeod, 2001)'으로 정의되고 있다. 두 가지 정의 모두 EAP 상담이란 기업과 근로자 양측의 성장과 심리적 안녕을 도모하는 활동이고, EAP 상담자는 근로자인 내담자와 조직의 접점에 있음을 공통적으로 표현하고 있다. 한편 Carroll(1996)은 기업상담의 다양성을 고려하여, '기업상담을 단일 개념으로 생각하는 것은 잘못되었다'고 주장하였다. 그러면서 기업상담의 일반적인 정의에는 한 가지 중요한 요소가 포함되어야 하는데, 그것은 '회사가 근로자를 위해 상담 비용을 지불하는 것'이라고 하였다. 실제로 모든 기업상담에서 상담의 비용은 기업이 지불한다. 특히 이들의 정의에는 회사가 직원을 위해 상담 비용을 지불하고, 이로 인해 조직, 내담자, 상담자 사이의 삼자 관계간 역동이 강조된다는 면에서 주목할 만하다.

최근 EAP가 포괄적인 서비스를 지향하면서 다양한 개입 프로그램이 포함되고 있다. EAP는 긍정심리학을 기초로 한 웰빙 프로그램이나 심리교육적 세미나, 라이프스타일 상담, 웰니스 상담이라는 이름으로 다른 분야의 개입을 적극적으로 활용하고 있다. 상담과 여타 지원서비스와의 경계가 흐려지고 융합되고 있는 것이다. 한편 북미의 EAP 형태는 전형적으로 단기 상담으로 인식되며, 심각한 사례의 경우 대부분 외부 상담기관에 의뢰하는 등 EAP가 주로 사정 및 의뢰체계로 기능하고 있어서 상담만이라고 보기 어려운 면도 있다. 그래서 EAP 상담을 정의하기가 더욱 어려워지고 있다.

EAP 상담의 목적이 무엇인지에 대하여도 여러 입장이 있다. McLeod(2008)는 EAP 상담이 일반적으로 일과 관련한 근로자 개인의 문제에 초점을 두는 것으로 여겨지지만, 실제 상담 과정을 보면 내담자는 개인적이거나 다양한 삶의 고민을 함께 이야기한다. 또한 EAP 상담은 내담자의 욕구 전반에 관심을 두기 때문에 오로지 업무와 관련한 문제에만 초점을 맞춘 상담은 거의 없다고 지적하였다. 국내의 기업상담 실태조사 연구에서도 기업상담의 주제는 직장 내 대인관계(23.5%)와 가족(22.2%)이 비슷한 비율로 가장 높은 빈도를 보이고 있었다(류희영, 2008).

Carroll(1996)은 EAP 상담의 목적을 양극단을 갖는 연속체로서 설명한다. 한 쪽 극단에는 '개인 차원의 상담'이 있다. 상담실에 올 때 내담자는 그들이 원하는 어떤 주제라도 가지고 올 수 있으며, 상담을 자신의 목적을 위해 사용할 수 있다. 반대편 극단에는 '조직 차원의 상담'이 있다. 상담의 역할은 직원들이 업무에서 최소한의 만족을 얻을 수 있도록 도와주는 것이다. 이 경우 상담의 주된 목적은 직원들의 업무를 촉진시키는 것이므로 개인적인 문제가 업무에 부정적인 영향을 미칠 경우에 개인적인 문제의 해결을 위해 상담을 한다. Carroll의 모델에 따라 EAP 상담의 여러 관련 주체들이 생각하는 상담의 목적을 조직차원 - 개인차원의 연속체 위에 나타낸다면, 관련 주체들의 관점은 서로 다른 지점에 위치할 것이다. 어떤 관점에서 표현하든, 기업과 상담전문가는 근로자에게 제공하는 상담의 목적과 대상을 명확히 할 필요가 있다.

2) EAP 상담 모형

Orlans(2003)는 여러 문헌에서 기업상담의 모형으로 자주 인용되는 Carroll(1996)의 9가지 기업상담의 모형[11]을 크게 두 가지로 나누어서 살펴보았다. 하나는 EAP 상담이 조직구조의 한 부분인 내부 모형이고, 다른 하나는 회사가 외부로부터 상담을 가져온 외부 모형이다.

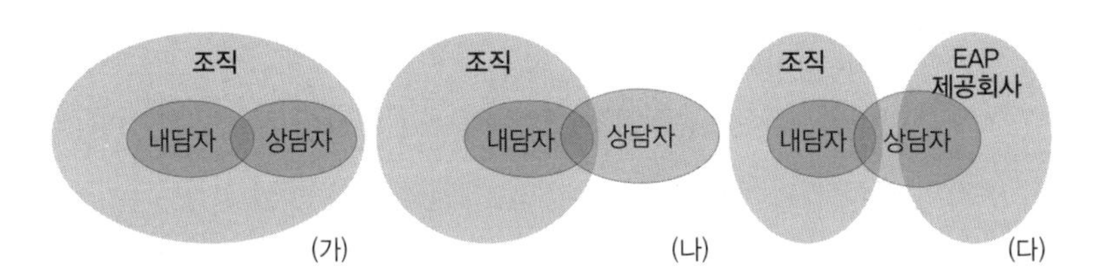

<그림 7> EAP 상담 모형별 내담자와 조직, 상담자의 관계(Carroll, 1996)

---

11) 기업 내 상담자의 과업과 역할을 기초로 다음의 기업상담 모형을 제안하였다. EAP 상담에서는 내담자와 약 6~8회의 상담을 계약하는 단기 치료 모형이 표준이다. 다음에 제시된 모형은 서로 배타적이기보다는 내담자의 특성과 상황에 따라 결합하여 사용할 수 있다: ① 상담 지향 모형(counseling-orientation model), ② 단기 치료 모형(brief-therapy model), ③ 문제 중심 모형(problem-focused model), ④ 업무 지향 모형(work-oriented model), ⑤ 관리자 기반 모형(manager-based model), ⑥ 외부 기관 모형(externally-based model), ⑦ 내부 상담 모형(internally-based model), ⑧ 복지 기반 모형(welfare-based model), ⑨ 조직 변화 모형(organizational change model).

〈그림 7〉의 (가)는 상담자가 조직에 고용되어 내담자와 같은 조직 내에 있으면서 상담을 하는 경우의 관계를 나타낸다. (나)는 상담자가 EAP 제공회사에 고용되지 않으면서 조직과도 독립적인 경우이다. (다)는 상담자가 EAP 제공회사에 고용된 경우이다. 본 연구에서 사용하는 기업상담의 모형 중에서 사내 기업상담 모형은 (가)의 경우를, 외부 EAP 모형은 (다)를, 절충모형의 한 예는 (나)를 의미한다.

기업상담의 모형 중에서 내부 모형은 사내 기업상담 모형과 내부 EAP가 있다(〈그림 7〉의 (가) 참고). 내부 모형의 장점으로는 상담실이 조직의 한 부분으로 있고, 상담자는 조직에 고용되어 있으므로 조직문화를 잘 알 수 있다는 점이다. 그래서 상담자는 조직의 다양한 체계에 입각하여 개인 및 조직을 평가하고 분석할 수 있으며, 이를 조직적인 차원에서 피드백할 수 있다. 상담실 운영과 상담 프로그램은 조직과 조직구성원의 요구에 맞추어 융통성 있게 적용할 수 있게 된다. 반면 단점으로는 근로자가 상담자를 관리자로 동일시하기도 하고, 관리자는 상담자를 근로자로 동일시하기도 하는 현상이 발생할 수 있다. 상담자는 조직 및 조직구성원에 대하여 지나치게 주관적으로 평가할 수 있다. 상담실이 조직의 정치에 관여될 수 있고, 조직 차원의 여러 가지 일들, 특히 상담의 가치와는 모순되는 일을 수행하는 데 이용될 가능성이 있다.

외부 모형의 경우는 외부 EAP가 대표적이며(〈그림 7〉의 (나)와 (다) 참고), 장점으로는 상담자는 조직의 권력과 정치로부터 떨어져 있어 좀 더 안전하다고 느끼게 되며, 상담 과정에서 상담자는 조직에서 당연한 것으로 받아들여지는 것에 도전할 수 있다. 외부 EAP는 서로 다른 배경과 전문성을 가지고 있는 여러 상담자의 다양한 서비스를 근로자에게 제공할 수 있으며, 상담자의 전문적인 독립성을 유지하기가 비교적 용이하다. 단점으로는 상담자는 내담자의 호소 문제와 내담자가 속한 기업의 특성에 민감하게 반응하는 유연성이 부족할 수 있다. 조직의 문화나 정치적인 분위기에 대한 이해가 부족하기 쉽고, 그래서 조직구성원은 상담자를 외부인으로 지각하게 될 수 있다. 어떤 경우에는 상담자가 내담자가 속한 조직이나 조직문화를 모를 수 있고, 개별 회사의 욕구에 맞추어 상담방법을 적용하는 유연성이 떨어져 계약된 서비스만을 제공하게 될 수 있다.

한편 몇몇 연구자는 기업상담에 직접 관계된 관련 주체와 이들의 상호관계의 관점에서부터 기업상담 모형을 세우고자 하였다. 이 중 Claringbull(2006)은 주요 관련 주체의 관계와 이 관계에 영향을 미치는 변인을 포함한 기업상담 통합모델을 〈그림 8〉과 같이 개발하였다. 다음의 〈그림 8〉을 보면, 내담자, 상담자, 조직이 속한 더 큰 맥락이라 할 수 있는 환경에 한 나라의 문화와 사회구조가 있고, 조직의 구조나 조직의 정책은 상담관계뿐만 아니라 상담서비스의 운영에 영향을 미치며, 기업상담의 모형에 따라서도 근로자가 이용할 수 있는 상담 형태가 달라진다. 또한 상담자가 속한 학회의 윤리나 상담자의 전문성은 삼자관계에 영향을 미치는 또 하나의 중요한 요소이다.

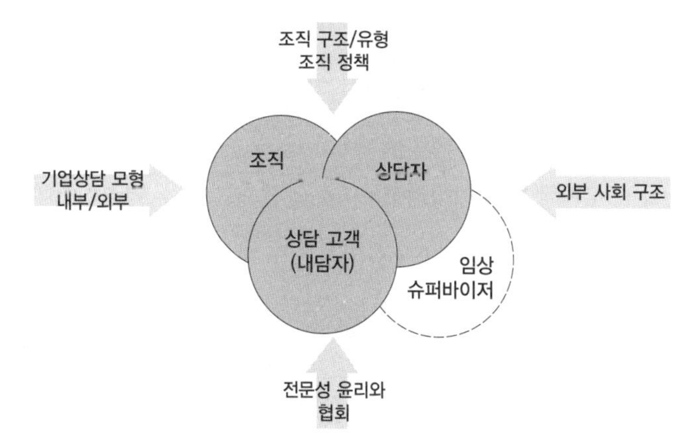

〈그림 8〉 EAP 상담의 통합 모형(Claringbull, 2006)

국내에서는 전문상담가가 조직에 고용되고 사내에 상담실이 설치된 내부모형이자 상담모형으로 시작되었지만, 최근에는 외부 EAP 모형이 외국계 회사 및 근무지역이 산재된 대기업, 중소기업을 중심으로 확산되고 있다.

EAP 상담의 정의와 모형을 제안한 문헌들을 요약해보면, 내담자, 조직, 상담자로 이루어진 삼자관계는 EAP 상담의 독특한 특성으로 일반상담에서와는 상이한 역동을 불러일으킨다. 삼자관계의 주체는 기업 장면의 상담의 실제, 그리고 상담의 효과에 중요한 영향을 미치기도 하고, 또 영향을 받기도 하는 이해 관계자이다. 상담자는 근로자와 조직이라는 두 입장의 접점에서 활동하는 상담 개입의 주체이자 상담실을 운영하는 주체이고, 조직은 기업상담을 구매하거나 기업 내 상담실 설치 및 운영에 관한 의사결정을 하는 주체이며, 내담자는 상담의 고객인데 상담과 같은 전문서비스 영역에서 고객의 관점은 점점 중요해지고 있다.

3) 조직에서 EAP 상담을 도입하는 이유

최근 기업들은 근로자의 신체적인 요구뿐만 아니라 정서적인 요구에도 민감하게 반응하는 것이 중요하다는 것을 깨닫고 있다. 정서의 잠재적 효과에 대한 기업의 인식이 높아짐에 따라 많은 기업들이 전문 상담 서비스를 근로자에게 제공하려고 한다. 이것은 기업을 둘러싼 사회경제적 환경이 변화하면서 근로자의 심리적 안녕에 주목하게 되었기 때문이다. 가령 최근 직무스트레스 문제가 주목을 받고 있는데, 이것은 근로자가 경험하는 다양한 압력을 뜻하며, 근로자의 건강과 기업의 성과, 국가경제 전반에 부정적인 영향을 주고 있다. 직무스트레스에는 업무 과부하, 업무를 통제하는 권한의 부족, 열악한 근무환경, 동료나 관리자와의 인간관계 문제, 경력개발이나 성취에서의 좌절, 억압적인 조직문화나 규칙, 일과 가정의 불균형 등에서 그 원인을 찾을 수 있다.

직무스트레스와 관련 문제를 다루기 위해 설계된 개입 프로그램이 증가한 데는 국내외 경쟁이 심화되고 각종 고용지표가 악화되는 등 기업 경제 환경의 변화로 인해 업무 강도가 증가하였을 뿐만 아니라 이로 인해 원만한 가정생활이 어려워진 것도 한 몫하였다. 이와 더불어 근로자의 인간적인 권리에 대한 자각과 이에 대한 사회적 요구가 증가한 것도 프로그램 활성화에 이바지하였다. 결국 다양한 업무 조직은 스트레스 관리(훈련) 프로그램을 도입하여 근로자가 스트레스 상황을 지각하고 적절한 대응기술을 개발하도록 돕고 있으며, 일부 조직은 상담과 같은 심리적인 개입의 잠재적인 가치에 주목하여 관련 서비스를 근로자가 이용할 수 있도록 그 접근성을 높이고 있다.

국내에도 기업의 인사 · 노사환경이 급변하고, 근로자의 삶의 질을 높이려는 욕구가 급속히 커지고 있다. 근로자의 일과 삶의 균형을 지원하는 프로그램 중의 하나로서 근로자 및 가족을 위한 상담 프로그램도 도입되고 있다.

특히 2010년 전부 개정된 근로복지기본법에는 '사업주는 근로자의 업무수행 또는 일상생활에서 발생하는 스트레스, 개인의 고충 등 업무저해요인의 해결을 지원하여 근로자를 보호하고, 생산성 향상을 위한 전문가 상담 등 일련의 서비스를 제공하는 근로자지원프로그램(EAP)을 시행하도록 노력하여야 한다'고 권고하고 있어 직장인의 스트레스 관리를 지원하는 전문적인 상담의 역할이 커지고 있다. 또한 정부는 기업이 근로자의 사기 진작 및 기업 경쟁력 제고를 위해 자율적으로 실시하는 기업복지제도의 일환으로서 EAP를 제시하고, 관련된 기본 지침을 법령으로 규정하여 근로자의 정신적인 건강과 스트레스 관리가 개인적인 차원에서 다루어질 문제가 아닌 기업의 의무로 명시하였다. 이로써 향후 EAP를 도입하는 기업의 수는 더욱 증가할 것으로 전망된다. 기업에서 스트레스는 조직효과성의 측면에서 지속적인 관심사이며, 고용주의 보호의무라는 측면에서도 중요한 법적인 위치를 가지고 있기 때문에 상담이 조직구성원의 스트레스 관리에 얼마나 효과적인지를 보여주는 노력이 지속적으로 요구된다(왕은자, 김계현, 2010; 이동영, 노희연, 2014).

한편 법적인 소송도 조직이 일에서 정서적인 요인에 집중하도록 압력을 가하였다. 1995년 영국산업안전청의 보고서에는 근로자의 과도한 스트레스에 주목하면서 고용주가 근로자의 신체적 · 정신적인 건강을 보호하고 스트레스를 다루는 경영관리적인 접근을 할 것을 제안하였다. 이러한 기업의 보호 의무를 충분히 이행하지 못했을 때 근로자의 소송 증가가 이어졌고, 이러한 소송은 EAP 활성화를 위한 새로운 동인이 되 었다.

영국의 한 기관에서 200개 EAP 고객사 중 66개 고객사의 설문응답을 분석한 결과, 조직이 EAP를 구매하는 이유 1순위는 근로자를 위한 추가적인 지원의 제공이었으며, 2순위는 고용주의 보호의 의무를 다하기 위해, 3순위는 일이나 개인생활에서 변화를 겪고 있는 근로자를 지원하기 위한 것이었으며, 4순위는 근로자의 스트레스를 관리하도록 지원하는 방법의 일환이었고, 5순위는 복리후생 제도를 향상시키고자 함이었다. 여타 인적자원 개발을 위한 방편이나 근로자의 소송으로부터 조직 보호, 혹은 조직 충성도 제고 등의 이유는 우선순위에서 낮은 편이었다(전종국 등, 2010).

몇몇 사회학자들은 기업 내 상담서비스를 관리감독과 근로자 통제의 한 부분으로 기술하기도 하였다. Strawbridge와 Woolfe(2003)는 사회학적인 관점에서 상담심리학이 사회에서 어떤 기능과 역할을 담당하고 있는지, 어떤 이데올로기적 기능을 수행하는지에 관심을 가졌다. 이들 연구자는 상담심리학의 핵심가치인 인간의 자율성에 대한 믿음이 자유 시장경제 체제에서 인간의 문제를 지나치게 개인화함으로서 현 상태의 사회구조를 지지한다고 보았다. 한 예로 기업상담은 흔히 근로자가 스트레스를 관리하도록 지원하는데 이는 기업의 구조적인 접근을 통해 해결해야할 스트레스까지도 개인이 부담하도록 한다고 지적하였다. 그러면서도 이들 연구자는 기업상담이 심리적 환원주의에 빠지지 않고 맥락에 집중하며, 구성주의의 상호작용적 접근(예: 상징적 상호작용주의)을 함으로써 개인을 임파워먼트(empowerment)할 수 있는 상담심리학의 잠재력도 동시에 언급하였다.

이와는 다른 측면으로 상담서비스에 대한 기업 측의 관점과 근로자의 관점은 동일하지 않을 수 있다. 상담을 이용하지 않은 근로자들은 상담의 가치에 대하여 양가감정을 갖는 경향이 있지만, 상담서비스를 이용해본 대다수 근로자들은 상담서비스의 가치를 긍정적으로 본다.

4) 조직이 상담에 미치는 영향

독립적 상담기관이 아닌 곳, 즉 조직에 속한 상담기관에서 일하는 상담자들이 직면하는 도전과제를 10가지[12]로 정리한 내용을 보면, EAP

12) ① 내담자 보다는 회사가 바라는 결과를 산출해야 한다는 압력에 대응하기
② 비밀보장의 경계를 유지하기
③ 상담서비스 비용의 정당함을 증명하기
④ 상담자의 고립을 다루기
⑤ 회사동료들에게 상담의 목적과 가치에 대해 교육하기
⑥ 슈퍼비전 비용의 정당함을 증명하기
⑦ 많은 수의 내담자에 압도되거나 기업에 떳떳하지 못하게 되는 것을 피하기
⑧ 실패사례로 인한 체면 손상의 위협을 피하기
⑨ 각 내담자 면접을 한 시간씩 할 수 없는 동료들의 질투에 적응하기
⑩ 적절한 상담실 공간과 접수 시스템을 마련하기

상담자에게 시사하는 바가 크다(McLeod, 2001). 다시 말해, 조직은 상담자와 내담자 사이에 일어나는 일에 영향을 미친다. 조직이 내담자의 문제를 바라보는 시각을 설명하는 이론적 접근으로는 정신역동 접근과 체계이론적 접근을 들 수 있다.

먼저 조직에 대한 정신역동적 접근은 조직 발달을 개인 발달과 유사한 것으로 본다. 개인들과 마찬가지로 조직은 조직을 동기화시키고 움직이게 하는 일련의 집단적인 무의식(융의 집단 무의식과는 다른 개념이다) 측면을 지닌 살아있는 유기체로 이해한다. 이러한 무의식적인 측면은 조직의 그림자 혹은 더욱 어두운 면으로, 조직을 구성하는 개인과 집단에 중대한 영향력을 가지고 있다. 개인과 마찬가지로 조직은 인정하기가 너무나 고통스럽거나 위협적인 힘든 감정에 대해 방어기제를 발달시킨다. 이 접근에서는 개인이 상담에 가져오는 대다수의 문제들은 조직 병리의 표현으로 본다. 조직은 무의식적인 불안과 감정을 병리를 보이는 개인에게 전이하는데 이러한 문제들은 개인의 정신 내적인 수준에서 작업하는 것으로는 해결되지 않는다고 설명한다.

개인과 조직에 대한 체계이론적 접근에서 체계란 개인과 집단 사이의 상호작용 패턴이며, 이것은 한 개 이상의 순환고리를 통해 나타날 수 있다고 본다. 조직 안의 개인들은 조직의 의미, 어려움, 관계 등과 같은 그들의 모든 세계를 공동으로 만들어 낸다고 가정한다. 이러한 공동 창조는 맥락을 이해하고 공유하는 정도에 의존한다. 맥락이 의미를 부여하고, 행동들은 보는 맥락에 따라 다른 의미를 가진다. 문제는 발생 맥락이 때때로 다르기 때문에 비롯된다.

이와 같이 조직에 대한 정신역동 및 체계이론적 접근은 조직에 속한 개인들에게 조직이 어떤 영향을 미치는지를 이해하는 데에 유용한 설명을 제공한다. 위의 접근에서는 EAP 상담이 개인에 초점을 두기 보다는 개인과 조직 모두에 초점을 두어야 함을 강조하고 있다. 내담자의 문제를 바라보는 관점을 이러한 정신역동적 및 체계이론적으로 이해한다면 상담의 목표와 개입방법도 달라질 수 있다.

한편, 조직이 상담에 미치는 영향을 조직문화로 설명하기도 한다. 모든 조직은 문화를 가지고 있으며 그 문화는 조직구성원들의 태도와 행동에 영향을 미친다. 이때 한 조직을 다른 조직과 구별되게 하는 구성원들의 공통적 가치시스템을 조직문화라고 하는데, 여기서 공통적 가치란 조직이 의미있다고 생각하며 추구하는 주요 특성들이라고 할 수 있다(임창희, 2008). 조직문화는 조직원에게 강력한 영향력을 갖는데 대부분 무의식 수준에서 일어난다(Carroll, 1996). 조직, 기관 혹은 집단 문화를 이해하는 것은 이러한 집단 내의 개인들이 왜 그런 방식으로 행동하고, 이러한 행동에 영향을 주는 기준이 무엇인지에 대해 이해할 수 있는 통찰을 제공하며, 정신적 혹은 신체적으로 문제를 겪게 될 사람들을 돕기 위한 개입을 고안하는 데 도움을 준다. 사람들이 처하는 어려움은 특정 행동 방식을 요구하는 조직문화에서 비롯될 수 있다. 예를 들어, 과도한 근무 시간, 감정을 다루는 방식, 수직적인 의사소통 구조 등이 문제의 원인일 수 있다. 그러므로 EAP가 개인보다는 조직문화에 변화를 가져오는 개입 프로그램을 함께 실시하는 것이 중요하며, 그 효과는 조직문화 차원에서 나타날 수 있다.

끝으로 조직의 관료적 구조는 전문성 영역에서 종종 언급되는 문제이다. 관료적 구조는 전문가들의 자유를 제한하여 그들의 지식과 기술을 전문가들이 적합하다고 느끼는 방식으로 적용하기 어렵게 한다. 전문성에 대한 문헌은 전문성과 관료적 구조의 모순과 갈등을 강조하고 있다. 이 중 한 연구에 의하면, 기업 구성원들을 대상으로 한 각국 사회문화를 비교해 보았을 때 한국의 기업문화는 집단중심성과 권력중심성, 불확실성의 회피성이 강한 반면, 미국은 개인중심성이 강하고 권력 중심성과 불확실성 회피성이 약하였다(Hofstede, 1983; 이학종, 양현승, 2005에서 재인용). 위계적이고 관료적인 구조가 강한 국내의 기업 문화에서는 상담자가 전문성을 충분히 발휘하는 데 제약이 있을 것으로 추측할 수 있다. 조직문화와 EAP 상담이용률을 조사한 한 연구에서도 상담 이용률은 민주적으로 운영되는 조직일수록, 상담서비스가 노조에 의해 적극적인 지지를 받는 곳일수록 더 높았다(Csiernik et al., 2005).

5) 상담이 조직에 미치는 영향

Orlans(2003)는 상담심리학 분야의 가교적인 특성을 들어 상담심리학의 개입과 철학이 기업 장면에서도 유용할 수 있다고 제안하였다. 여기서 가교적인 특성이란 심리학의 과학적 지식을 실제 현장의 개입 기술로 응용하는 상담심리학의 특성으로서, 상담심리학의 응용학문적 특성이 근로자에게 적절한 맞춤식 형태의 상담을 원하는 기업의 욕구와 상담전문가의 전문성이 잘 맞물리도록 작용한다고 보았다.

Carroll(1996)에 의하면, 상담이란 조직구성원이 조직변화에 대처하도록 지원하는 하나의 방법이며, 조직의 자산인 사람으로서의 가치를 높여 주는 동시에 직장 내 정신건강 수준을 개선하는 수단이 될 수 있다. 특히 정신건강의 측면에서 심리적 장애를 가진 사람을 도와주거나 위기에 개입할 수 있을 뿐만 아니라 정신적 문제를 예방할 수 있다. 이로써 상담은 전반적인 비용 절감의 효과도 가져올 수 있다. 특히 상담 그 자체가 조직 변화의 원천으로서 조직문화에 영향을 끼쳐 건강한 조직문화 형성에 기여할 수 있음을 이론적으로 제안하고 있다.

상담이 조직에 미치는 영향에 대한 이론적 논의는 조직행동 분야의 조직효과성(organizational effectiveness)[13]개념과 연결시킬 때 좀 더 구체화될 수 있다. 조직효과성이란 조직이 어느 정도 목적을 달성하는가, 조직이 얼마나 잘 운영되고 있는가를 평가하는 개념이다. 조직효과성 개념에는 조직의 목적만을 표현하는 것이 아니라 조직구성원의 목적과 조직의 목적을 포괄한다. 조직효과성의 개념은 조직 관리 및 조직이론에서 가장 핵심적인 주제이면서도 조직효과성이 무엇을 의미하는지에 대해서는(예: 개념, 결정 요인, 평가 척도 등) 합의된 견해가 부족하다. 다만 조직효과성을 어떤 관점으로 바라보는가에 따라 다양한 접근이 있을 수 있다. 이해관계자 접근에서는 조직효과성을 조직 이해관계자들의 구체적 목표를 얼마나 충족시켜주는가에 따른 평가로 정의한다. 이 접근은 조직의 목적이나 성과 등은 여러 이해관계자에 의해서 다양하게 판단될 수 있음을 강조한다. 따라서 누구의 선호를 우선할 것인지에 대한 논란이 있을 수 있다. 예컨데 조직의 효과성을 측정한다면, 조직의 모든 관계자들은 제각기 다른 이해관계와 가치적 관점에서 조직효과성을 상이하게 측정하고 평가한다. 따라서 조직효과성 개념을 정의할 때는 누구를 위한 효과성인가를 반드시 살펴야 한다(민진, 2003).

---

13) 국내의 경우 organizational effectiveness를 행정학 분야에서는 '조직효과성'으로 사용하고 있고, 경영학 분야에서는 '조직유효성'이라고 표현한다. 이 분야의 주목할 만한 연구인 Campbell(1977)은 조직효과성에 관한 기존의 연구들에서 '조직효과성 평가 지표'로 제시된 변수들을 아래의 〈표〉와 같이 30개의 요인으로 제시하였다.

지표	주요내용
심리적 지표	직무만족도, 동기부여, 사기, 갈등과 응집성, 유연성과 적응성, 조직목표에 대한 조직원의 동조성, 조직목표의 내면화
경제적 지표	전반적 유효성, 생산성, 능률, 수익, 품질, 성장성, 환경의 이용도, 이해관계자 집단에 대한 평가, 인적자원의 가치, 목표달성정도
관리적 지표	사고의 빈도, 결근율, 이직률, 통제, 계획과 목표설정, 역할과 규범, 일치성, 경영자의 인간관계 관리능력, 경영자의 과업지향성, 정보관리와 의사전달, 신속성, 안정성, 조직구성원의 의사결정 참가, 훈련과 개발의 강조

상담은 그 자체로 조직변화의 원천이 될 수 있다. 상담은 한 기업을 위한 도구라기보다는 그 자체로 가치, 변화의 에너지, 수용의 활력을 가지고 있다. 상담은 우리가 누구이며, 무엇이 될 수 있는가에 대한 자각을 증진시키는 등 다양한 역동성을 조직에 제공한다. 개인이 자신의 삶을 영위하기 위해 어떻게 힘을 북돋우는지, 그의 삶에서 사회적 책임이 어떻게 이루어지는지, 어떻게 결정이 이루어지는지 등 변화의 과정에 있어서 상담은 중요한 역할을 수행한다. 다시 말해, 상담은 조직문화에 영향을 미쳐 이상적이면서 강하고 회사에 도움이 되는 문화를 만들도록 한다.

6) 조직과 상담 사이의 긴장과 갈등, 협력

조직과 상담의 관계 특징을 조화와 협력보다는 긴장과 모순, 갈등으로 묘사하는 경우가 문헌에서 등장한다. Orlans(2003)에 의하면, 일찍이 심리학자 Carl Rogers는 내담자의 변화 및 성장이 일어나기 위한 필요충분조건을 강조하였는데, 핵심조건은 상담자의 기술과 태도가 결합되어 창조되는 것으로 공감(empathy), 무조건적인 긍정적 존중(수용: acceptance), 진정성(genuineness) 등이다. 무엇이 핵심요건인지, 또 어떻게 도달할 수 있는지에 대한 논쟁은 여전히 남아있지만, 내담자와 상담자 관계의 공감적 조율, 내담자 세계관의 존중, 내담자의 역량에 대한 인정, 그리고 자신의 인생을 선택하는 내담자의 권리를 강조한다.

반면 조직의 영역에서는 냉철한 판단과 신속한 의사결정이 가치 있는 것이고, 객관적인 사실에 입각한 합리적인 선택이 개인의 정서에 대한 배려보다 우위에 있다. 조직은 규칙과 절차에 대한 순응을 요구하고 위계조직 체계에 따라 관리를 한다. 조직은 근로자와 긍정적 관계를 맺고 존중을 하기 위해 비즈니스를 하고 있다고 보지 않는다. 조직의 과업은 제품을 생산하고 서비스를 파는 데 있고, 그 성공여부는 금전적 손익으로 판단된다. 인간관계는 이러한 것들을 지원하기 위해 중요한 것이지 그 자체로는 목표가 아니다. 이 모든 현상은 두 가치체계의 갈등을 암시한다. 조직 장면의 이러한 긴장은 근로자에 대한 '조력'과 '관리' 사이의 긴장으로 볼 수 있다. 경영의 근본적 역할과 상담자의 전문적 목표 사이의 대립에서 기업 상담의 어려움이 비롯된다.

McLeod(2008)도 기업과 상담의 관계에 상당한 긴장이 있을 수 있음을 비밀보장의 이슈와 관련하여 다음과 같이 설명하고 있다. 상담이 공공기관(예: 청소년 상담실)이나 대학상담센터, 사설 상담기관에서 이루어질 경우, 조직의 목적과 상담의 목적은 대체적으로 일치할 가능성이 높다. 하지만 기업상담의 경우, 어떤 기업이든 조직의 일차적인 목적은 근로자의 행복과 삶의 질을 증진하는데 있지 않다. 이 사실은 기업 내 상담서비스의 제공과 관련하여 상당한 긴장이 있음을 의미한다. 이러한 긴장은 기업과 조직구성원들의 상담에 대한 수용력이나 상담 효과에 영향을 미칠 가능성이 높다. 그 예로서 비밀보장의 문제는 기업과 상담사이의 긴장을 잘 나타내준다. 기업과 상담은 윤리적 문제로 충돌할 수도 있고, 이때 상담자의 기업에 대한 충성도를 문제삼을 수도 있다.

국내 연구에서도 기업과 상담의 관계에는 긴장이 있음이 시사되었다. 김선경(2002)은 사내 상담실이 근로자의 개인적인 고민을 해결하고 개인의 복지에만 기여하는 것이 아니라, 이를 통해 조직에 공헌할 수 있는 바를 밝혀내는 것이 중요하며, 이것이 기업 내 상담실이 보다 오래 존속될 수 있는 이유이자 기업 내 상담실의 독특한 특성이 될 수 있을 것으로 보았다.

물론 Carroll(1996)과 같이 상담의 가치와 조직의 목표 간 조화를 이루는 데 별다른 어려움이 없다는 상반된 연구결과도 있지만, 기업과 상담의 관계는 여전히 '적과의 동침'이라는 비유가 적절해 보인다. 다만, 기업과 상담의 관계를 적대적으로만 규정한다면 갈등은 해결되지 않는다. 기업과 상담은 서로의 가치가 무엇인지, 어떤 관점으로 효과를 보는지 상호간에 이해하는 것이 중요하다.

2. EAP 상담의 특징

1) 해결 중심 단기 상담

EAP 상담이 단기 상담이 라는 것은 이제 표준이 되고 있다. EAP 상담자는 내담자와 주로 6회 내지 8회의 상담을 계약한다. 물론 상담이론마다 상담이 효과적이기 위해 필요하다고 여겨지는 횟수가 다르다. 10회기를 넘어가는 상담은, 특별한 상황에서는 예외이지만, 개인 근로자가 책임을 지는 영역이 된다. 필요한 회기 수의 결정에서 외부상담자는 고객사의 상담 정책을 기초로 내담자와 슈퍼바이저와 의논을 하여 상담자가 판단을 내린다. 특히 외부모형의 경우 상담 회기 수에 따라 기업에서 지출하는 비용이 달라지기 때문에 회기 제약을 두는 것이 전형적이다.

조직에서 단기 상담을 선호하는 것은 내담자의 요구라기보다는 조직의 경제적인 문제에 따른 것으로 보인다. 상담자 부족, 대기 시간, 근무시간 중 상담에 많은 시간을 할애하기 어려운 한계, 직원들이 업무와 무관한 개인상담으로 시간을 보낼 것이라는 경영진의 염려 등이 단기적 접근을 선호하는 요인이다. 물론 일부 내담자는 장기간의 상담을 필요로 한다. 하지만 상당수는 2~3회의 상담을 통해서 빠른 문제 해결책을 도모한다. 평균 8회 내외의 단기 상담이 EAP 상담의 표준이 된 것은 근로자가 겪는 개인적 문제는 일시적이고 단기간의 개입으로 회복되는 경우가 많다는 경험에 근거한다. 장기로 진행하기보다는 주로 문제 해결에 집중하여 상담을 진행하고, 향후에 다시 도움을 필요로 하는 경우 언제든 상담을 다시 허용하는 체계로 운영하고 있다.

사실 상담은 금전적으로나 심리적으로 상당한 경비가 소요된다. 현재의 미국내 상담 분야는 상담 비용을 부담하는 기관의 정책이나 재정 문제 때문에 점점 더 결과를 중시하는 단기 상담에 초점을 맞추고 있다. 대부분의 EAP 내담자들은 전문적인 치료보다 대안의 결정이나 생활설계, 스트레스 해소 등과 같은 즉각적인 서비스를 원하고 있다. 상담자는 단기 상담을 통해 내담자들이 자신의 생활을 검토하고, 문제 해결을 위한 행동 계획을 수립하도록 돕는다. 상담의 목적은 내담자가 자신의 책임과 기능을 다 할 수 있도록 일시적으로 지지하거나 서비스를 제공하는 것이다. EAP 상담이 필요한 전형적인 상황은 첫째, 특정한 문제를 처리하거나 행동을 개발하고자 하는 경우(분노조절, 발표불안 극복 등), 둘째, 일시적 위기에 대한 도움이 필요한 경우, 셋째, 대인관계 개선을 원하는 경우 등이다. 이외에 신체적 · 심리적 건강에 문제가 있는 내담자는 기업 외부의 치료기관에 의뢰하여 서비스를 받게 된다.

상당수의 내담자는 단기 문제 해결 상담을 통해 소기의 목적을 달성할 수 있다. 단기 상담은 문제해결 지향적이다. 지속적으로 문제를 일으키는 요인이나 변화를 가로막는 요소를 빨리 찾아서 이를 제거하는 전략을 취한다. 성공적인 단기 상담을 위해서는 초기 1~2회기 단계에서 상담자와 내담자 간에 빠르고 강한 상담관계가 형성되어야 한다. 이후 해결 가능한 문제가 무엇인지 파악하고, 실현 가능한 목표를 세운 후, 실제 개입을 하는 순서로 상담을 진행한다.

상담자의 역할은 내담자의 문제를 대신 정의하고 해결을 주도해 나가는 것이 아니라, 내담자가 자신의 문제와 상황을 명료하게 이해하고 자신에게 가장 적절한 목표를 세울 수 있도록 조력하는 것이다. 상담자가 적극적으로 이끌어가는 부분이 있지만, 내담자야말로 자기 자신과 상황을 가장 잘 이해하고 있는 존재임을 인정하고, 자신이 가진 강점과 자원을 이용하여 스스로가 변화의 방향을 정하도록 한다.

2) 예방과 발달에 기여하는 상담

상담의 목적은 안전한 환경과 관련 기술을 제공하여 내담자가 자신의 문제를 탐색하고 스스로 해결하도록 동기화하고, 결과적으로 좀 더 만족스럽고 충만한 삶을 살아갈 수 있도록 돕는 것이다. 긍정심리학의 태두인 셀리그만 교수는 상담 및 심리치료가 심리문제의 치료, 재능 발견과 육성, 행복한 삶의 지원이라는 세 가지 목적이 있음에도 불구하고, 실제로는 심리문제의 치료에 치중되어 있고, 다른 두 가지 목적을 도외시해왔다고 언급한 바 있다.

EAP 상담도 초기에는 음주문제나 심리적인 문제를 가진 사람을 도와주거나 위기에 개입하는 치료적 기능에서 시작되었지만, 최근 예방적인 기능이 점차 강조되고 있다. 상담자는 다양한 훈련과 교육 프로그램을 통해 직원의 정신건강을 증진하고 대처 능력을 함양할 수 있다. 상담자는 내담자를 상담하면서 조직 내 스트레스나 갈등의 전반적인 양상을 민감하게 알아차릴 수 있고, 이를 통해 직원에게 일어날 수 있는 상해를 미리 예방하는 훈련 프로그램을 만들거나 조직내 심리적 건강 증진을 위해 교육적인 세미나를 제공할 수 있다. 재능 발견과 개발의 측면에서 개인의 역량 개발 및 수행 향상을 위한 상담을 실시하고, 발달적 · 교육적 상담프로그램을 운영할 수 있다.

자아심리학의 대표적 이론가인 Erikson(1968)은 인간의 발달을 일련의 위기의 극복과정으로 정의한다. 위기란 내재적 욕구와 환경적 경험 간의 갈등이다. 욕구와 환경적 경험 간의 관계에서 오는 부정적 경험과 긍정적 경험이라는 양극적 위기에서 긍정적 경험이 우세하면(영속적인 균형을 유지하면) 위기가 해결된다. 하지만 긍정적이고 바람직한 측면만을 강조하고 다른 부정적이고 바람직하지 못한 측면을 배제해서는 발달에 중대한 장애를 초래한다. 상담은 환경적 위기와 내재적 욕구 사이의 갈등을 잘 조정하도록 하여, 직원 개개인의 발달 과제를 잘 해결하고 성장하도록 돕는다.

EAP 상담은 개인의 발달 뿐만 아니라 조직의 발달을 촉진할 수 있다. 가령 관리자에게 조직 내에서 개인 및 집단과 함께 일하는 방식에 대하여 자문하거나 코칭을 함으로써, 관리자의 역할 변화를 촉진하고 조직이 효율적으로 변화하도록 기여할 수 있다. 팀 빌딩이나 팀/부서 단위(소집단) 조직의 심리적 역동을 위한 개입은 조직의 안정과 조직의 발달을 위한 직접적인 개입이다. 직원이 성장할 수 있는 환경을 관리자가 조성하도록 돕는 조직문화 변화 프로그램도 이에 속한다.

EAP 상담자는 기업의 목표를 달성하는데 사람에게 중심을 두는 문화를 가진 곳에서 잘 발휘할 수 있는 기술을 가지고 있다. EAP 상담자는 조직 뿐만 아니라 사람과 관련된 문제와 어려움을 다루는 지식, 성장, 임파워먼트의 기술과 전략을 제공한다. 이런 과정을 통해 상담은 인적자원 개발에 기여하며 조직의 안녕과 발달에서도 중요한 역할을 수행할 수 있다.

3) 상담 과정의 유연성

다양한 EAP 상담모형이 존재하는 만큼 실제에서 EAP 상담자가 실시하는 상담 방법에는 개인상담, 상담 프로그램 운영, 자문 및 코칭 등 여러 가지 활동이 있다. EAP 상담은 문제 해결 중심 혹은 단기 상담에만 얽매일 필요가 없으며, 특정 고객 집단이나 조직 내의 특정 직위 이상의 직원들만을 대상으로 한정할 필요도 없다. 무수히 많은 선택의 가능성이 있다.

일반적으로 상담은 내담자가 자발적으로 신청한다. EAP 상담의 중요한 특징은 관리자나 노조 간부, 감독자 등 제3자도 상담을 의뢰할 수 있다는 점이다. 물론 내담자인 근로자 본인의 자발적 동의와 참여가 있어야 상담이 실행될 수 있다. 동료나 부하직원이 개인적 고충으로 인해 직무에 영향을 받는 경우, 주변에서 조기에 문제를 파악하고 EAP 상담을 조기에 연결함으로써 더 큰 문제의 발생을 예방할 수 있다. 조직과 근로자 사이에서 균형을 유지하고, 추후 해당 근로자가 업무 복귀할 때에도 원만하게 재적응할 수 있도록 자문을 받을 수 있다. 따라서 EAP 상담에서는 경영자나 관리자, 조합대표자에게 EAP 이용 방법을 교육하는 것이 필요하다. 또한 EAP는 근로자 뿐만 아니라 배우자 및 가족, 일반인, 지역사회도 상담 고객이 될 수 있다.

EAP 상담은 상담 전반의 과정이 유연하게 진행된다는 점이 특징이다. EAP 상담자는 특정 상황이나 맥락, 내담자의 요구에 따라 상담 관계 및 상담 시간을 융통성 있게 수정할 수 있다. 예를 들어 응급 상황이나 위기 상황에서는 즉시적인 호소문제에 중점을 두어 빠른 개입을 시도한다.

4) 비밀보장

비밀보장은 독립적인 장으로 구분하여 다룰 만큼 중요한 주제이다. 대부분의 사람들은 안전하고 확실한 비밀보장이 상담의 전제조건임을 믿을 수 있어야 상담을 시작할 수 있다고 생각한다. EAP는 경영자와 EAP 제공기관 및 상담자 사이에서 비밀보장에 대한 확정된 방침에 입각해서 실시된다. 이 방침에는 상담에 관한 비밀이 중시되며, 상담을 받는 것이 근로자의 승진, 작업 조건, 취업의 지속과 관계가 없다는 것이 명시되어 있어야 한다. 비밀보장과 관련된 상담정책은 조직 내 이해관계자 모두가 합의를 하여 만들어야 한다.

EAP의 효과는 상담자를 신뢰할수록 높아진다. 따라서 비밀보장은 EAP 상담의 근간이다. 상담 결과가 내담자의 경력에 악영향을 미치지 않는다고 보장되어야만 EAP를 자유롭게 이용할 수 있다. 내담자들은 개인정보가 자신의 서면 동의 없이 어느 누구에게도 노출되지 않는다고 확인받는다. 다만 사법부의 요구가 있을 경우에는 예외로서, 비밀보장의 원칙이 적용되지 않는다. 이 경우에도 상담자는 내담자에게 이 사실을 알려야 한다. 누군가가 위험한 상황에 있는 것이 분명하다면, 직접적으로 그 상황을 중재하는 것이 적절할 것이다. 어떤 사람이 타인을 해할 명백한 위험을 보인다면 여기에는 '경고의 의무'가 있다. 이것은 내부 EAP 상담자와 외부 EAP 상담자 모두에게 적용된다.

계약사항에 없다는 이유로 비밀을 보장해야 하는 정보를 조직에 제시하는 외부 EAP 제공자는 진정성이 부족한 것으로 간주할 수 있다. 조직 내에서 상담 전문가가 정책에 의해 보호를 받는 만큼 비밀보장은 유지되어야 하고, 또 유지되고 있음을 보여야 한다. 경험적으로 볼 때, 조직은 비밀보장의 이슈에 대하여 매우 민감하며, 가급적 존중하려고 하는 측면이 강하다.

상담 기록은 이용이 제한된 안전한 형태로 보관되어야 한다. 또한 상담 내용과 결과는 인사 기록에 반영되지 않는다. EAP 상담실은 의뢰인의 출입이 용이하면서도 개인의 사생활이 적절히 보호되는 곳에 위치해야 한다.

관리자에 의해 의뢰된 내담자의 경우, 그 관리자에게 상담의 효과를 알리고 해당 근로자에게 도움을 주기 위한 조언을 시도할 수 있다. 그러나 내담자의 구체적인 발언이나 상담내용에 대해서는 절대 언급하지 않는다. 내담자가 자발적으로 방문했을 때에도 해당 기업에는 신원을 추정할 수 있는 어떤 정보도 제공하지 않아야 한다. 재계약 시 EAP의 효과를 보여주기 위해서 상담 횟수와 종류에 대한 자료를 제공하는 경우가 있지만, 이 경우에도 역시 개인 정보는 노출되지 않아야 한다.

비밀보장의 원칙은 근로복지기본법 제83조 제2항에 '사업주와 근로자지원프로그램 참여자는 제1항에 따른 조치를 시행하는 과정에서 대통령령이 정하는 경우를 제외하고는 근로자의 비밀이 침해받지 않도록 익명성을 보장하여야 한다'라고 법률로서 규정되어 있다. 세부 사항은 각 전문가 단체에서도 제시하고 있는데, 일례로 한국상담학회 윤리강령에는 상담자가 준수해야 할 정보의 보호와 관련하여 비밀보장, 집단 및 가족상담의 비밀보장, 전자정보의 비밀보장, 비밀보장의 한계를 구체적으로 명시하고 있다. 특히 상담자는 자신이 재직하고 있는 상담기관의 설립 목적에 기여할 수 있는 활동을 전개할 사회적 책임이 있다. 또한 상담자는 자신이 재직하고 있는 상담기관의 관리자 및 동료들과의 관계를 통해서 상담업무, 비밀보장, 기록된 정보의 보관과 처리, 업무분장, 책임에 대해 상호간의 동의를 구해야 한다고 명시하고 있다(www.counselors.or.kr).

기관에 고용되어 조직 내에서 일하고 있는 상담자는 자신의 상담업무에 대한 적절한 관리 책임을 다할 의무가 있다. 책임 관리자가 있든 없든지 간에 상담 기능은 소속된 고용주에 대한 책무를 가지고 있다. 상담이 조직에서 이루어지는 경우, 상담은 고객인 내담자에 대한 책임뿐만 아니라 조직에 대한 책임도 고려해야 하며 조직과 EAP 제공기관의 명료한 계약과 한계 내에서 작업해야 된다.

조직은 조직 내의 근로자들에게 제공하는 상담서비스의 질을 관리할 책무가 있다. 조직 내의 부실한 기능이 있다면 그 원인은 무엇이고 어떤 결과를 초래하는지 정확하게 평가해야 한다. 특히 근로자의 높은 스트레스, 사기 저하, 불행의 원인과 결과를 찾는 것은 중요하다. 하지만 상담 정보는 그것의 목적이 상담의 질 관리의 목적인 경우와 남을 조종하기 위한 목적인 경우를 구분해서 다루어야 한다.

조직과 EAP 제공기관의 협의로 책무성을 위한 기본원리와 경로가 만들어지면 각 개별 기업은 이를 바탕으로 조직에 필요한 상담 기능을 설립할 수 있으며, 이 상담기능은 설립된 방식대로 내담자에게 책무를 다해야 한다. 이른바 좋은 상담 실무를 위한 굳건한 기초가 만들어지려면, 이러한 견제와 균형의 틀이 제도 안에서 정착되어야 하고, 상담 기능이 독립적이고 자유롭게 활동할 수 있어야 하며, 많은 근로자에게 그렇게 지각되어야 하고, EAP 상담자와 조직간에 신뢰가 있어야 한다. 이러한 사항이 잘 충족된다면, 전문성과 비밀보장의 요구 수준은 더 이상 문세가 되지 않을 것이다.

5) 상담자의 다양한 역할

EAP 상담자는 일반적인 상담 장면에서 상담자에게 요구되는 역할보다 다양한 역할을 수행한다. 기업 장면에서 상담을 한다는 것은 상담자가 동시에 다양한 역할을 언제든지 수행해야 함을 뜻하기도 한다.

일반적인 경우의 개인 상담자와 EAP 상담자를 구분 짓는 주된 특징 중 하나는 EAP 상담자가 충족시켜야 하는 다양한 역할들에 대한 요구에서 찾을 수 있다. EAP 상담자가 자신의 역할에 대하여 분명하게 이해하지 못하고 있거나 기업이 기대하는 역할과 내담자가 지각하는 역할간 갈등이 존재할 경우, 상담 전문성을 효과적으로 발휘하지 못하고 전문가로서의 정체성 혼란마저 경험할 수 있다. EAP 상담자는 조직 내 다양한 상담자 역할을 인식하고, 조직과 구성원이 상담자에게 기대하는 역할을 이해하며, 사려 깊고 책임감 있게 역할을 수행할 필요가 있다. 정체성에 대한 혼란을 경험하는 상담자에게는 슈퍼비전이 필요하다. 상담 슈퍼비전은 상담자의 성장과 전문성 발달을 촉진하고 내담자의 복지를 보호하는 목적으로 이루어진다. 슈퍼비전을 통해 상담자가 발달하는 것은 궁극적으로 내담자의 복지와 안녕을 보장하는 효과적인 방법이다.

직장 환경 내에서 개발되고 시도된 상담 모델이 무엇이든지 간에 세 가지 필수 조건이 분명해야한다. 우선 회사는 상담서비스를 시작하고 제공하는 목적과 동기를 아주 명확히 해야 한다. 둘째, 상담자는 자신의 직무 정의와 내담자의 비밀 보장 및 성실성의 문제에 대해 회사 측과 확실히 정의된 계약을 맺어야 한다. 셋째, 상담자는 내담자에게 제공이 허용된 상담 서비스와 체제의 특성에 대해 확실히 의사를 주고받을 수 있어야 한다.

상담자가 조직에서 EAP 상담을 하면서 다양한 역할을 수행할 때 상담에서 핵심적인 부분인 경계를 잘 확립하고 유지하기 위해서 상담자는 다음과 같은 질문을 스스로에게 던질 필요가 있다.

- 이 단계에서 상담자는 내담자와 어떤 관계를 맺고 있는가?
- 내담자는 이 관계를 어떻게 이해하고 있는가?

- 상담자는 이 역할에서 어떤 책임이 있는가? 복리후생 담당 직원인가? 자문가 혹은 촉진자인가?
- 내담자는 상담자의 책임(예: 보고서 제출에 대한 책임)을 알고 있는가?
- 내담자와의 상담자 역할, 또는 조직 내에서의 역할 사이에는 갈등이 있는가?
- 상담서비스를 이용하고 있는 내담자가 지금 나를 본다면 무엇을 상상할까?

EAP 상담자는 역할갈등을 자각하고, 이러한 어려움을 미연에 대처할 수 있도록 미리 연습을 할 필요가 있다. 상담자가 자신의 책임에 대하여 분명하게 자각하고 있다 할지라도, 어떤 내담자는 인사부서를 방문하는 상담자를 목격하고서는 자신의 파일에 대한 정보가 흘러간다고 해석할 수 있다.

조직과 상담자의 관계에서 상담자가 취하는 태도는 다음의 네 가지로 나눠볼 수 있다(Carroll, 1996). 첫째, 개인 상담을 하는 것처럼 내담자 개인에 대해서만 책임을 지고 상담자는 조직을 고려하거나 연락을 취하지 않으며 조직과 소통은 EAP 제공기관이 맡는 경우, 둘째, 조직의 협력자로서 상담의 역할은 조직의 발전과 업무 효율성을 높이는 것으로 인식하여 조직과 적극적으로 소통하는 경우, 셋째, 조직에 대항하여 개인적으로 일하며 내담자를 옹호하고 내담자를 위해 필요할 바를 얻어낼 때만 조직과 연락을 취하는 경우, 넷째, 개인과 조직의 공통 영역에서 일하고 양측의 다양한 요구를 중재하는 경우이다. 상담자는 조직과 내담자, EAP 제공기관 등과 함께 자신의 역할을 명확하게 공유한 상태에서 상담을 진행하는 것이 바람직할 것이다.

정의상 외부 EAP 체제에서 일하는 상담자는 고객 회사에 직접적으로 고용되지는 않는다. 외부 EAP 제공자는 상담기능을 관리하면서 다른 한편으로는 고객 회사와 연결되어 있는 중간 역할을 한다. 그래서 외부 EAP 상담자는 상담기능 관리와 고객회사 연계에 직접 관여하지 않는 것이 일반적이다. 하지만 일부 고객사에서는 사내에 상담실을 설치하여 외부 EAP 제공기관의 상담자를 파견받는 경우도 있다. EAP 서비스는 기업의 요구에 따라 다양한 모형이 존재하므로 상담자의 역할도 변화가 클 것으로 예상된다.

〈표 31〉 EAP 상담의 특징

1. 해결 중심 단기 상담
2. 예방과 발달에 기여하는 상담
3. 상담 과정의 유연성
4. 비밀보장
5. 상담자의 다양한 역할

3. 상담 모형

EAP 상담사는 일정한 상담 모형에 따라 문제를 평가하고 개입 전략을 수립하여 상담을 진행하게 된다. 상담자는 자신이 훈련 받은 특정한 상담적 접근을 선호하게 마련이다. 각 접근법은 고유의 장단점이 있다. 하지만 대부분의 상담 접근은 개인상담에 초점을 맞추고 있다.

EAP 상담에서는 내담자의 특성뿐 아니라 상담 환경 및 조직과의 관계 등 다양한 요소를 고려해야 하기 때문에 상황에 따라 절충적인 접근을 택하는 경우가 많다. 따라서 EAP 상담사는 다양한 상담모형과 기법을 활용할 수 있어야 한다. 기업 장면에서의 상담과 상담 기법은 실용적이고 긍정적이며 현실적일 필요가 있다.

일반 상담 장면에서 뿐만 아니라 EAP 상담에서도 절충주의적 접근을 선호하는 추세이다. EAP 상담자와 기업상담자는 그들에게 요구되는 직무 요구, 즉 다양한 범위의 내담자와 그들이 가져오는 수많은 상담 주제, 이용가능한 회기 수 등의 요구로 절충적 접근을 취한다. 하지만 절충주의가 효과적이려면, 개념이나 기법만 사용하기보다는 상담 전체에 일관성 있게 통합적인 틀을 갖추고 체계적으로 시행할 필요가 있다.

여기에서 상담모형은 합리적이고 일정한 순서에 따라 진행되어 나가는 것으로 제시되었으나, 실제 상담과정은 순환적으로 반복되는 단계를 밟을 수 있다. 상담 모형이 안내의 역할을 하지만, 내담자의 필요에 따라서 융통성있게 활용되어야 한다. 상담자는 상담 모형이 가진 한계와 더불어 상담자와 내담자를 둘러싼 환경이 상담과정에 미치는 영향과 그 한계까지 예상할 수 있어야 한다.

1) 상담이론의 EAP 상담 적용

상담의 이론적 모형은 어떤 주어진 상황 속에서 사람이 행동하게 되는 특정한 이해의 방식을 말한다. 여기서는 이론적 모델들을 간략하게 제시하지만, 실제 상담에서 이론적 모델은 모든 상담 과정에서 활용된다. 이론적 틀은 상담과정에 대한 전체적인 구조를 보여준다. 이론적 틀은 상담 과정에서 상담자에게 방향을 제시해주는 지도이며, 개입을 어떤 방향과 목적으로 할 것인지 보여주는 안내서이다. 또한 여러 요소를 세심하게 고려하여 개입하는 데에 도움이 된다.

하지만 상담을 뒷받침해주는 이론에 대하여 알아야 할 첫 번째는 어떤 이론도 절대적이지는 않다는 것이다. 인간은 놀랍도록 복잡하여서 우리의 존재에 대하여 과학적인 엄격성과 절대성을 부과하는 모든 시도를 거부한다. 몇몇 이론가들은 자기 이론의 완전한 정당성을 입증하기 위하여 과학적인 방법을 동원했지만 모두 실패했다. 그 이유는, 이론이란 대부분 옳지만, 오직 부분적으로만 옳기 때문이다.

이에 대한 해결책은 실용적인 접근을 하는 것이다. 어떤 모형은 다른 모형보다 더 유용하지만, 그것은 어디까지나 사용되어지는 맥락과 목적에 따라 상이하다. EAP 상담의 맥락은 기업 장면이다. 그리고 그 목적은 기업의 조직 문화에 효과적이고 적절한 단기 중심의 지원을 제공하는 것이다. Summerfield와 Oudtshoorn(1995)은 기업장면의 상담에 가장 유용하다고 보는 6가지 이론 모형을 설명하면서 기업 장면에서 이러한 개념이 적절한지 논의하였다.

〈표 32〉 상담 이론의 기업상담 적용성

모형	유용한 측면	유용하지 않은 측면
내담자 중심 상담	공감, 일치성, 존중을 바탕으로 한 새로운 관계의 창조	단기 문제 해결에 초점을 두지 않음. 전적으로 내담자가 주도하는 경향, 제한을 두지 않는 계약
인지 행동적 치료	문제와 행동적 해결책에 초점	때로 잠재된 원인을 해결하는데 실패함. 해결이 계속 유지되지 않을 수 있음.
개인 구성 이론	관리자도 쉽게 이해할 수 있음. 사고에 초점 체계적, 과학적 접근	무의식적 과정의 힘을 인정하지 않음.
정신역동 상담	관계, 집단, 전이(예: 무의식적 과정)	단기 해결중심이 아니라 장기 성장에 초점을 둠.
교류 분석	정신역동에 대하여 말하지만 대신 비교적 단기 초점	대부분의 비관계적인 문제에는 적용가능성이 부족함.
체계 이론	전체적인 그림(맥락)을 관찰함. 관계 문제에 초점	개인의 문제를 해결하지 않음. 조직맥락에서 다른 이론과 결합하면 유용하나 그 자체로는 유용하지 않음.

출처: Summerfield & Oudtshorn(1995). Counselling in the Workplace: Developing Practice. CIPD.

〈표 32〉를 보면 어떤 이론도 그 하나만으로는 기업 맥락에서 충분하지 않다. EAP 상담은 대개 특수 분야의 전문가보다는 일반적인 전문가가 요구되기 때문에 상담자는 조직 및 근로자의 다양한 요구에 적용할 수 있는 폭넓은 이론과 경험을 쌓을 필요가 있다. 이 표는 상담이론을 EAP 상담에 적용할 때 상담모형을 비판적으로 평가해야 할 필요성을 나타낸다.

2) 상담의 문제대처적 접근

많은 근로자들은 특정한 문제를 가지고 와서 즉각적이고 효과적인 해결책을 찾아가기를 원한다. 문제는 우리 자신, 타인, 조직, 기관, 공동체와 상호 작용하는 가운데서 발생한다. Egan(1994)의 문제 대처적 접근은 긴급한 문제의 처리를 원하는 사람들에게 서비스를 제공하고, 문제해결에 효과적인 기법을 익히기 위해서 이용된다. 상담은 현재 당면한 문제를 다루는 데 중점을 둔다. 문제 대처적 접근은 정서 중심 접근보다 기업 상황에 더 효과적이다.

Egan(1994)은 합리적이고 선형적이며 체계적인 3단계 문제대처 모델을 제안하였다. 그는 이 3단계 모델이 여러 상담이론에서 개발된 방법과 기법들을 조직화하는 데 필요한 틀로써 사용할 수 있다고 주장하였다. Egan의 모델은 기업 장면을 포함하여 모든 상담 장면에서 가장 널리 받아들여지고 있다. 특히 실용주의적이고 문제 해결에 초점을 두어 단기 상담에 적절하기 때문에 기업 환경에서 매우 유용하다. 이 상담모델은 어떤 상담 이론과 방법을 사용하든 내담자를 효율적으로 도울 수 있는 방법을 구체적이고도 체계적으로 제시하여 상담전문가 뿐만 아니라 타인을 돕는 입장에 있는 사람들에게 길잡이가 될 수 있으며, 효율적인 문제해결과 의사결정을 통한 조직개발에도 유용하다.

〈표 33〉 Egan(1994)의 상담의 문제 대처적 접근

1단계	2단계	3단계
현재의 시나리오	원하는 시나리오	행동 전략
문제상황과 활용하지 못한 기회의 발견과 명료화	내담자가 필요로 하고 원하는 것을 결정하기	내담자가 필요로 하고 원하는 것을 얻기 위한 작업
하위 단계:	하위 단계:	하위 단계:
• 내담자가 문제상황과 활용하지 못한 기회에 대해 이야기하도록 돕기 • 내담자가 문제상황에 대한 맹점을 극복하여 새로운 시각을 가질 수 있도록 돕기 • 내담자가 변화를 불러일으킬 수 있는 주제를 발견하여 다룰 수 있도록 돕기	• 내담자가 보다 나은 미래를 위한 가능성들을 찾도록 돕기 • 내담자가 변화 계획을 세우도록 돕기 • 변화 계획을 적극적으로 추구할 수 있는 보상을 발견하기	• 목표를 달성하기 위해 가능한 행동 전략을 개발하기 • 기호와 능력에 맞는 전략을 선택하기 • 행동으로 옮길 수 있는 계획을 세우기

Egan, G. (1994). The Skilled Helper: A Problem Management Approach to Helping. Pacific Grove, CA: Brooks/Cole Pub.

Egan이 제안한 3단계 방식에 의한 문제처리 과정을 〈표 33〉에 제시하였다. 〈제 1단계: 문제 상황과 활용하지 못한 기회의 발견과 명료화〉에서 상담자는 근로자가 자신의 문제를 탐구하고 명확히 하도록 진행한다. 자신의 문제 상황을 관리할 수 있게 되기 위한 첫 과제는 문제 상황을 구체적으로 확인하고 깊이 이해하는 것이다. 1단계의 탐색하기와 명료화하기는 그 자체만으로 강력하다. 왜냐하면 문제 상황을 좀 더 분명하게 관찰하기만 해도 내담자가 스스로 행동을 하는데 필요한 모든 것이 해결되는 경우도 있기 때문이다. 놀랍게도 사람들은 잘 들어주는 것만으로도 고마움을 표현하는데, 때로는 그런 경험이 처음인 것처럼 보인다. 1단계에서의 기술은 좋은 삶의 기술로 간주될 수 있고, 상담 이외에 다른 여러 상황에서 건설적으로 사용될 수 있으며, 이미 언급했듯이 조직 관리 상황에서도 마찬가지이다.

〈2단계: 내담자가 필요로 하고 원하는 것을 결정하기〉에서는 근로자가 자기의 문제를 새로운 시각에서 보고, 더 깊은 이해에 기초해서 목표를 설정하도록 한다. 상담 실제에서는 각 단계들이 그렇게 잘 구분되는 것은 아니다. 상담과정이 2단계로 진전되면 상담자와 내담자는 새로운 정보를 찾기 위해 종종 1단계로 다시 돌아간다. 이전에 말한 바와 같이 각 단계는 서로 중첩되어 있고 함께 움직인다. 상담 과정이 잘 진행되고 있다면 그 과정은 유동적이라고 할 수 있다. 2단계의 마지막에 도달했을 때 내담자는 어려움이 무엇인지에 대한 분명한 생각을 가지고 있을 뿐만 아니라 자신이 무엇에 도달하고 싶어 하는 지를 잘 알 수 있다. 그러나 아직은 어떻게 하면 도달할 수 있는지에 대하여 충분히 알고 있지는 못한 상태이다.

〈3단계: 내담자가 필요로 하고 원하는 것을 얻기 위한 작업〉에서는 목표에 대한 행동계획을 설정하고 실천한다. 목표를 가지고 있다고 해서 자동적으로 변화가 일어나는 것은 아니다. 내담자와 상담자는 새로운 목표를 구체적인 전략과 행동계획으로 바꾸어주어야 한다. 그리고 실제로 중요한 것은 계획을 실행해보는 것이다. 3단계도 역시 하위 3단계로 이루어져 있다. 각 단계의 성공은 상담자의 기법과 내담자의 행동과의 상호 교류에 달려있다.

관련 기법을 익히고 실습을 하다보면 이 모델이 고정된 단계가 아니라 각 단계들이 때로는 중첩되고 뒤섞여있음을 발견하게 된다. 이 모델은 과정에 대한 구조화와 훈련방법을 제시하고 있어서 상담에 갓 입문한 사람에게 특히 효과적이지만, 숙련된 상담자에게도 유용한 지침이자 참조 대상이 된다.

3) 전향적 상담의 방법

이것은 Lewis와 Lewis(1983)에 의해 개발된 문제 해결 방법으로 개인이 해결할 수 없는 환경적 요인에 보다 큰 비중을 두고 있다.

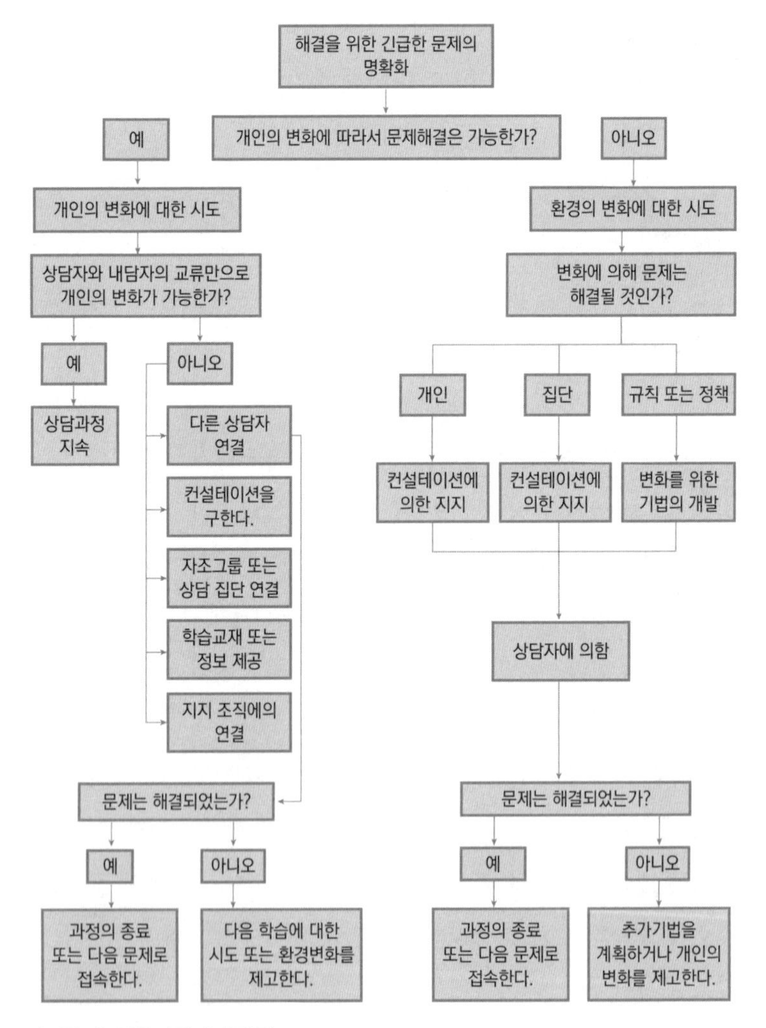

<그림 9> 변화과정의 선택점

자료: Lewis와 Lewis(1983). Community Counseling: A Human Service Approach, pp.99-102. New York: John Wiley & Sons.

4. 상담 과정

성인의 경우 개인의 정체성은 종종 일과 밀접한 관련이 있어서 개인적 삶과 직업적 삶을 통합시킨다. 개인적인 문제가 생기면 일에 지장을 주거나 업무 성과가 떨어지게 되며, 일로 인한 스트레스로 삶이 흔들릴 수 있다. 이러한 경우 EAP 상담은 조직구성원에게 적시에 전문적 도움을 제공하며 조직의 성장을 위해서도 일조할 수 있다. 기업에서 상담을 적용한다는 것은 문제를 신속하고 공정하게 다루고, 그 문제가 나타나는 환경까지도 해결하겠다는 의미를 내포한다. 여기에서는 EAP 상담의 주 개입방법인 개인상담의 과정을 기술하였다. 조직 장면에서 근로자와 상담 관계를 시작하여 유지하고 종결하는 일련의 상담 과정을 제시하였다. 이를 위해 EAP 상담의 맥락에서 상담 단계와 그 과정을 체계적으로 조망하고자 시도한 Carroll(1996), Summerfield와 Oudtshoorn(1995), 그리고 국내에서 최근 개발된 국가직무능력표준(NCS)의 심리상담 직무를 참고하였다.

1) 상담구조화하기

EAP 상담을 진행할 때는 상담자가 소속된 기관의 규정을 명확히 파악하고 이에 따라 상담구조화를 진행해야 한다. 상담자는 내담자와 조직에 대한 상담서비스의 역할과 책임에 관하여 문서화된 정책을 숙지하고, 상담과정을 운영하는 분명한 구조를 세운다. 상담실 위치 설정 및 상담 준비를 사전에 실시한다.

상담자는 기업상담이 무엇이며, 어떤 목적을 달성해야 하는지가 분명해야 한다. 여기에서 상담자는 진단이나 개입에 초점을 두고 있는지, 내담자에게 어떤 정보를 제공할 것인지에 대해 명료화하는 것이 핵심이다. 상담자 입장에서 명료성이 부족하면 내담자나 조직은 상담서비스의 본래의 목적과 다른 기대를 할지도 모른다. 필요한 경우 의뢰를 위한 적절한 네트워크를 갖추고 있어야 하며, 상담 전과 상담과정에서 내담자에게 제공할 정보를 준비한다. 또한 조직에 제공할 정보의 한계에 대한 명확한 이해가 요구된다. 상담구조화에서는 내담자도 상담이란 무엇인지, 어떠한 상담서비스가 이용가능한지, 비밀보장의 한계와 더불어 상담자, 내담자, 조직의 역할과 책임은 각각 무엇인지를 이해한다.

내담자가 최대한 안전하다고 느낄 수 있게 하고, 감정을 있는 그대로 표출할 수 있도록 세심한 상담 계획을 수립한다. 내담자는 '규칙'이 상담이 진전됨에 따라 자연스럽게 만들어지는 것이 아니라 분명한 구조와 전략이 있고, 이 중 어떤 것은 이미 결정되어 있지만 어떤 것은 조정이 가능함을 이해하여야 한다.

EAP의 특징 중 하나는 내담자가 상담자에게 자유롭게 연락을 취할 수 있다는 점이다. 이러한 상담 체계의 이점을 잘 활용할 수 있도록 상담자는 상담을 편리하고 이용하기 쉽게 구성해야 한다. 근로자인 내담자의 스케줄에 맞추어 상담 시간을 정하거나, 내담자가 이용하기에 편리하고 적절한 장소라고 판단되면 어디든지 상담 장소로 정할 수 있다. 만약 상담자가 외부 기관에서 파견되는 경우에는 직장에서 가까운 상담실이나 제3의 공간을 이용할 수 있다. 상담 공간은 독립된 상담실을 확보하는 것이 최선의 선택이다. 상담자가 내담자의 직장에 찾아가는 경우도 사내 상담실 등 독립된 상담공간이 필요하다.

상담을 진행할 때는 외부로부터 방해받지 않는 공간이면서 방음이 되는 곳에서 진행하여야 한다. 최근에는 다양한 매체를 통한 방법(인터넷, 전화, 모바일 등)을 사용하여 상담을 진행하기도 있다.

EAP 상담에서는 상담 예약 후 접수면접 대신 곧바로 첫 회 상담이 이루어진다. 〈표 34〉에는 EAP 상담자가 첫 면담에서 파악해야 할 항목을 요약하였다. 내담자는 직무상의 고충을 완화하는 등 환경의 변화를 기대하면서 상담을 받을 수도 있다. 첫 면담에서 상담자는 내담자가 EAP 상담에서 기대하는 바를 명확하게 해야 한다. 내담자가 호소하는 스트레스 요인과 이에 대처할 수 있는 개인적 · 사회적 자원을 모두 파악한다. 상담자는 내담자의 생활과 업무에 중대한 문제가 있는지 파악하는 동시에 내담자가 가지고 있는 강점을 잘 파악해야 한다. EAP 상담에서는 누구나 스트레스에 대처하는 능력을 가졌고, 이를 최대화할 수 있는 잠재력을 가졌다고 가정하고 있다. 상담자의 역할은 내담자의 약점을 찾아내는 것이 아니라 현 시점에서 내담자를 방해하고 있는 것은 무엇인지 파악하는 것이다. 이 과정에서 내담자와 상담자가 서로 협력하여 스트레스의 요인을 파악하고, 기존 대처방법의 유의성을 검토해본다.

〈표 34〉 EAP 상담 시 첫 면담에서 상담자가 파악해야 할 항목

1. 내담자가 EAP를 이용하려는 목적이 무엇인가?
2. 내담자에게 영향을 주는 스트레스 요인은 무엇인가?
3. 긍정적 또는 부정적 영향을 주는 건강 요인은 무엇인가?
4. 문제해결과 인간관계, 업무성과, 건강유지 측면에서 적절한 기능 수준을 유지하고 있는가?
5. 내담자는 스스로를 어느 정도 통제하고 있다고 여기고 있는가?
6. 내담자가 받을 수 있는 사회적 지지는 어떠한 것이며, 얼마나 받을 수 있는가?

2) 상담관계 형성하기

상담자와 내담자의 촉진적 관계(라포)가 상담의 전체 과정과 상담 효과에 직접적인 영향을 미치므로 상담 초기에는 상담관계 형성에 많은 노력을 기울여야 한다. 사실 상담관계는 긍정적인 상담성과를 이끄는

핵심요소이다.

칼 로저스는 상담관계를 맺는데 필수적인 세 가지 조건으로 공감, 일치성(진정성), 무조건적인 긍정적 존중(수용)을 제시한 바 있다. 이때 공감은 다른 사람의 입장이 되어 보고 생각해보는 능력을 의미한다. 다른 사람에게 연민을 느끼는 동정과는 다른 의미이다. 일치성(진정성)은 진솔함의 자질이다. 우리는 다른 사람이 일치성이 있는지를 직관적으로 알아차리고 반응한다. 정의상으로 일치성은 꾸며서는 나올 수 없다. 일치성이 있는 사람이 되는 유일한 방법은 자신을 이해하고 자신의 있는 그대로를 수용하는 것이며, 다른 사람을 진정으로 돌보는 것이다. 무조건적인 긍정적 존중(수용)은 다른 사람에 대한 모든 판단을 정지하고, 그를 한 사람으로 존중하며, 스스로 결정할 수 있는 권리를 인정하는 것이다. 사람을 판단하게 되면 아무리 그 동기가 좋다 하더라도 사람들을 방어적이게 만든다. 마지막으로 상담관계가 상호적이지 않기 때문에 상담자가 신뢰를 만들어내고 유지하는데 책임이 있다.

3) 심리평가하기

심리평가는 내담자의 문제를 심층적으로 이해하가기 위하여 다양한 정보를 수집 · 분석하고 내담자를 체계적으로 이해하는 과정이다. 심리평가를 상담과정으로 분류하면 전체 과정이 길어진 것처럼 보이지만 실제에서 심리평가, 사례개념화, 상담목표 합의하기 등은 적절하고 간단하게 이루어질 수 있다.

EAP 상담에서 심리평가는 다양한 방식으로 이루어진다. 일반 상담에서는 심리평가를 위해 종종 심리검사를 활용하는데, EAP 상담에서는 개인상담에서 필요한 경우에만 활용한다.

상담자는 내담자의 환경(사회적, 문화적, 상황적 특성 등)과 개별적 특성을 고려한 후, 내담자를 지원하기 위한 목적에 적합한 심리검사를 선택해야 한다. 심리검사를 활용할 때에는 자격을 갖춘 상담자가 내담자의 동의하에 각종 심리검사를 실시하여 내담자의 호소 문제를 심층적으로 이해하고 평가하게 된다. 상담자는 심리검사 활용을 위해서 심리검사 유형별로 충분한 전문적 지식과 훈련을 통해 해당 심리검사 자격을 갖추어야 한다.

검사자는 내담자의 호소문제에 따라 내담자에게 적합한 심리검사 도구를 선정하고, 검사 내용의 적합성 여부, 신뢰도와 타당도, 규준 적합성 및 표준화 여부 등을 종합적으로 판별해야 한다. 내담자에게는 심리검사 활용의 목적과 역할에 대해 설명하고, 선정된 심리검사에 소요되는 시간과, 비용, 절차에 관해 안내할 수 있어야 한다.

상담자는 자신이 실시한 검사결과에 대해 책임을 져야하며, 자신의 능력과 기술의 한계를 알고 있어야 한다. 내담자에게 심리검사 해석 결과를 호소 문제와 연결하여 설명하고, 내담자의 이해 정도를 확인한다. 심리검사 결과를 토대로 현실적이고 합리적인 문제해결 방안을 내담자와 함께 논의하고, 내담자에게 필요한 상담 과정을 안내할 수 있다.

여기서 주의할 점은 검사 도구를 잘못 사용한 경우(가령, 목적이나 제한점을 잘 설명하지 않은 경우), 혹은 상담적 방식으로 피드백을 제공하지 않았을 경우, 그 효과는 오히려 부정적으로 나타날 수 있다.

심리평가 단계에서 상담자는 다음과 같은 질문을 고려할 수 있다.

- 내담자에게 무슨 일이 일어나고 있는가?
- 내담자는 이 문제를 어떻게 이해하고 있는가?
- 이 문제에 대하여 상담자는 어떻게 이해하고 있는가?
- 내담자, 상황, 조직 사이에서 어떤 문제 혹은 역동이 있는가?
- 내담자의 문제는 조직과 어떤 관련이 있는가? 업무 환경 때문인

가? 일 때문인가?
- 지금 내담자를 위한 최선의 도움은 무엇인가?

EAP 상담에서는 상담이 이루어지는 맥락, 즉 조직은 문제를 촉발시키기도 하고 원인이 되기도 하므로 내담자의 심리평가 뿐 아니라 조직의 심리평가도 동시에 고려하는 것이 필요하다.

심리평가 결과 단기 상담 등을 통해 해결할 수 없는 문제로 판단될 경우, 외부 전문치료기관이나 지역사회의 다른 지원기관에 의뢰할 수 있다. EAP 상담사는 해당 문제의 특성과 심각도, 가족이나 사회적 지지의 여부, 질병력 등을 기초로 적절한 전문가를 찾아 연결한다. 외부 의뢰를 통해 성공적인 결과를 도출하려면, 평소 다양한 외부 전문가 및 치료기관을 발굴하여 네트워크를 형성해 놓아야 한다. 또한 외부에 의뢰한 이후에도 주기적으로 내담자와 접촉하여 해당 기관에서 치료를 잘 받고 있는지, 문제는 호전이 되었는지, 새롭게 나타난 욕구가 있는지 등을 지속적으로 추적 관리한다.

4) 사례개념화하기

사례개념화란 내담자에 대한 깊이 있는 이해와 상담의 방향 설정을 목적으로 현재 문제의 성격과 원인, 유지요인 등에 대해 기술하고 설명하는 것을 말한다.

사례개념화는 내담자의 문제에 관한 다양한 단서나 정보를 종합하고, 이를 바탕으로 내담자 문제의 원인을 가설적으로 설명하여 내담자의 문제해결을 위한 목표와 전략을 구상하는 역동적인 과정이다. 이것은 상담사례를 하나의 전체적인 틀로 이해하고 상담 목표 및 전략을 수립하는 과정인 것이다.

상담을 경제적이고 밀도있게 진행하여 단기간에 상담의 성과를 가져올 수 있기 위해서는 상담자가 정확하고 효율적인 사례개념화를 할 필요가 있다. 상담자가 세운 개념화 내용은 상담이 진행되는 과정에서 얻어지는 추가적인 정보와 판단에 따라 언제든지 수정 · 보완될 수 있다. 적절하게 이루어진 사례개념화는 상담과정 진행상의 잠재적 장애요인을 예측하는 데에 도움이 된다.

사례개념화는 같은 사례에 대하여도 상담자의 이론적 접근과 상담경험에 따라 달라질 수 있다. 한 이론에서 말하는 개념을 가지고 상담사례를 이해하는 단일 이론적 접근과 내담자에 대한 상담효과를 우선적으로 생각하는 절충적 접근, 여러 방식이나 접근을 하나의 이론적 틀로 묶은 뒤 이 이론적 틀에 따라 상담사례를 이해하고 개념화를 시도하는 통합적 접근 등이 있다. 단기 해결중심적 접근을 선호하는 EAP 상담에서 어느 이론적 입장이 효율적인가를 고려할 필요가 있으며, 실제에서는 각 내담자에 적용 가능한 이론을 적절히 선별할 필요가 있다.

요약하면, 상담자의 상담이론과 상담경험에 근거하여 사례개념화를 세워야 한다. 이때 내담자의 문제를 개인차원과 조직차원에 따라 평가한다. 사례개념화를 내담자의 눈높이에 맞게 공유하여, 내담자가 스스로의 문제를 이해하도록 돕고 자신의 문제를 해결할 희망을 갖도록 한다. 내담자의 문제에 대한 여러 가지 개입 방안 중에서 경제적이고 효과적인 대안을 사례개념화 자료를 기반으로 내담자와 협의를 시작한다.

5) 상담목표 합의하기

상담목표는 상담자에게 좌표와 같이 나아갈 방향을 제시할 뿐만 아니라 상담과정을 전반적으로 통제할 수 있게 한다. 사례개념화를 잘 세우면 사례개념화의 결론으로 장단기 상담목표를 수립할 수 있다. 뚜렷하고 구체적인 목표는 상담과정에 강한 추진력을 제공한다.

흔히 내담자는 자신이 해결하기에 벅찬 문제와 그에 따른 증상을 호소한다. 상담자는 이러한 문제를 잘 듣고 이해하며, 내담자가 구체적으로 어떤 목표를 세우고 달성할 수 있을지 생각하도록 유도한다. 상담목표는 내담자와 합의하는 것이 내담자의 동기를 높이는 데 중요하다. 내담자가 목표를 분명하게 말하기 어려워한다면, 반드시 사전에 상담자와 협의하여 상담의 목표를 구체화한다. 내담자와 합의한 상담목표에 따라 상담전략을 수립하게 된다.

상담자는 내담자와 함께 상담목표를 설정할 때 가급적이면 구체적인 행동으로 드러날 수 있는 현실적인 목표를 세울 수 있도록 조력한다. 상담목표는 내담자에게 자신의 문제가 무엇인지를 분명하게 밝히는 역할을 하며, 내담자는 상담목표를 설정하면서 문제해결의 가능성을 갖게 되고 희망이 생긴다. 또한 상담이 얼마나 효과적으로 진행되어 가는지를 상담목표를 기준으로 점검할 수 있다. 목표 달성 여부로 상담을 종결할 것인지, 아니면 새로운 목표를 설정하여 상담을 계속 진행할 것인지를 결정할 수 있다.

상담목표에는 상담자의 임상목표도 있다. 자신이 서 있는 입장의 이론과 일치한 임상적 목표를 설정하여 상담을 진행한다.

6) 상담 진행하기

내담자와 상담자 간에 신뢰하는 관계가 형성되고 내담자가 상담에 잘 적응하게 되면, 내담자는 자신의 역할을 알게 되면서 본격적으로 문제의 원인에 대해 탐색하고 해결책을 찾아 나서게 된다. 상담자는 내담자를 도와 구체적으로 관련문제를 분석하고, 자신을 탐색하도록 조력하면서 새로운 행동의 시도를 격려하며, 스스로 무언가를 선택하거나 결정할 수 있도록 촉진한다. 말하자면 상담 진행 단계에 따라 내담자의 인지 · 정서 · 행동을 변화시키는 작업을 시도한다. 필요할 경우, 내담자에게 과제를 부여하고 이를 확인할 수 있다. 다만 그 과정은 결코 단순하지 않고 때로는 힘든 작업이며 다양한 걸림돌을 마주할 수 있다.

상담 중반부에 이르면 내담자는 자신의 문제의 뿌리를 찾으려고 노력하다가 과거의 비슷한 사건을 떠올리거나 관련 있다고 생각하는 과거의 경험을 찾아내곤 한다. 매일 일어나는 사건들과 과거의 사건들을 찬찬히 연결해보면서 내담자는 자신의 성격이 어떤 식으로 형성되었고 왜 그럴 수밖에 없었는지를 통찰하게 된다.

상담과정에서 내담자는 다양한 저항을 보인다. 저항은 상담을 통한 변화를 시도하는데 방해요소로 작용하기 때문에 이를 어떻게 슬기롭게 다루어 극복하느냐는 중요한 상담과제가 된다. 저항의 양상은 내담자마다 다른데, 침묵하거나 지나치게 말을 많이 하기도 하며, 주지화(intellectualization)를 하거나 상담에 불참하기도 한다. 저항을 다루는 상담자의 자세는 따뜻하고 신뢰로운 관계를 바탕으로 이해하고 수용하면서 민감하게 반응하는 등 적극적인 의사소통을 통해 저항을 해결하도록 노력한다.

상담 진행 중에 내담자의 언어적 · 비언어적 행동에 대한 상담적 반응 기술로는 경청, 반영, 요약, 공감, 인지적 재구조화 등을 들 수 있다. 상담을 진행할 때는 상담자의 이익이 아닌 내담자 중심의 개입을 하여야 한다. 상담을 하면서 행해지는 모든 행위는 내담자의 동의와 참여로 이루어진다.

집중적이고 강력한 개입이 있었던 상담회기를 마친 다음에 내담자는 마음 상태를 충분히 안정시켜야 한다. 그렇게 하지 않으면, 다시 일상의 삶으로 돌아오기가 무척 어려울 수 있다. 이러한 이유 때문에 유능한 상담자는 한 회기의 마지막 15분을 어려운 이슈를 탐색하기보다는 '정리하는데' 활용한다. 회기가 끝난 후 내담자가 조용한 장소로 가서 조용히 자기 성찰을 해 보도록 하기도 한다. 이 과정은 내담자가 스스로를 되돌아보고 마음으로 받아들이는 데 매우 도움이 된다. 이러한 예방 조치는 기업 장면에서 특히 더 유효하다.

상담 진행하기 단계에서는 내담자의 실제적인 행동 변화가 일어난다. 상담자는 내담자에게 행동변화기법의 원리를 교육하여 장기적 변화를 도모할 수 있다. 대부분의 근로자들은 자신의 건강과 일의 능률을 증진시키는 서비스를 원한다. 즉 규칙적 운동, 자신감 있는 발표 등의 바람직한 행동을 증가시키고, 흡연, 과식, 감정 폭발과 같은 바람직하지 않은 행동을 감소시키려고 한다. 이를 위해 사회적 학습 원리에 기초하여 행동적인 목표의 설정, 자료 수집, 계획 실천에 대한 교육을 실시할 수 있다. 이러한 기법은 근로자들이 자신의 삶을 강력하게 통제하고 행동영역을 넓히는데 일조한다. 상담자는 내담자에게 행동변화기법의 원리를 가르쳐주고 내담자의 자기 통제 노력을 지지한다.

7) 상담 종결하기

상담관계를 종결하는 것도 전체 상담과정에서 중요한 부분이다. 작별과 종결은 삶의 한 부분인 것이다. 우리가 과거의 작별에 어떻게 대처했는지에 대한 방식이 상담에서의 종결을 다루는 방법에 반영될 수 있다. 상담을 종결하는 것은 내담자가 관계를 종결하는 방법을 학습하는 기회이고, 종결을 실험해볼 수 있는 방법이며, 상담자가 종결을 하는 방법을 모델링할 수 있다.

종결은 상담의 마지막 단계만은 아니다. 계약 그 자체에 포함되어 있다. 내담자를 한 두 회기만 보는 것이 일반적인 형태인 것은 아니다. 근로자는 상담을 더 받기 위하여 언제든 다시 올 수 있는 가능성이 있다. 종결 역시 상담자가 선택권을 가지고 있는 일반 상담소의 종결과는 다를 수 있다. EAP 상담자는 이전에 내담자와 작업을 했기 때문에 그 내담자와의 상담이 다시 의뢰되어 올 경우 거부하기 어렵다. 다만 근로자가 은퇴하거나, 해고되거나, 직무를 바꾸거나, 다른 지역으로 전근을 가거나 하면 상담이 어렵게 된다.

일반적으로 EAP 상담자는 상담 초기에 6회 내지 8회기의 종결일정에 대하여 합의를 할 것이다. 그러면 상담자와 내담자 모두에게 종결 시점은 분명해진다. 현실적으로 종결 시기는 좀 더 유연하게 이루어지는데, 내담자가 자신의 문제에 대하여 더 논의하고자 하는 경우에는 그 시기가 연장될 수 있다. 내담자가 남아있는 회기 수를 기억하면, 상담 작업에 동기를 부여할 수 있고, 내담자가 상담 종결을 앞두고 스스로 감정을 추스리며 상담자없이 독립적인 삶을 사전에 연습하는 데에 도움이 된다.

종결이 어떻게 이루어진다는 것을 명료화하는 것은 중요하다. 이를 위해 상담자와 내담자는 종결의 적절한 시기가 왔다는 것을 어떻게 알 수 있으며, 어떻게 서로 합의할 수 있는지에 대한 부분을 명료하게 하는 것이 중요하다. 일반적으로 내담자가 다음과 같은 상태가 되면 종결의 준비가 되어있다고 평가할 수 있다.

- 초기 호소문제나 증상이 감소되었을 때
- 초기의 스트레스가 사라졌을 때
- 대처기술이 향상되었을 때
- 자신과 타인에 대한 이해와 가치 평가가 높아졌을 때
- 타인과 관계를 맺고, 사랑하고 사랑받는 수준이 향상되었을 때

• 생산적으로 계획하고 일하는 능력이 나아졌을 때

종결은 다양한 방법으로 이루어질 수 있다. 종결일정에 합의를 하고 이에 맞추어 마무리를 하거나 합의된 종결일과 상담회기에 간격을 두기도 한다. 또한 종결일에 만나고 3개월 혹은 6개월 후에 후속상담을 해서 문제가 재발하지 않았는지를 점검할 수 있다. 이 모든 방법이 도움이 될 수 있지만 특정 내담자에게 최선의 종결방법이 무엇인지를 결정하는 데는 사례마다 그 기준이 다를 것이다.

종결을 앞둔 회기에서는 그 동안의 상담시간을 검토해보고, 이 체험으로부터의 배운 것을 요약하며, 상담을 통해 얻어진 것을 공고화하는 방법과 내담자가 다른 상담을 통해 고려해볼 수 있는 영역이 더 있는지 생각해보도록 한다. 상담의 종결은 상담자와 내담자 모두에게 만족스러운 결론이 아닐 수 있다. 내담자는 상담에서 자신의 욕구가 충족되지 않았기 때문에 종결이 즐겁지 않을 수 있다. 이러한 이슈는 서로가 인정하면서도 충분히 다루어져야 한다.

필요할 경우 후속상담을 진행할 수 있다. 후속상담이란 상담이 종결된 후에도 내담자가 적응을 잘하고 있는지 확인하고, 이를 위해 다시 1~2회 정도 상담을 진행하는 것을 말한다. 주로 내담자가 상담을 통해 해결한 문제가 실제 생활에서도 잘 적용될 수 있는지 확인할 필요가 있다고 생각될 때, 내담자와 합의하여 일주일, 이주일, 또는 한 달 뒤에 상담회기를 잡아서 한두 번 추가 상담을 진행한다. 여기에는 상담을 종결한다고 생각하면서 생기는 아쉬움, 허무함, 슬픔 등의 내담자 감정을 충분히 공감하고 이에 대해서 얘기를 나누는 것이나, 상담 종결에 따른 저항(예: 종결을 늦추기 위해 새로운 문제를 꺼내 계속 이야기하려는 행동, 이전의 문제행동으로 되돌아가는 반응)에 적절히 대응하는 것 등이 포함된다.

EAP 상담에서는 내담자의 문제가 적절히 치료되고 해결되었는지 확인하는 사후관리가 필요한 경우가 있다. 특히 약물의존이나 만성정신질환, 기타 재발의 위험이 있는 경우, EAP 상담사의 사후관리는 더 중요하다. 일반적으로 EAP 상담 혹은 개입이 종결된 후 2~6개월이 지났을 때 내담자의 변화를 다시 한 번 평가한다.

사후관리를 통해 첫째, 개입 결과의 지속성을 평가할 수 있고, 둘째, 종결 이후에도 내담자에게 계속 관심을 가지고 있다는 것을 보여줄 수 있으며, 셋째, 이를 통해 변화를 지속할 수 있는 동기 수준을 높일 수 있다. 만일 내담자의 문제와 욕구를 해당 EAP에서 해결할 수 없거나 문제해결에 더 적합한 다른 기관이 있을 경우, 외부 기관을 소개하고 내담자를 연결시켜 주는 의뢰를 실시할 수 있는데, 이 경우에도 의뢰된 기관에서 내담자가 서비스를 적절히 받고 있는지 사후 확인을 해야 한다.

8) 의뢰하기

상담자와 내담자는 상담대신 의뢰를 진행할 수 있다. 내담자에게 필요한 추가적인 도움을 제공하기 위하여 유관기관 중 적합한 의뢰 기관을 발굴하고 연계를 구축한 후, 필요 시 협의하여 의뢰한다.

EAP 상담은 생활상의 다양한 문제를 다루기 때문에 타 기관으로 의뢰가 필요한 경우가 흔하다. 이를 위해 EAP 상담자는 지역사회에서 이용 가능한 기관에 대한 정보를 파악하고 있어야 하며, 내담자의 요구에 기초하여 법무법인, 재무상담소, 가족치료연구소, 정신건강의학과의원 등 적절한 기관을 찾아 소개할 수 있어야 한다.

사례관리란 복잡하고 다양한 문제나 욕구를 가진 내담자가 개별적인 서비스 제공자를 일일이 찾아다니는 대신, 필요한 자원을 활용하여 쉽게 접근할 수 있도록 내담자 중심으로 통합적인 서비스를 제공하는 방식이다. 내담자가 치료나 지원을 실제적으로 받게 된 뒤에도 EAP 상담사는 지속적으로 사례관리를 제공한다. EAP 상담사는 정기적으로 연락해서 내담자들을 지지하고, 개입의 효과와 만족도를 확인하여 관리한다.

EAP 상담사는 지역의 다양한 자원 중 최선의 자원을 선택하기 위해 다음 사항을 염두에 두어야 한다.

첫째, 지역에서 이용할 수 있는 자조 활동을 파악하고 이를 활용한다. 자조 모임은 공통의 관심사를 가진 사람들을 연결하고, 서비스와 지원을 얻는 기회를 제공한다. 자조그룹에 있어서 구성원은 서로 도움을 주고받는 기회를 경험할 수 있다. 대표적인 자조그룹으로는 알코올중독자 갱생회(AA), 도박중독자 갱생회 등이 있다.

둘째, 지역 자원에 대한 정보를 수집하고 즉각 활용할 수 있도록 체계적으로 데이터베이스를 구축한다. 각 서비스 제공자의 가치관과 전문성, 이용요금을 파악하고 서비스 평가 방법을 선정한다.

셋째, 내담자에게 객관적인 선택 기회를 준다. 일반적으로 상담자는 두 가지 이상 복수의 서비스를 근로자에게 제시하고, 그 중에서 선택할 수 있도록 한다. 내담자는 서비스 비용이나 진행 방법, 방법의 차이를 이해하고 최종적으로 결정을 내린다.

넷째, 내담자와 서비스 네트워크 사이의 실질적인 제휴를 제공한다. EAP 상담사는 내담자와 그 지역 내의 서비스 자원을 연결할 뿐만 아니라 지원과 추가 서비스를 지속적으로 제공한다. 서비스가 원활하게 제공되지 않을 경우, 상담자는 내담자를 대신해서 서비스 기관을 다시 선택할 수 있다.

EAP 상담사는 서비스 제공자들에 대한 파악 및 선발, 훈련, 평가 등 다양한 역할을 수행하고 있다. EAP 기관에서는 이용률이 매우 낮거나 더 이상 이용이 불가능한 서비스 제공자들을 대체하고, 적절한 자격을 갖춘 새로운 서비스 제공자들을 주기적으로 찾는 노력을 기울여야 한다. 또한 상담자들은 EAP에서 필요로 하는 서비스 제공 자격을 충분히 파악하는 것이 중요하다. 서비스 제공자를 선택한 이후에는 목표, 조직 구조에 대한 설명, 절차 및 EAP 정책 등 서비스에 대한 오리엔테이션을 실시한다. 또한 상담자는 의뢰가 이루어진 이후 서비스 제공자들과 지속적으로 접촉하여 계획한 서비스가 적절하게 제공되고 있는지 확인한다. 이러한 일련의 확인 작업은 의뢰가 이루어진 즉시 이루어져야 하는데, 이는 이후의 의뢰 시에 유사한 문제가 발생하지 않도록 예방하는 기능도 수행한다.

9) 직장 복귀

문제가 심각해서 입원치료 등 병가를 사용한 경우, 일부 근로자는 직장으로 즉각적인 복귀하기 어려울 수 있다. 특히 치료 전에 직무수행상의 문제를 경험했거나, 개인 문제 때문에 직장 내 대인관계에서 문제를 겪었던 경우에는 복귀에 어려움이 있다. 이러한 고충을 돕기 위해 EAP 상담사는 사업장과 치료기관 사이에 매개체 역할을 수행할 수 있다.

일례로 적성이 맞지 않아 주어진 업무에 심각한 수준의 스트레스와 우울감을 호소하는 근로자가 있다고 가정하자. 그는 병가를 냈고, 휴직기간에 외부 정신건강의학과 전문의의 집중적인 치료를 통해 완전히 회복되어 이제 곧 직장 복귀를 앞두고 있다. 그러나 업무 재배치에 대한 충분한 고려 없이 적성에 맞지 않은 예전의 업무가 또다시 주어진다면, 그의 성공적인 직장복귀는 장담할 수 없다. 유사한 예로, 오랜 기간 동안 입원치료를 통해 알코올중독에서 회복한 근로자가 소위 폭탄주가 만연하는 음주문화를 가진 직장에 복귀한다면, 그간의 노력은 모두 수포로 돌아갈 수밖에 없다. 즉, 해당 직장의 잘못된 음주문화를 개선하려는 조직 차원의 노력이 동시에 진행되어야 그의 금주를 담보할 수 있을 것이다.

이렇듯 EAP는 근로자 문제의 본질을 면밀히 살피고, 그 문제의 원인이 개인 차원이 아닌 조직 차원에서 비롯된 것이라면, 조직의 환경을 개선하는 데에도 개입의 목표를 함께 두어야한다. 특히 직장복귀 후 발생 가능한 문제를 개인적 · 조직적 차원에서 사전에 분석하고, 이를 미연에 방지함으로써 성공적인 직장복귀를 도와야 한다. 필요한 경우, 조직 내 인사부서 등과 협력하여 일정 기간의 업무시간이나 업무강도를 조정하거나 업무 재배치 등을 실시할 수 있다. 예컨대 직장 복귀 초기에는 시간제 근로부터 시작하여 일정 수준 적응에 성공한 것이 확인되면 전일제로 전환시키거나, 비교적 일 처리가 수월한 업무부터 시작하여 점차 집중력을 요하는 업무로 전환하는 맞춤형 개입이 필요하다.

5. 상담 프로그램

1) 집단상담 및 심리교육 프로그램

학교와 기업, 공공기관에서 일하는 상담자는 현장에서 필요로 하는 상담프로그램을 적시에 개발하고 실행할 수 있도록 기대된다. EAP 상담에서는 체계적인 프로그램 개발 원리에 따라 상담의 이론과 기법을 기반으로 하는 효과적인 프로그램을 개발하고 실행하는 역량이 요구된다. 기업 현장에서는 기업환경의 빠른 변화와 임직원의 욕구에 맞춰 기업상담 프로그램을 개발하고 실행하는 발 빠른 대응이 필요하다. 다양한 상담프로그램이 직원 개개인의 성장을 촉진하고, 인적자원을 개발하며, 조직 효과성에 기여할 수 있다.

상담 및 심리교육 프로그램은 체계적인 프로그램 개발 원리에 따라 상담의 이론과 기법을 기반으로 할 때 효과적으로 개발될 수 있다. 상담자는 자신이 개발하려는 프로그램의 목적과 내용에 따라 창의력을 최대한 발휘하여, 프로그램 개발 절차의 구체석 방법을 고안한다. 실제에서는 내담자의 특성이나 문제 영역의 성격에 맞게 적절한 형태로 프로그램을 수정하거나 새로 개발할 필요가 있다.

상담 및 심리교육 프로그램은 다음과 같은 특성이 있다(김창대 외, 2011).

- 목적이나 목표는 그 대상이 되는 개인 및 집단의 다양한 측면(인지적, 정서적, 태도적, 행동적 측면 등)의 문제 예방, 해결 및 발달, 기타 심리교육적 욕구를 충족시킨다.
- 심리학 및 교육학적 원리가 프로그램의 주요 구성원리가 된다.
- 활동내용은 모둠, 소집단, 대집단 활동 중심이 된다. 때로는 조직이나 제도도 포함할 수 있다.

상담 및 심리교육 프로그램의 개발 원리를 살펴보면, 프로그램은 실시 대상인 참여자의 요구가 무엇인지를 정확히 파악하고 이에 기반을 둔 프로그램을 개발하는 실용성이 요구된다. 또한 프로그램이 짜임새 있게 구성되어 목표한 바를 이루고 위해서는 프로그램의 구성논리와 프로그램의 이론적 근거가 중요하게 작용한다. 프로그램의 목적과 목표는 구체적이고 체계적으로 설정하며, 이론에 근거한 매개변인과 조절변인을 기초로 설정한다. 어떤 형태나 활동으로 프로그램이 구현되는지에 따라 효과가 달라지므로 절차를 충실하게 진행하며, 프로그램의 개발과정에서 각 단계별로 평가를 실시하고, 그 결과를 다음 단계에 반영하여 프로그램을 발전시킨다. 과학적인 이론과 원리를 토대로 개발하더라도 프로그램의 개발과 운영에는 상당한 창의성이 있어야 효과적이다. 다음은 기업 내 개발가능한 상담프로그램의 예이다.

- 일-가정 조화를 위한 프로그램
- 스트레스 관리 프로그램
- 경력개발 프로그램
- 대인관계/의사소통 향상 프로그램

국내에서 2005년 이후에 직장인을 대상으로 스트레스 감소 및 대처능력 향상을 목적으로 개발된 프로그램을 살펴보면, 다음과 같은 몇 가지 특징이 있었다(전민아, 왕은자, 2014). 첫째, 프로그램은 대부분 인지행동적 원리를 활용하여 프로그램을 구성하고 있었다. 몇 가지 기법을 조합하여 프로그램을 구성하였는데 주로 점진적 이완훈련과 인지행동기법을 조합하고 있었다. 외국의 스트레스 관리 개입에 관한 메타연구에서도 인지행동적 개입이 많이 사용되고 있었으며, 또한 가장 효과적인 개입으로 밝혀졌다. 둘째, 집단상담의 원리를 활용하거나 교육 및 훈련에 기초하는 등 스트레스 관리 프로그램의 운영방식이 다양하였다. 셋째, 스트레스 관리 프로그램은 참여자가 근무하는 조직의 맥락과 직무특성 및 이로 인한 스트레스 양상을 반영하여 구성하였다. 넷째, 개입방법 및 프로그램 운영방식의 다양화는 직장인을 위한 스트레스 관리 프로그램 개발 및 진행자의 다학문적 특성과 맞물린다. 조직에서 스트레스 관리 프로그램은 상담학, 의학, 간호학, 교육학, 사회복지,

재활 등 다양한 분야에서 접근하고 있었다.

다음으로 대인관계 · 의사소통 향상 프로그램을 살펴보면, 대부분의 직장인이 조직 내 소통문제에 높은 불만족을 나타내며, 기업 인사담당자들 역시 인사 · 직원 관리의 키워드로 '소통'을 꼽는다. 조직 내 원활한 의사소통은 조직 관리의 효율성을 높이고, 보다 나은 인간관계의 형성을 촉진시키며, 조직구성원 개인의 업무능력을 높인다. 특히 의사소통이 조직구성원들 간의 사기 및 생산성, 직무만족과 긴밀한 관계를 가진다.

기업 내 의사소통 집단상담 프로그램은 EAP 상담자들이 잘 할 수 있는 분야인데 상담의 이론과 기법 그 자체는 효과적인 대화의 원리와 기법으로 쉽게 변환이 가능하다. 이와 관련하여 개발 가능한 프로그램은 다음과 같다.

- 비폭력 대화 모델에 기반을 둔 의사소통 향상 집단상담 프로그램
- 중간관리자 의사소통능력 향상 프로그램
- MBTI를 활용한 의사소통 및 성격 이해 워크숍

끝으로 집단상담 프로그램은 구조화된 상담프로그램의 특징과 유사하면서도 다음의 내용을 특징으로 하고 있다.

- 높은 구조화 및 제한된 목표에 초점
- 과제, 연습 등을 통한 신속한 변화(높은 효율성)
- 단기의 집중적인 치료경험과 동시에 집단상담의 교육적/발달적 기능을 강조
- 집단내의 동일시와 응집력 활용 가능
- 임직원의 당면 문제나 어려움 감소

2) 위기관리

위기라는 것은 개인의 일상적 통제력이 작용하지 않는 일시적인 상태이다. 가까운 사람의 죽음이나 이혼, 실직, 질병 등 생활상의 중대한 변화가 생겼을 때 사람들은 위기에 직면한다. 성폭력, 가정폭력, 자연재해, 재난 등도 심리적 위기를 일으킨다.

위기는 성장의 기회도 될 수 있고, 정신적 문제를 발생시킬 수 있는 위험한 상황도 된다. 위기를 경험하고 있는 내담자는 상담자의 적극적인 지지를 원한다. 상담자는 상황 자체보다는 상황에 대한 개인의 해석과 감정적 반응에 초점을 맞춘다. 위기 속에서 긍정적 요인을 찾도록 돕는다. 다양한 체계적 문제해결 방법에 의해 내담자를 지지하고 안내하며, 위기에서 생긴 위험을 줄이도록 한다.

위기상담이란 자살을 비롯한 내담자의 심리적 위기를 해결하기 위하여 위기상황을 평가하고, 위기상담을 계획한 후 위기상담을 실시하며, 결과를 평가하는 과정이다(NCS, 2015).

상담자는 소속기관의 위기상담 지침에 따라 내담자 위기 유형을 분류하고, 내담자의 위기 수준, 내담자 주변의 환경과 자원을 평가한다. 다음으로 위기 유형과 수준에 맞는 위기상담 전략을 수립한다. 위기사례에 맞는 상담방법을 선별하고, 연계 · 의뢰의 필요성을 판단하여 조치하며, 위기사례 내담자의 심리적 안정을 지원한다. 위기상담을 계획 시 법적 · 의료적 지원의 필요 여부를 판단해야 한다.

내담자와의 위기상담에서는 내담자가 자신이 처한 위기상황을 내담자가 이해할 수 있도록 돕기 위해 위기와 관련된 교육을 실시하고, 위기상황에 대해 해결중심 상담전략을 수립한다.

3) 가족 및 부부상담

EAP 상담사는 가족 관계에서의 다양한 문제해결을 돕는다. 첫 자녀의 출생, 막내의 독립, 경제적 변화, 갑작스런 질병 등 가족도 위기에 직면할 수 있다. 청소년기나 갱년기, 퇴직과 같은 변화 속에서 가족이 스트레스를 잘 관리하도록 관련 서비스를 제공한다. 의사소통의 어려움을 겪는 가족의 경우, 구성원 모두가 명료하게 필요와 요구를 설명하고 타인의 발언을 경청하는 과정에서 건강한 소통방식을 배운다. 가족상담의 초점은 가족 구성원이 서로 영향을 주는 정도를 인식토록 하는 것이다. 대부분의 가족들은 특정한 가족 구성원이 모든 문제의 원인이라고 생각한다. 그러나 사실은 특정 구성원이 아니라 가족 구성원들의 상호작용과 관계에 문제의 원인이 있는 경우가 대부분이다. 따라서 상담자는 가족의 초점이 관계와 상호작용으로 옮겨가도록 유도한다. 가족이 다함께 변화에 대응하고, 의사소통의 기법을 배우며, 바람직한 행동을 형성할 수 있도록 돕는다.

4) 코칭

코칭은 개인의 잠재역량을 발견하고 실행하도록 돕는 경영기법이자 학습 프로세스로 다양한 조직과 개인의 삶에 활용되고 있다. 코칭은 기업이 다양한 경영상의 도전 및 사업상의 전략적 요구에 효과적으로 대응하고 성과를 이끌어 낼 수 있는 매우 유용한 방법이자 개인의 자기실현을 촉진하는 패러다임이다. 코칭에 대한 정의를 살펴보면, 한국코치협회는 개인과 조직의 잠재력을 극대화하여 최상의 가치를 실현할 수 있도록 돕는 수평적 파트너십이라고 정의하고 있으며, 국제코치연맹(ICF)는 사람들이 그들의 삶, 경력 혹은 조직에서 탁월한 결과를 창출하도록 돕는 지속적인 전문적 관계라고 하고 있다. 이러한 코칭의 정의에는 두 가지 핵심적인 요소가 있는 데, 코칭은 성장 및 성과를 목표로 하며 코칭 관계가 중요한 기제라는 점이다(전향숙 · 왕은자, 2014).

코칭은 다양한 형식으로 이루어지기도 하지만 주로 대면으로 이루어지는 면담의 형식을 취한다. 전문적인 상담과 코칭은 내담자 혹은 피코치의 성장과 변화를 촉진하는 학습 과정이라는 점과 상담과 코칭이 효과적이기 위해 상담(코칭)관계와 상담자 또는 코치의 인간관, 자질, 태도 및 기법과 전략을 중요 요인으로 간주하고 있다.

코칭모형과 코칭 프로세스는 변화를 위해 필요한 도구를 제공해준다. 코칭의 방략들은 다분히 직접적이고 직설적인 경향을 띈다. 문제해결에 지향되어 있어 개인이 생각하고, 느끼고, 행동하는 방식에 무의식적 힘이 얼마만큼 지대한 영향을 미치는지는 고려하지 않는다. 이는 고객의 자기존재성을 경시할 위험이 있다. 물론 이 비판은 코치의 역량에 많이 달려있긴 하다.

코칭 분야는 경영학, 심리학, 교육학, 사회복지학 등을 배경으로 하는 코치들이 활동하고 있어 다학문적인 특성을 띄고 있다. 전세계적으로 전문적인 상담 훈련을 받은 상담전문가들이 코칭 분야에서 활발하게 활동하고 있기도 하다. 상담학을 기반으로 하는 코칭은 본질적 자기의 발달단계와 변화 이론을 기반으로 삶의 축과 전략적 변곡점을 다룸으로써 2차 변화가 가능하다.

상담코칭은 상담전문가가 수행하는 상담의 한 영역으로 상담의 세 가지 목적인 문제의 해결, 예방, 발달 중에서 발달에 초점을 두고 있다. 상담학의 체계적이고 과학적인 연구방법론을 응용할 수 있어 코칭 현장에 기초한 경험적인 연구를 기초로 코칭의 과학화, 전문화에 기여할 수 있다. 고객의 성장 욕구에 초점을 두면서 고객 니즈와 조직맥락 맞춤형 프로그램 개발이 가능하다. 이 경우 코치는 상담자 윤리강령을 준수하게 된다.

생각거리

1. EAP 상담의 첫 면담에서 상담자가 파악할 내용과 내담자에게 알려주어야 하는 내용을 기술한다.
2. EAP 상담의 특징을 설명한다.
3. 상담과정에서 적절한 외부 의뢰와 직장 복귀, 사후관리를 잘 진행하고 있는 지 점검한다.
4. EAP 상담의 특성을 바탕으로 사안별로 적합한 상담 기법을 생각해본다.

제 9 장

EAP 서비스 제공자

EAP 서비스 제공자는 그 역할에 따라 EAP 관리자와 EAP 코디네이터, EAP 상담사로 분류할 수 있다. EAP 관리자는 프로그램 개발과 수행, 평가에 대한 총책임자로서 EAP 관련 법률과 제도, 통계와 기록, 기타 관련 기술에 대한 기준을 제시하는 업무를 수행한다. EAP 코디네이터는 EAP 운영 실무를 담당하는 역할로서 서비스를 이용하는 조직 및 기업에 맞는 서비스를 개발하고 이를 적용하며 유지한다. EAP 상담사는 EAP 서비스 이용 시 가장 일선에서 내담자를 만나는 역할로서 문제 사정과 단기 상담, 사후 관리 등의 업무를 수행한다. 본 장에서는 EAP 제공자의 공통적인 핵심 업무를 살펴본 뒤, EAP 제공자의 역할과 전문성, 인증 및 윤리적 이슈를 살펴본다. 우종민·최수찬(2008)에서 소개된 내용을 직·간접 인용하고, 근로자지원전문가협회(EAPA)가 제시한 EAP 서비스의 핵심기술을 보완·기술하였다.

1. 핵심 업무

EAP 제공자 혹은 EAP 서비스 제공자는 EAP에 대한 초기 홍보 및 후속 홍보, 관리자와 근로자를 위한 오리엔테이션, 직접 상담, 관리자를 위한 조언, 해당 조직에 대한 기본적인 통계 분석 및 상세한 피드백과 같은 핵심 업무를 수행한다. 따라서 EAP 제공자는 해당 분야에서 총괄적인 업무 관리 능력이 있어야 하고, 내담자에 대한 면접, 동기부여, 의뢰, 상담에 대한 전문 지식과 문제 해결 경험이 있어야 한다. 한 사람이 이 모든 지식과 경험을 겸비할 수는 없으므로, EAP 제공자는 다음과 같은 지식과 기술, 교육과 훈련 경험을 갖춘 사람들(관리자, 상담사, 코디네이터 등)로 구성된다.

1) 프로그램 개발과 운영

EAP 제공자는 근로자의 문제를 예방하고 치료하는 프로그램을 다양하게 개발하여 운영한다. 우선 기존에 조직이 가진 프로그램을 분석하여 그 강점과 한계, 효과성을 규명한다. 둘째, 단점을 보완하거나 지금까지 시도되지 않은 새로운 프로그램을 기획한다. 다만 이 과정에서 조직 내 다양한 부서에서 의견을 청취하고, 관련자의 협조를 요청해야 한다. 셋째, 조직 구성원을 대상으로 욕구조사를 실시하여, 이들의 욕구가 체계적으로 잘 반영된 프로그램을 구성한다. 넷째, 프로그램 운영 경비와 예상되는 기대효과를 구체적으로 산정하여 관련 예산을 확보한다.

2) 상담과 평가

EAP 제공자 중 특히 EAP 상담사는 근로자의 사회심리적 · 의료적 문제를 정확하게 사정하고, 적절한 의뢰기관을 결정한다. EAP 상담사는 근로자의 약물 및 알코올 의존 여부와 급 · 만성 임상증상 정도를 초기에 사정하고, 내담자에게 도움을 줄 수 있는 치료기관을 선택하는 능력이 요구된다. 또한 근로자의 흥미와 태도, 업무 적성을 평가할 수 있는 능력을 갖추어야 한다. EAP 상담사는 내담자와 수평적인 관계를 유지하며, 내담자 스스로가 문제의 심각성을 깨닫고 문제 해결을 위한 노력을 기울이도록 조력하는 역할을 수행한다. 상담은 실제적인 문제 해결에 초점을 두며 장기 치료를 필요로 하는 경우에는 외부 치료 기관에 의뢰하는 것이 일반적이다.

3) 자원의 이용과 지지망 구축

EAP 제공자는 지역사회의 여러 기관을 내담자와 연결하는 역할을 수행한다. 이를 위해 지역사회내 자원의 분포를 인지하고, 새로운 자원을 개발하는 동시에 이들과 긴밀한 협력관계를 구축한다. 또한 기업 내의 경영자와 안전보건부서, 노동조합 등 관계자가 제공하는 서비스와 자원에 대해 잘 파악하고 있어야 한다. 근로자가 이용할 수 있는 조직 안팎의 자원과 프로그램을 소개하는 것 역시 EAP 제공자가 수행하는 역할이다.

4) 조직에 대한 자문

사업장에 기초를 두고 활동하는 EAP 제공자는 근로자의 작업 환경과 기업 조직의 특성을 잘 이해하고 있어야 한다. 담당자는 직무 환경에서 유발된 스트레스가 근로자에게 어떠한 영향을 미치고 있는지 파악하고, 동시에 근로자의 문제가 기업에 어떠한 영향을 주고 있는지도 분석할 수 있어야 한다. 특히 경력개발 상담사는 기업의 인적 자원에 대한 정책과 계획, 작업환경에 대한 전문적인 지식을 바탕으로 근로자가 자신과 조직의 욕구 사이에서 경력 계획을 올바르게 세우도록 도울 수 있다.

한편 조직의 잘못된 관행과 문화, 정책 등으로 인해 고통받고 있는 근로자가 발견된다면, 이에 대한 개선을 모색해야 한다. 예컨대 조직문화의 특성 때문에 음주문제가 있는 근로자가 반복적으로 나타나고, 이직을 고려하는 여직원들이 늘어간다면, EAP 제공자는 관련 현상을 보고하고, 보건관리자나 인사담당자, 노조, 경영진과 공동으로 관련 문제를 풀어나가야 한다.

5) 교육과 훈련

EAP 제공자는 개인상담 이외에 집단활동을 위해 많은 시간을 할애한다. EAP에서는 근로자의 사회심리적 문제와 각종 건강관련 문제를 사전에 예방하기 위해 집단 연수와 교육훈련을 시행한다. EAP 담당자는 신체적 건강관리나 스트레스관리, 가계 운영, 가족문제, 치매노인문제, 음주문제, 자녀교육문제 등 다양한 주제로 근로자 대상의 워크숍이나 공개강좌를 주최할 수 있다. 관리자나 슈퍼바이저, 노조간부 등을 대상으로 한 교육 훈련도 별도로 진행한다. EAP 제공자에게는 다양한 집단을 대상으로 효과적인 교육 활동을 계획하고 실천하는 능력이 요구된다.

6) 시장 조사와 홍보 활동

EAP 제공자는 CEO 등 정책 결정자를 설득하여 프로그램 운영 예산을 확보해야 한다. 이를 위해 EAP 제공자는 프로그램의 가시적인 효과가 경영자와 노조, 근로자에게 잘 전달될 수 있도록 시장 조사를 바탕으로 긍정적인 사례를 발굴하여 활발한 홍보 활동을 전개한다. 홍보 활동을 적극적으로 실시해야 향후 근로자의 자발적 이용 및 제3자에 의한 의뢰율도 높일 수 있다. 대다수의 조직에서는 EAP를 실행한 뒤 투자비용 대비 효과성을 확인하고 싶어하므로 이를 입증하여 제시하는 업무도 수행한다.

2. EAP 핵심 기술

사업장마다 EAP의 형태와 내용이 상이하지만, 모든 EAP 제공자에게 요구되는 공통의 핵심 기술로서 근로자지원전문가협회(EAPA)가 제시하는 8가지는 다음과 같다.

(1) 조직의 리더에 대한 자문과 훈련, 기타 지원

업무 조직의 리더(관리자, 감독관, 노동조합 간부 등)가 고충을 겪는 근로자를 관리하고 업무 환경을 개선하거나 근로자의 업무 성과를 향상시키고자 할 때, 이들 리더를 대상으로 관련 자문과 훈련, 지원 등을 제공한다.

(2) 적극적인 이용 촉진 활동

근로자와 그 가족, 업무조직이 EAP를 자유롭게 이용할 수 있도록 적극적으로 홍보하고 접근성을 높인다.

(3) 사정 및 문제 확인

업무 성과에 영향을 미칠 만큼의 문제를 가진 근로자를 대상으로 비밀을 유지하면서 시기적절하게 사정을 실시하고, 관련 문제를 확인한다.

(4) 적극적 직면과 동기부여, 단기 개입 시행

업무성과에 영향을 미칠 만큼 심각한 문제를 겪고 있는 근로자를 대상으로 적극적으로 직면하고, 동기를 부여하며, 단기 개입을 시행한다.

(5) 의뢰

근로자의 의학적 진단과 치료, 지원, 사례관리, 사후관리 서비스를 위하여 필요한 경우 외부 기관에 의뢰한다.

(6) 외부기관과 관계 수립 및 유지

업무조직이 외부 치료기관 및 기타 서비스 제공자들과 효과적인 관계를 확립하고 이들과의 계약을 지속적으로 유지 및 관리할 수 있도록 지원한다.

(7) 의학적 · 행동적 문제에 대한 자문

조직 내 알코올 문제나 약물남용, 정신적 · 심리적 장해 등 의학적 행동적 문제를 겪는 근로자가 적절한 서비스와 관리를 받을 수 있도록 해당 조직에 자문을 제공한다.

(8) 프로그램 평가

근로자지원(EA) 서비스가 조직과 개인의 업무 성과에 미친 영향을 평가한다.

3. 역할

미국에서 EAP는 전통적으로 알코올중독과 약물남용, 가족이나 정서적 문제, 또는 건강상의 문제를 가진 근로자들의 욕구에 기초하여 조직화되었다. 처음에는 전통적인 정신분석이나 심리치료 등 개별적 치료를 시도했는데, 이런 방법들이 알코올중독이나 약물남용에서 회복되는 데에 별다른 도움을 주지 못한다는 것이 밝혀졌다. 이후 EAP는 동기부여상담이나 인지행동기법, 자조집단 참여 등 다양한 개입 방법을 모색하여 오늘날과 같은 포괄적 개입 시스템을 갖추게 되었다. 이에 따라 EAP에서는 심리학자, 간호사, 직업상담자, 정신과의사, 사회복지사 등이 다학제간(multidisciplinary) 팀을 이루어 일하고 있다. 이들은 위기중재, 사정 및 감별진단, 면담 및 상담, 치료를 위한 동기부여, 치료 자원에 대한 안내 및 의뢰, 사례관리, 단기치료, 위기조정 등 총체적 개입을 실행한다.

1) 사례관리자로서의 역할

EAP 제공자에게 사례관리자로서의 역할은 매우 중요하다. 일반적으로 사례관리자는 고객에 대한 정보를 수집하고, 이들이 필요로 하는 자원을 연결시켜주며, 책임성을 가지고 서비스 전달을 조정해 주는 역할을 수행한다(Moxley, 1989). 최근 우리나라에서도 사회복지학이나 간호학, 보건학 분야에서 사례관리자에 대한 관심과 연구가 활발히 진행되고 있는 바, EAP 분야에서 사례관리자의 주요 역할을 살펴보면 다음과 같다(Emener & Dickman, 2003).

첫째, 사례관리자로서 EAP 상담자는 이용 가능한 자원을 잘 파악하고 있어야 한다. 회사 내부의 공식적 · 비공식적 구조는 물론, 근로자가 사는 지역사회의 관련 자원의 특성과 이용방법, 신뢰성 등을 마치 손금 보듯 잘 간파하고 있어야 적절한 사람이나 기관을 연결해줄 수 있다.

둘째, 임상적 평가를 잘 수행해야 한다. 최적의 서비스를 선정하고 제공하려면, 내담자에게 필요한 것이 무엇이고, 또 도움을 받을 준비는 얼마나 잘 되어 있는지 정확하게 판단할 수 있어야 한다. 내담자의 입장에서 잘 모르는 사람에게 개인적인 이야기를 한다는 것은 불편하고 걱정이 되는 일이기 때문에 방어적인 태도를 취하기 쉽다. 도움을 받기 위해 외부 기관을 방문한다는 것도 익숙지 않다. 따라서 EAP 사례관리자는 초기에 근로자의 마음을 열고 신뢰를 받을 수 있어야 한다. 그래야 정확한 정보에 근거한 평가를 내릴 수 있고, 낯선 외부기관에 의뢰하더라도 근로자들이 받아들일 수 있을 것이다.

예를 들어, 음주 문제가 심각한 사람은 EAP를 찾을 때 대개 술 문제 이외에 다른 문제를 앞세운다. 알코올 중독자라고 낙인될 것이 두려워 직무스트레스나 가정생활의 문제, 경제적 어려움 등을 먼저 호소한다. 물론 그것도 사실일 수 있지만, 진짜 핵심적인 문제는 수면 아래 감춰

져 있는 경우가 흔하다. 그래서 EAP 상담의 경우 초기 2~3회기 동안 내담자와 신뢰관계를 잘 형성하고, 표준화된 성격검사 이외에 가족이나 직장 동료, 상사 등과 면담을 시도하여 정확한 문제를 찾기도 한다. 사례관리자는 근로자의 두려움이나 부정, 회피와 같은 반응이 초기과정에서 흔하게 나타나는 반응임을 이해하고, 끝까지 공감하고 이해하며 존중하는 태도를 유지해야 한다. 설령 음주 문제를 끝까지 감추더라도 그것을 정면으로 도전하는 질문은 가급적 삼가하도록 한다. 왜냐하면 내담자가 더욱 방어적으로 나올 수 있기 때문이다. 전문가적 임상기술을 발휘하면 결국 근로자는 사례관리자를 신뢰하고, 핵심문제인 알코올 문제를 스스로 꺼내서 도움을 요청하게 될 것이다.

셋째, 의뢰와 관련한 전문적 지식을 갖춰야 한다. 특히 의뢰와 사후관리가 중요하다. 가령 전문기관에 의뢰하는 과정에서 미묘한 문제가 생길 수 있다. 복잡한 심경을 안고 EAP를 찾아온 근로자는 첫 상담 과정에서 상담사에게 믿음이 생기고 비밀을 털어놓으면서 상호신뢰감, 즉 라포가 형성된다. 그런데 EAP 상담사가 다른 전문기관을 소개하면, 다시 버림받거나 배척당했다는 실망감을 느낄 수 있다. 그래서 의뢰 과정은 섬세하게 진행되어야 하고, 잘 연계가 되었는지 반드시 확인이 필요하다.

사례관리자의 사후관리도 중요하다. 내담자에게 무슨 일이 일어났고 최종적으로 성공적인 문제해결을 이루었는지 파악하는 것은 전문가로서 사례관리자의 책임이다. 하지만 사례관리자도 새로운 내담자로 늘 분주하기 마련이다. 따라서 업무 일지나 전산시스템을 이용해서 격주 또는 한 달 간격으로 진행 상황을 체계적으로 관리하는 것이 좋다. 이때 내담자에게도 미리 사후관리 전화가 갈 것임을 알림으로써 전화가 왔을 때 당황하지 않도록 하고, 의뢰한 외부 기관에도 미리 사후관리

방침을 알리는 것이 좋다. 이상의 과정을 통해 사례관리자는 내담자의 상담이 진행되는 전 과정에 책임있는 태도로 임한다.

넷째, 전문가적 수칙을 준수한다. 언제나 내담자의 이익을 최우선으로 하며, 전문가로서의 윤리를 지켜야 한다. EAP 상담사는 평가자, 개별 치료자, 사례관리자 등 상황에 따라 상이한 역할을 요구받을 수 있다. 따라서 이를 잘 구별해야 한다. EAP 상담은 내담자의 직장 동료 및 상사, 가족이나 친지, 상담자의 직종 내 전문가 수칙 모두를 동시에 염두에 두면서 진행해야 한다.

2) 직역별 역할

EAP를 하려면 별도의 교육과 훈련이 필요하다. EAP는 다학제간 협력과 통합을 기초로 하기 때문에 특정 직역이나 직능의 수련과정에서 EAP 상담사나 전문가가 되기 위한 핵심 기술을 모두 습득할 수는 없다. 따라서 직역별로 기존에 교육훈련된 전공 분야의 지식과 기술을 바로 활용할 수 있는 점과 별도의 교육훈련을 통해 보완해야 하는 점을 구별하여 이해할 필요가 있다. 관련 분야 전공자들이 EAP와 관련해서 어떤 역할을 수행할 수 있을지 간략하게 살펴보고자 한다.

(1) 사회복지사

전통적인 사회복지사의 직무는 EAP 상담사의 직무와 비슷한 점이 많다. 서비스 대상자가 사회복지기관 내 고객이 아니라 사업장의 근로자라는 차이가 있을 뿐이다(Kurzman, 1993; Tanner, 1991). 특히 EAP에서 전통적 정신건강과 약물남용 문제의 비중이 줄고 생활지원 서비스가 확산되면서 포괄적인 사례관리자이자 상담자로서 사회복지사의 역할이 늘어났다. 서구에서 EAP 상담사의 상당수는 사회복지학 전공자이고, 직업적 전망에서 가장 성장성 있는 분야로 평가받고 있다. 1998년 기준으로 미국 근로자지원전문가 중에 사회복지사가 46%를 차지하여 관련 직군 중 비중이 가장 높았으며, 그 뒤를 약물남용전문가(27%)와 심리학자(12%)가 따랐다(Institute of Medicine, 2000).

현대적 개념의 EAP는 '환경속의 인간(Person-in-Environment)' 관점에서 개인과 가족, 직장과 지역사회까지 그 분석과 개입의 대상으로 삼는다. 이는 사회복지가 오랫동안 기반으로 삼고 있는 이론적 관점과 일치한다(Googins & Godfrey, 1987). 사회복지사는 그 교육과정에서 포괄적인 개입 기술을 연미하고, 사회 구조에 대한 통찰력을 지니며, 이러한 사회 구조가 개인과 가족 단위에까지 미치는 영향력을 분석할 수 있는 바, EAP 현장에서 옹호자, 서비스 중개자, 변화 촉진자, 상담자, 교육자 등 다양한 역할을 수행하고 있다.

(2) 산업의와 산업간호사

신체와 심리사회적 건강은 상호 관련이 깊기 때문에 의사나 간호사 등 보건의료직군의 역할은 매우 중요하다. 이들은 알코올중독이나 기타 질환의 초기 및 중간 단계 증상을 민감하게 파악할 수 있다. 또한 산업현장에서 발생하는 스트레스와 다른 심리사회적 조건들에 대해 잘 알고 있으므로 예방 의학 및 EAP에서 광범위한 역할을 수행할 수 있다. 특히 구미나 중국, 인도 등에서 최근 확대되고 있는 건강증진 · 웰니스 프로그램에서는 일차진료와 건강증진사업을 담당하는 의사와 간호사의 역할이 크다.

독일이나 일본처럼 산업보건체계가 잘 되어 있는 나라에서는 잘 훈련된 산업의와 산업간호사 인력이 사업장에 풍부하므로 EAP에서 중요한 역할을 담당하고 있다. 산업의는 사업장 내 의료문제의 책임자로서 치료와 건강검진, 기업의 산업보건과 환경안전 문제에 대한 관리자로서 역할을 수행한다. 근로자의 건강문제에 직접적으로 개입할 뿐 아니라, 해당 부처와 근로자에게 업무복귀와 적절한 관리방안에 대해 자문을 실시한다. 보건관리자로서 현장에서 일하는 산업간호사는 건강문제가 있는 근로자와 가장 먼저 자주 접촉하므로 라포 형성이 잘 된다. 우울증이나 불면증 등 흔한 스트레스성 질환을 조기에 파악하고, 각종 생활습관병의 악화 및 재발 등 직무에 영향을 미치는 건강문제를 근로자가 잘 관리하도록 도울 수 있다. 자살예방 사업이나 직무스트레스 관리에도 적절한 역할을 수행할 수 있기 때문에 EAP의 원칙과 서비스 체계를 잘 숙지하는 것이 바람직하다. 한국처럼 간호 인력이 우수한 곳에서는 향후 EAP와 웰니스 프로그램의 발전에 중추적인 역할을 담당할 수 있을 것으로 전망된다.

(3) 심리학자 및 상담사

심리학자는 전통적으로 개인의 심리적 고충을 평가하고 상담과 심리분석을 제공해 왔다. EAP 분야에서는 정서적 문제와 대인관계 문제 등에서 그 역할이 강조되고 있다.

산업심리나 조직심리학의 배경이 있는 심리학 전공자는 EAP의 제작과 실행, 개인 및 조직 평가에 기여할 수 있다. 또한 조직의 수요에 맞추어 프로그램을 디자인하고, 근로자와 관리자 교육을 시행하며, 직무분석을 통하여 업무수행을 평가할 수 있다. 임상심리학이나 상담심리학 전공자는 스트레스나 대인관계 갈등 등 근로자가 경험하는 임상적 문제에 대한 상담과 교육훈련 프로그램을 수행하고, 조직에서 시행되고 있는 EAP 서비스에 대한 임상적 평가를 담당할 수 있다.

상담학은 나라마다 교육과정이 상이한데, 학부에서 심리학, 교육학,

아동학, 사회복지학 등 인접 학문을 전공한 후 상담(심리)학 분야의 석사 및 박사학위 과정에 진학하는 경우가 많다. 미국과 영국에서는 부부가족치료사(marriage and family therapist)가 근로자의 가정문제 상담자로서 EAP 분야에 많이 종사한다. 기존 교육수련 과정에서는 주로 내담자에 대한 개인상담을 기본으로 하기 때문에 조직환경에 대한 통합적 접근과 개입, 지역사회자원 개발 및 전문기관으로의 연계 및 의뢰 등에 대한 경험이 필요하다. 최근 직장인 상담에 대한 수요가 늘어나면서 이에 대한 교육 훈련 기회도 늘어나고 있다.

(4) 정신건강의학과 전문의

정신건강의학과 전문의는 근로자의 정신건강에 영향을 미치는 상실의 경험이나 위협 요소를 예방하고 치료한다. 정신건강 문제는 복합적 요인에 의해 다양한 양상으로 발생하는 경우가 많기 때문에 조기에 정확한 진단을 실행하는 것이 매우 중요하다. 정신건강의학과 전문의는 우울증, 불안, 외상후스트레스 장애, 약물남용이나 알코올중독 등 전통적인 정신건강 문제에 대해 진단과 치료, 의학적 자문을 실행한다. 위기관리 및 위기중재에 투입된 인력에게 의학적 내용을 교육훈련하거나, 스트레스관리 프로그램과 관련 교육을 직접 시행하기도 한다.

정신건강의학과 전문의도 기존 교육수련 과정에서는 개별 환자에 대한 진료를 위주로 수련을 받으므로 EAP 제공자로서 활동하기 위해서는 조직 환경에 대한 지식과 경험을 겸비하여 관리자와 소통할 수 있는 수준에 이르도록 한다. 이를 통해 해당 근로자의 업무 수행과 업무 조정, 업무 복귀에 관련한 자문을 제공하고, 인사나 보건부서 담당자에게 의학적 소견을 전달하고 자문하는 역할을 수행한다.

4. 전문성 인증 및 윤리성 확보

EAP가 널리 확산되기 위해서는 전문성 및 윤리성의 확보가 매우 중요하다. EAP 제공자의 전문성을 확인하고, 그 활동과정에서 윤리적인 가이드라인을 제시하고자 EAPA에서는 전문가 인증과 관련한 기준을 마련하고 윤리적 규범을 제시하고 있다.

1) 전문가 인증 및 자격

공인 근로자지원전문가 자격은 양질의 근로자지원 서비스를 보장하고 전문적인 행동 규범을 담보하기 위해 1986년 미국에서 만들어졌다. CEAP는 EAP 분야에서 국제적으로 공인된 유일한 자격이며, 기업주와 인사담당자, 관련 전문가에게 근로자지원의 핵심적 요건으로서 인식되고 있다.

근로자지원 자격위원회(Employee Assistance Certification Commission: EACC)는 공인된 근로자지원전문가 프로그램을 독립적으로 운영하기 위해 근로자지원전문가협회가 설치한 자격증명 기관이다. EACC에서 공인한 전문가 자격 기준을 정리하면 다음과 같다.

(1) 공인 근로자지원전문가 자격의 취득

공인 근로자지원전문가 자격을 획득하기 위해서는 관련 자격시험을 통과해야 한다. EAP 관련 분야에서 졸업학위를 취득했는지 여부에 따라 시험에 대한 자격요건은 다음과 같이 나뉘진다.

① EAP 관련 분야의 졸업학위가 없는 경우

- 업무 경험 : EAP 분야에서 최소 2년 이상, 급여를 받으며 일한 시간이 최소 3,000시간 이상 되어야 하며, 문서로 입증되어야 한다.
- 연속 교육 : 지정된 영역에서 최소 60시간의 EACC에서 승인한 연속 교육시간인 전문개발시간(Professional Development Hour: PDH)을 확보해야 한다. PDH는 Domain I-10PDHs, Domain II-20PDHs, Domain III-30PDHs로 구성되어 있다.
- 상담(멘토링) : 공인 근로자지원전문가 어드바이저와 함께 최소 6개월 이상(최소 24시간) 상담하면서 공인된 경력을 쌓아야 한다.

② EAP 관련 분야의 졸업학위가 있는 경우

- 업무 경험 : EAP 분야에서 최소 2년 이상 급여를 받으며 고용된 시간이 최소 2,000시간 이상 되어야 하며, 문서로서 입증되어야 한다.
- 연속 교육 : 지정된 영역에서 최소 15시간의 전문개발시간을 가져야 한다. 각 Domain의 PDH는 I-2PDHs, II-5PDHs, III-8PDHs로 구성되어 있다.[14]
- 상담(멘토링) : 공인 근로자지원전문가 어드바이저와 최소 6개월 이상(최소 24시간) 상담하면서 공인된 경력을 쌓아야 한다.

2) 근로자지원 전문가협회의 윤리규범

근로자지원 전문가협회의 윤리규범(EAPA Code of Ethics)은 1997년 10월 6일 승인된 후, 2001년 6월 개정에 이어 2002년 10월 2차 개정이 이루어졌다. 이 윤리규범은 역사적 경험에서 비롯된 중요한 행동기준과 기본적인 목표 및 자명한 가치에 근거를 둔다. 본 규범은 EAP 제

---

14) Domain I – EAP 디자인과 실행, 관리; Domain II – 조직에 대한 EAP 서비스; Domain III – 근로자와 가족에 대한 EAP 서비스

공자들이 고객의 이익을 위하여 높은 수준의 윤리적 행동을 행할 수 있도록 격려하기 위해 제정되었다. 윤리규범은 근로자, 고용주, 노동조합, 동료, 타분야 전문가, 지역사회, 그리고 사회 전반에서 이루어지는 활동과 각각의 관계에서 총괄적으로 적용된다.

(1) 전문적인 수행능력에 관한 윤리규범

EAP 제공자는 기업조직과 인적자원관리, EAP 정책과 행정, EAP 직접 서비스에 관하여 전문적 경험과 숙달된 지식을 가지고 있어야 한다. 치료방법이나 치료의 연속성에 대한 결정은 고객의 의사에 따라 이루어져야 한다.

EAP 서비스는 훈련이나 경험의 결과로 자격이 주어진 EAP 상담사만이 제공할 수 있다. 특히 EAP 상담사는 근로자의 약물남용문제와 정서와 관련된 문제를 다루는 데 있어서 유능해야 한다.

EAP 상담사는 그 전문성과 업무수행능력의 유지 및 강화를 위해 주어진 교육과 훈련 프로그램에 지속적으로 참여해야 하며, EAP 상담사의 개인적인 문제로 고객에게 제공되는 서비스의 양과 질이 훼손되거나 방해를 받아서는 안 된다. 그러므로 EAP 상담사는 정기적으로 자기관리교육에 참여해야 하며, 자기 자신에게 닥친 사건이나 문제를 잘 극복할 수 있도록 동료 상담사에게 도움을 받을 수 있어야 한다.

(2) 직업적 수행에 관한 윤리규범

모든 EAP 제공자는 그 서비스를 실행하는 과정에서 법과 윤리적 규범을 준수해야 한다. 근로자지원전문가협회에 회원으로 가입하기 이전 2년 이내, 또는 회원가입 기간 중 어느 때이든 다음에 해당되는 행위를 행하였다면, 해당 회원은 윤리규범을 위반한 것으로 간주된다.

① 직무와 관련한 경범이 유죄로 입증된 경우
② 중범에 대하여 유죄가 입증된 경우
③ 다른 전문 기관에 의해 추방되었거나 징계를 받은 경우
④ 면허나 증명서가 정지 또는 무효화 되었거나, 감독기관에 의해 처벌된 경우
⑤ 육체적 또는 정신적 손상으로 더 이상 업무를 수행할 수 없거나 약물남용자인 경우
⑥ 전문적 수행능력의 범주에서 벗어난 것으로 사정된 경우

(3) 비밀유지에 관한 윤리규범

적법한 법원의 명령이 주어졌거나 고객의 동의서가 확보된 경우가 아니라면, 모든 고객에 관한 정보는 비밀로 다루어져야 한다. 그러므로 사정과 의뢰, 치료, 사후관리 등이 진행되는 동안 고객에게 비밀보장에 관한 권리와 더불어 그 한계도 명확히 알려야 한다.

고객이나 다른 사람에게 심각한 신체적 상해나 위협이 될 것으로 예상되거나 법에서 요구하는 경우가 아니라면, 고객의 동의 없이 어떠한 정보도 밝혀서는 안 된다. 여기서 '고객'이란 개별 근로자와 업무조직 모두를 포함한다. 별도의 동의서가 없는 한, 조직 대상의 상담 내용도 비밀로서 취급되어야 한다.

(4) 이해 갈등에 관한 윤리규범

EAP 제공자는 고객의 관심사에 영향을 미쳐서 이해 갈등과 분란을 일으켜서는 안 된다. 즉 고객의 성향이나 재정적 문제, 여타 다양한 문제들이 EAP 제공자에게 자극받아 촉발되어서는 안 된다.

(5) 소비자 보호에 관한 윤리규범

EAP 제공자는 고객의 인종과 종교, 민족, 정치적 관계, 장애, 성별, 성적성향 등을 근거로 차별적인 발언이나 행동을 해서는 안 되며, EAP 관련 정책과 행정, 서비스에도 결코 영향을 미쳐서는 안 된다. 조사 연구를 수행할 경우, EAP 제공자는 연구 참여자의 권리와 복지를 존중하고 보호해야만 한다. 또한 고객을 특정 치료기관 또는 전문가에 의뢰할 때 금품을 제공하거나 받아서도 안 된다.

이외에도 EAP 제공자는 사후 서비스를 포함한 전체 서비스 과정에서 고객과 성적 관계가 있어서는 안 된다. 근로자지원전문가협회는 EAP 제공자가 고객을 만난 마지막 날짜에서 최소 5년 동안은 이 규범을 지켜야 한다고 규정한다. EAP 제공자는 고객과의 전문적인 관계를 손상시키는 어떠한 행위도 해서는 안 된다.

(6) EAP 사업에 대한 윤리규범

EAP 관련 사업을 전개하는 EAP 제공업체 역시 EAPA의 윤리규범을 준수하며 회사를 경영해야 한다. 서비스의 판매와 경쟁, 홍보, 고용과 고객 기록 보관 등 EAP 사업 전반에 걸쳐 윤리경영이 실천되어야 한다. 특히 신규 인력 채용에 있어서는 인종과 성별, 종교, 민족이나 정치적 관계, 장애 등을 이유로 차별하지 말아야 하며, 고용 및 근로와 관련한 국가의 정책과 법률을 준수해야 한다. 고객과 체결한 모든 서비스를 공정한 방법으로 제공해야 하며, 고객의 익명과 비밀을 보호해야만 한다. EAP 사업을 전개하면서 조직과 고객, 지역사회에 미칠 수 있는 결과에 대해 주의를 기울이고, EAP 제공자의 전문적 권위와 윤리적 책임이 손상되지 않도록 좋은 평판을 유지하려는 노력을 기울여야 한다.

(7) 공공 책임성에 관한 윤리규범

EAP 제공자는 고객에게 서비스를 제공하는 과정에서 지역사회의 여러 기관과 협력을 모색하기도 하고 경쟁을 벌이기도 한다. 어떠한 경우이건 여타 EAP 제공자나 관련 전문가를 모욕하거나 그 권위를 공개적으로 손상시켜서는 안 된다. 어떠한 방법으로든 허위나 과장 광고를 해서는 안 되며, 전문적인 자격과 능력도 거짓 없이 소개되어야 한다.

(8) 전자 통신 및 기록 유지에 관한 윤리규범

EAP 제공자는 컴퓨터를 사용하거나 전자 메일, 팩스, 전화, 자동응답기 등으로 다른 동료나 전문가와 커뮤니케이션 할 때, 고객 관련 정보나 서비스 내용이 유출되지 않도록 전자통신 상의 안전에 유의해야 한다. EAP 제공자는 프라이버시나 비밀보장에 관한 모든 법률과 규칙을 준수할 의무가 있다.

5. 한국의 인력양성 및 전문서 인증

우리나라의 EAP 전문가 양성과 인증과정은 EAP를 제공하는 서비스 기관들이 개별적으로 진행하고 있다. 2008년도 (사)한국EAP협회가 처음으로 'EAP 전문가' 명칭으로 직업능력개발원 민간자격증 과정으로 등록한 이후, 2016년 6월까지 총 10개의 EAP 관련 자격증이 한국직업능력개발원(www.pqi.or.kr)에 등록되어 있다. 등록한 기관이 자체적으로 운영하고 있으므로 각 자격과정마다 교육 대상과 내용이 상이하고, 자격증의 명칭도 'EAP 전문가', 'EAP 상담사', 'EAP 기업상담사', 'EAP 전문상담사' 등 다양하다.

이렇게 다양한 자격과정이 실제로 내실 있게 운영되는지, 얼마나 많은 취득자가 배출되었는지는 확인하기 어렵다. 2016년에 민간자격정보 검색에서는 자격증의 실제 취득현황을 각 기관이 일정 기간 내에 게시하도록 안내하였는데, 게시한 내용은 2개 기관에 그치고 있다. 게시된 정보에서는 자격증 운영 현황을 2011년부터 2015년까지의 운영 내용으로 제한하고 있고, 해당 기관에서 등록하지 않은 내용은 파악하기 어렵기 때문에 실제로는 더 많은 기관에서 자격증을 운영할 가능성은 있다. 하지만 이 점을 고려하더라도 EAP 관련 자격과정 중 실제로 활발하게 운영되는 것은 많지 않을 것으로 보인다.

(사)한국EAP협회의 'EAP 전문가' 자격과정은 관련 자격과정 중에서 제일 먼저 등록하였고 비교적 활발히 운영되고 있다. (사)한국EAP협회는 'EAP 전문가' 자격을 1급과 2급, 플래너 과정의 세 가지로 분류하였다. 첫째, EAP 플래너는 조직 내에서 EAP를 도입하고 진행하는 업무 담당자 및 관련자를 위해 마련한 과정이다. 플래너 자격과정을 이수할 수 있는 대상은 전공 영역에 제한을 두지 않고 있다. 조직에서 EAP 담당자는 인사 및 교육 부서, 안전보건, 교육, 복지, 노사관계, 기획 등 다양한 부서에서 수행할 수 있고, EAP 업무 전후에 다양한 다른 업무를 수행하기도 하기 때문이다. 둘째, EAP 전문가 2급 자격과정의 운영은 EAP 심리 상담을 수행할 수 있는 전문 인력의 양성에 초점을 두고 있다. EAP 2급 자격증을 취득하기 위해서는 상담심리와 관련한 자격사항을 이미 갖추고 있거나 그와 유사한 자격을 갖추고 있어야 한다. 셋째, EAP 전문가 1급 자격과정은 EAP 전문가 2급 상담사를 배출하기 위하여 슈퍼비전을 제공할 수 있는 능력을 갖춘 전문가를 배출하는데 초점을 둔다. 자세한 내용은 〈부록〉에 수록하였다.

최근 직장인들의 정신건강과 심리지원에 대한 관심이 높아지고 있고, 그 수요와 내용도 급속히 변화 발전하고 있다. EAP도 다양한 방식과 내용이 모색되고 있다. 하지만 가장 중요한 본질은 역시 질적으로 우수한 상담과 교육, 심리 관련 서비스를 제공하는 데에 있다. 기존의 정신건강 분야에서 전문적인 능력을 갖추고 있다고 할지라도 조직 및 기업 환경의 특수성과 그 안에서 이루어지는 상담의 과정을 이해하지 않고서는 질 높은 EAP 서비스를 제공하기 어려울 것이다. 따라서 EAP 전문가 자격과정은 EAP 서비스의 질적 향상을 도모하기 위해서 확대되어야 할 것이다.

이웃한 일본에서는 EAPA와 연계하여 정식으로 CEAP 과정을 유치하고 시험문제를 번역하여 그대로 시행하는 등 전문가 자격을 엄격히 관리하고 있다. 중국 역시 최근 이 CEAP 과정을 도입하였다. 현재 한국의 실정에서 EAP 전문가가 되고자 희망하는 이들은 여러 가지 자격과정을 꼼꼼히 살펴보고, 그 중에서 운영 기관이 신뢰롭고 내용이 우수한 과정을 잘 선택해서 자신의 역량을 향상시키는 수밖에 없다. 미래에는 통합적인 자격과정이 만들거나 EAPA와 같은 세계적으로 공신력 있는 기관과 연계하여 자격 관리를 엄격하게 할 수 있기를 기대한다.

생각거리

1. EAP 제공자의 핵심 업무를 이해한다.
2. EAPA에서 제시한 EAP 핵심기술을 숙지한다.
3. 전통적인 상담자 역할과 EAP 사례관리자로서의 역할의 차이점을 생각해본다.
4. 근로자지원전문가협회 윤리 규범을 숙지한다.

효과적 이용

근로자 스스로 직무수행을 저해하는 문제를 인식하고 이를 해결하고자 스스로 EAP를 내방하는 경우도 있다. 하지만 주변 동료의 추천이나 관리자의 권유를 받고 EAP를 찾는 경우도 있다. 근로자들이 다양한 경로로 EAP에 의뢰될 수 있는 체계가 있어야 많은 근로자들이 효과적으로 EAP를 이용할 수 있다. 이번 장에서는 문제를 가진 근로자가 EAP에 의뢰되는 과정을 소개하고, 이 과정 속에서 요구되어지는 관리자의 역할과 관련 교육 및 훈련의 필요성을 Myers(1984), Lewis와 Lewis(1986), 우종민·최수찬(2008)의 내용을 직·간접 인용하여 재구성하였다.

1. 의뢰의 형태

1) 자가 의뢰

자가 의뢰(self-referral) 또는 자발적 의뢰는 근로자나 가족들이 상담사나 EAP 기관에 스스로 직접 연락하는 경우를 의미한다. 직접 접근(direct access)라고도 한다. 이 경우에 해당되는 근로자나 가족들은 프로그램 홍보나 다른 사람의 소개를 통하여 EAP에 대해 들었을 것이다. 자가 의뢰한 사람들은 자신이 어떤 문제가 있고, 어떤 도움이 필요하다는 것을 인식한다. 그래서 EAP 상담사와 쉽게 만날 수 있다. 자가 의뢰는 EAP 의뢰 유형 중 가장 일반적인 형태이다.

2) 관리자 의뢰

상담의 필요성을 느끼지 못하거나 상담에 대해 잘 알지 못하고 있는 근로자는 관리자, 조합대표자, 동료의 소개에 의해 상담자를 찾아오게 된다. 타인에 의한 의뢰는 간과했던 스스로의 문제를 돌아보고 EAP로 새로운 기회를 모색할 수 있는 계기가 된다. 가장 대표적인 관리자 의뢰 또는 감독자 의뢰(managerial/supervisory referral)는 근로자의 재생산성이 관리자(감독자)의 지시나 조언으로 개선되지 않은 경우, 근로자 상태를 정확히 사정하고 적절한 방법으로 문제 해결을 도모하도록 진행한다.

관리자 의뢰를 직무수행 의뢰라고도 부른다. 그 이유는 직무 수행에만 초점을 맞추기 때문이다. 직무 수행에 문제가 없다면 관리자는 근로자의 개인적 이슈에 대해 알 필요도 없고 관여할 이유도 없다. 잘못 관여하면 감정이 개입되어 근로자와 갈등관계가 될 수 있기 때문이다. 하지만 직무 수행에 문제가 있으면 관리자로서 책임이 발생하기 때문에 관심을 가질 수밖에 없게 되는 것이며, 이에 대한 해결 방안 중 하나로 EAP를 고려하고 안내하는 것이다.

관리자는 섣불리 개인 문제에 대해 진단적인 판단을 하면 안 된다. 관리자는 진단이나 치료의 전문가가 아니다. 설령 관리자에게 상담사 자격증이 있더라도, 직장 내에서는 관리자와 직원의 관계이지 상담사와 내담자의 관계가 아니다.

해당 직원과 면담과정에서 관리자는 조직에서 직원에게 기대하는 업무 목표가 무엇이고, 그것과 실제 업무 수행 간에 어떤 차이가 있음을 알린다. 그리고 업무 수행을 어디까지 회복하는 것이 목표라는 점을 명확하게 밝힌다. 관리자는 처음부터 끝까지 직무수행에 초점을 맞추며 비밀을 엄수한다.

관리자 의뢰에는 비공식적 의뢰와 공식적 의뢰가 있다.

① 비공식적 의뢰

비공식적(informal) 의뢰는 근로자가 직무수행에 영향을 줄 수 있는 개인적 이슈로 고민하는 경우이다. 관리자가 권유를 하지만, 실제 이용을 결정하고 EAP에 연락하는 것은 해당 근로자 본인이다. 이 점은 자가 의뢰와 유사하다. 비공식적 관리자 의뢰에 해당하는 상황은 다음과 같다.

- 직원이 심한 부부갈등을 겪고 있고 이혼을 고려하고 있음을 막 알게 되었는데, 이것이 지난 수개월간 감정기복을 보였던 원인이라고 생각이 드는 경우
- 혼자 자녀를 키우는 여직원이 사춘기 아들을 어떻게 대해야 할지 갈피를 잡지 못하고 너무 힘들어 하는 나머지 정신적 · 신체적 건강에도 문제가 생길 것 같은 경우
- 직원이 최근 어머니 사망 이후 상실의 고통으로 너무 힘들어하는 경우
- 일도 잘 하고 다른 면은 다 좋은데, 업무 스트레스 때문에 참지 못하고 다른 동료들에게 짜증을 자꾸 내며 이것이 조절이 되지 않는 경우

이런 경우에는 해당 근로자에게 염려되는 점을 조심스럽게 비(非)판단적인 태도로 말하고, EAP가 도움이 될 수 있음을 알린다. 관리자는 근로자에게 EAP를 이용해서 얻을 수 있다고 예상하는 장점을 알려주고, 전화번호가 적힌 EAP 안내문이나 사내전산망의 게시문 등을 알려준다. 다만 실제 이용하는 것은 전적으로 본인의 자유이며, 비밀은 엄

수됨을 알려준다. EAP 제공자(상담사나 코디네이터 등)는 해당 직원의 EAP 이용 여부를 알려주지 않는다. 해당 직원이 정보 공개를 요청하거나 동의하지 않는 이상, 면담에서 나온 어떤 정보도 관리자에게 알리지 않는다.

② 공식적 의뢰

공식적 의뢰는 직원이 EAP를 꼭 이용하도록 요구되는 경우이다. 이는 근로자가 자신에게 또는 다른 사람들에게 어떤 문제가 있음을 부인할 때 잘 사용된다. 이러한 부인은 알코올중독이나 기타 중독문제가 있는 경우에 흔하다. 이 과정에서도 근로자의 문제행동에 대한 정보는 보호받을 권리가 있으므로 제한된 범위에서만 정보가 공유된다. 이에 해당하는 사례는 다음과 같다.

- 직원의 행동이 그 자신의 또는 다른 직원의 업무 수행을 현저하게 저해하는 경우
- 업무 수행에 문제가 있는데, 이것이 계속되면 처벌이나 징계가 예상되는 경우
- 직원에게 알코올이나 약물관련 문제가 있는 경우
- 음주운전으로 법적 문제를 겪거나, 업무 중 음주로 사고가 발생하거나 업무 수행에 문제가 된 경우(관리자는 그것이 업무 수행에 미치는 영향을 기재해야 함)

위와 같은 경우, 관리자가 근로자와 만날 때는 문제가 된 행동과 그 행동이 직장과 업무 성과에 영향을 미친 점, 그리고 그러한 행동을 개선하지 못했을 때 예상되는 결과에 초점을 맞춘다. 가령 업무수행 개선 계획을 함께 수립하여 명확하게 기대치와 달성 시간 계획을 제시한다.

업무수행 개선 계획의 일환으로서 EAP에 연락하기를 기대하고 있으며, EAP 의뢰의 목적은 직원의 경력에 오점이 남지 않도록 돕기 위한 것이고 좋은 의도임을 알린다. 또한 당사자가 EAP 상담을 받았고 EAP에서 권유한 치료계획을 따르고 있는지 피드백을 받기를 원한다고 직원에게 알린다.

공식적 의뢰에서는 관리자가 EAP 제공자나 상담사에게 먼저 연락해서 해당 근로자의 문제를 논의하고, 해당 근로자가 연락할 것임을 알린다. EAP 상담사는 관리자와 회사가 직무 수행에 대해 우려하는 점을 명확하게 이해하고 상담에 임할 수 있다.

상담사와 근로자 사이의 자세한 상담 내용은 비밀을 지키고 관리자와 공유하지 않는다. 다만 상담받은 사실과 권유사항에 대해서는 피드백을 받을 수 있도록 EAP에서는 근로자의 동의서를 받는다(근로자가 동의하지 않으면, 공식적 의뢰는 성립되지 않는다). 공식적 의뢰는 이후 일정 기간 사례 관리를 시행한다. 결과는 관리자에게 통보할 수 있다.

③ 강제적 의뢰

강제적 의뢰는 관리자가 선택한 가장 최후의 수단이다. 일반적으로는 공문 형태로 이루어지며, 치명적인 과실로 인해 중징계가 예상될 때 사용된다. 상담사는 기본적으로 지속적인 고용 상태를 가정하고 서비스를 제공하게 되는데 근로자가 참여 자체를 거부할 경우 일반적인 징계 절차가 진행된다.

3) 동료 의뢰

동료 의뢰는 감독자 없이 대부분의 시간을 보내는 사업장에서 가장 빈번하다. 불량한 직무수행을 관찰할 감독자가 없는 경우라는 점에서 직무수행 의뢰와 차이가 있다. 감독자가 없는 상황에서 근로자의 직무수행이 제대로 이루어지지 않을 때 동료들이 EAP를 찾아보도록 권유하게 된다. 이 형태의 의뢰는 직무수행 의뢰처럼 징계의 위협을 초래하지 않는다. 이러한 동료들의 관심과 권유는 EAP에 적극적으로 참여하도록 하는 강력한 동기부여가 될 수 있다.

2. 의뢰를 높이는 방법

1) 관리자 의뢰

관리 또는 감독의 책임을 가지고 있는 직원은 직무수행 문제에 대한 사례 발견자의 역할을 한다. 관리자는 직무 수행 과정에서 발생하는 근로자의 문제와 직무 성과에 대한 자료를 수집한다. 연차 휴가와 병가, 인사 고과를 검토하고, 근로자와 관련 문제에 대한 면담을 시도한다.

그 결과를 분석함으로써 문제가 직무 환경에서 비롯된 것인지, 아니면 근로자의 개인적인 취약성에 의한 것인지 판별한다. 전자의 경우라면 장애물을 제거하는 조치를 취한다. 후자의 경우라면, 직무수행 문제를 해결하기 위해 해당 근로자에게 EAP 서비스가 필요한 경우로 판단하여 EAP 이용을 권고하고 의뢰한다. 흔히 관찰되는 직무수행 상의 문제행동은 다음과 같다.

- 평소와 다른 출근 패턴(예: 무단결근)을 보인다.
- 지각이나 조퇴가 잦아진다.

- 사고나 재해가 증가한다.
- 이전에 짧은 시간 동안에도 가능했던 일에 시간이 걸린다.
- 이전에 정확하게 했던 일에 실수가 생긴다.
- 일상적이고 평범한 일을 어려워한다.
- 뚜렷한 이유가 없이 일의 능률이 좋았다가 나빴다가 한다.
- 거래처나 고객에게 많은 불만이 접수된다.
- 동료와 빈번하게 충돌한다.
- 정해진 기간 내에 작업을 완성하지 못하거나 보통 수준의 목표도 달성하지 못한다.

관리자는 평소 업무성과가 좋았던 근로자가 최근 그 성적이 떨어진 원인과 변화 정도를 잘 파악해야 한다. 직무수행상의 문제를 발견했을 때 관리자는 근로자와 문제에 관해 이야기하고, 이 후 근로자의 업무에 개선이 보이지 않으면 규정대로 징계를 받을 수 있다는 경고를 준다. 이와 함께 근로자에게 EAP 서비스를 받는 것도 가능하다는 선택권을 준다. 만약 근로자가 EAP 서비스를 받기로 결정했다면, 지금까지 논의는 기록으로 남기지 않는다. 다만 직무성과와 관련이 있다고 판단되는 기왕력에 대한 자료는 EAP로 의뢰할 때 함께 송부할 수 있다.

EAP 서비스를 받는다고 해서 근로자가 저하된 직무 수행을 계속해도 좋다는 의미는 아니다. 이러한 접근의 배경에는 곤란을 겪고 있는 근로자가 EAP 서비스를 받음으로써 업무수행 능력이 향상될 수 있다는 믿음이 존재한다.

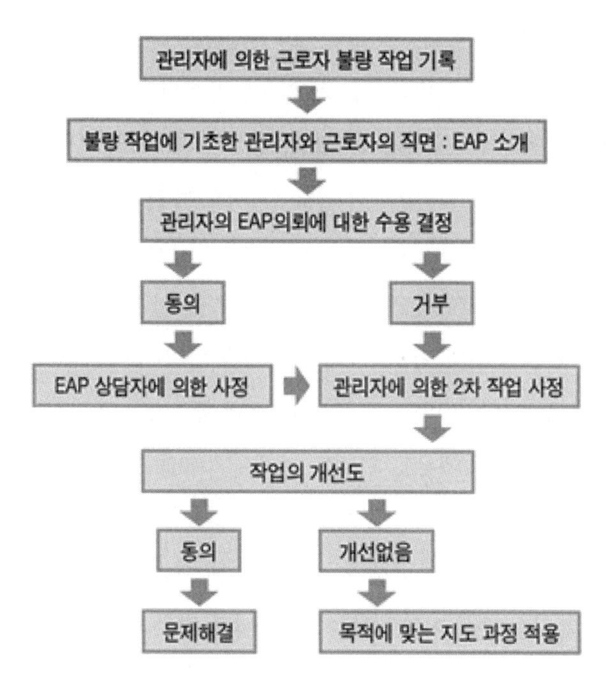

〈그림 10〉 관리자에 의한 의뢰 과정
자료: Lewis & Lewis(1986). Counseling Programs for Employees in the Workplace. Monterey, CA: Brooks/cole Pub.

근로자의 알코올 문제를 다루는 상담사는 음주문제를 외면하고 덮어두려는 가족과 적극적으로 치료를 독려하는 가족의 양극단을 목격한다. 사업장에도 근로자의 음주문제를 못 본체하고 방치하는 관리자와 이를 직면하려는 관리자가 존재한다. 전자의 관리자가 문제행동을 숨기려는 이유는 이것을 다루는 것에 자신이 없거나 문제의 심각성을 전혀 인식하지 못하기 때문이다. 때로는 그 사람을 실직시키고 싶지 않아서 외면할 수도 있다.

물론 개인의 프라이버시를 지켜준다는 것은 미덕일 수 있다. 그러나 사업장에서 알코올중독자나 약물중독자가 은폐되거나 위장된 행동이 허락된다면, 이는 단순히 개인의 프라이버시를 존중하거나 친구의 실수를 감싸주는 것과는 전혀 다른 차원의 문제이다. 이러한 행동은 문제 근로자의 건강과 행복을 훼손하고, 가족을 해체시키며, 사업장에도 돌이킬 수 없는 손실을 초래할 수 있다. 문제를 발견하고 직면하는 것은 관리자가 근로자에게 해 줄 수 있는 일종의 배려이다. 실제 사례를 경험해 보면, 문제를 직면하고 해결책을 모색한 관리자가 그 직원을 훨씬 더 배려한 것임을 금방 알 수 있다. 누구에게나 직장이 주는 의미는 매우 크기 때문에 관리자에 의한 직면은 문제 음주자가 치료를 시작하는 계기가 된다. 상사의 권유로 의뢰된 문제 음주자들은 다른 과정을 통해서 의뢰된 경우보다 실제로 그 예후가 더 좋다.

직장에서 첫 번째로 근로자와 문제에 대해 논의하고 본인의 문제를 직시하도록 하는 것은 EAP 상담사가 아니라 업무 현장의 관리자이다. 직무수행을 기준으로 문제 근로자를 EAP로 의뢰하는 것은 관리자에게 쉽지 않은 일이다. 따라서 성공적인 EAP 의뢰를 위해서는 관리 · 감독자 대상의 지속적인 교육과 훈련이 요구된다.

2) 노동조합의 역할

조합의 대표는 EAP 소개 및 의뢰 과정에서 중요한 역할을 수행할 수 있다. EAP 의뢰의 목적은 관리자와 근로자의 걱정을 동시에 덜어주는 것이기 때문에 노사 모두의 협력 과정이 필요하다(Lewis & Lewis, 1986).

노조 관계자는 EAP 의뢰에 아주 적극적인 역할을 담당한다. 근로자의 해고를 고려할 만한 충분한 근거와 기록이 존재하더라도, 노조 측에서는 해고 이외의 방법을 모색하려는 경향이 있기 때문이다. 일례로 어떤 공장의 근로자가 무단결근을 반복하면서 경고를 받았고, 이후 정직을 권고 받았다. 관리자는 해고 사유가 되는 자료를 충분히 갖고 있었지만, 노조 측에서는 해당 근로자에게 마지막 기회를 줄 것을 제안하였다. 그 제안은 바로 EAP 서비스를 받도록 하는 것이었다. 이에 노동조합 대표, 관리자, 인사담당자가 동석한 자리에서 근로자와의 면담이 시도되었고, 해당 근로자는 EAP 상담을 받는데 동의하였다. 이후 근로자는 자신의 문제를 통제하는 데 성공하였고, 실직이라는 파국을 막을 수 있었다.

이 경우 EAP가 노동조합과 관리자의 신뢰와 지지를 얻지 못했다면, EAP를 통한 문제 해결은 고려의 대상조차 되지 못했을 것이다. 노동조합은 EAP의 성공적 운영에 중요한 파트너이다. 노조관계자도 관리자처럼 EAP에 대해 충분히 이해하고, 의뢰가 필요한 경우 성공적으로 실행할 수 있도록 구체적인 절차를 습득하여야 한다.

3. 관리자 훈련

성공적인 의뢰는 근로자의 행동이나 업무성과의 변화를 정확하게 감지해내는 것에서부터 시작한다. 관리자는 근로자의 업무성과를 객관적으로 평가하고, 이를 정확하게 기록하면서 그 추이를 분석할 수 있어야 한다. 근로자 개개인의 성과를 사정하고 상황에 개입하기 위해 문제 근로자를 확인하고, EAP 서비스와 관련된 모든 과정을 체계화시키는 것이 중요하다.

관리자에 대한 교육과 훈련의 목적은 문제 상황에 대한 관리자의 정신적 부담을 덜고, 효과적으로 관리업무를 할 수 있도록 돕기 위한 것이다. 관련 지식과 경험을 전달하고 습득시키는 것과 함께 관리자 자신을 지원해 줄 수 있는 전문 조직이 바로 곁에 있다는 점을 인식시키는 것이다. EAP 의뢰에 대한 부담을 최소화하는 것도 매우 중요하다.

관리자들에 대한 오리엔테이션 세미나는 EAP의 주요 구성 요소 중 하나이다. 교육 내용은 주로 '누구를 위해 무엇을 제공할 수 있는가', '왜 회사가 이러한 프로그램을 가지고 있어야 하는가', 'EAP는 관리 수단으로써 어떻게 활용될 수 있는가', '문제를 겪는 근로자를 어떻게 도울 수 있는가'에 대한 답을 찾는 과정이다.

세미나에서는 관리자의 참여를 유도하고 문제 근로자와 직면하는 상황을 이해하기 위해 종종 역할극을 활용하기도 한다. 이러한 역할극은 문제를 가진 근로자들을 만났을 때 실제 대처 요령을 습득하는데 일조할 수 있다. 또한 역할극은 관리자들에게 프로그램의 전문성을 보여주는 기회가 되어 문제를 가진 근로자들을 만났을 때 프로그램에 의뢰할 수 있는 신뢰감을 주게 된다.

생각거리

1. 동료 근로자에게 EAP 서비스를 이용하도록 권유한다면, 무엇을 강조하겠는가?
2. EAP가 관리자에게 도움이 되는 이유와 관리자가 이를 효과적으로 활용하는 방법을 논의한다.
3. 경영진이나 관리자, 노동조합이 EAP 이용을 잘 할 수 있는 방안을 생각한다.

제 11 장

정신건강과 EAP

인간의 행동은 뇌에서 관장한다. 뇌의 건강이 곧 정신의 건강이다. 여기에 문제가 생기면 집중력이 저하되고 심리적으로 불안정해지며 위험 행동이 발생하여 직무 수행에도 큰 영향을 미친다. 하지만 정신건강에 대한 편견과 장벽이 온존한 조직문화에서는 적절한 예방과 관리를 시행하기 어려웠다. EAP는 과거 개인적 영역으로 치부되었던 정신건강 문제에 대해 조직 차원에서 합리적으로 대처하는 방안 중 하나이다. 이 장에서는 현대사회에서 증가하는 정신건강문제 및 정신질환의 현황을 살펴보고, 이것이 기업과 근로자에게 미치는 영향을 분석해 본다. 이를 위해 우종민·최수찬(2008)의 내용을 직·간접 인용하여 재구성하고, 최근의 현황을 대폭 강화하여 EAP 도입을 통한 효과적인 관리방안을 논의하였다.

1. 정신건강의 현황

1) 정신질환의 유병율과 질병부담

정신질환은 세계적으로 흔한 건강문제이다. 세계 63개국의 설문조사를 종합한 2014년 연구 결과, 성인에서 흔한 정신질환 평생유병율[15]은 29.2%였고, 1년 유병율[16]은 17.6%였다. 즉 성인 5명 중 한 명은 지난 1년간 정신질환을 경험한 적이 있었다(Steel et al., 2014). 소득수준이 높은 국가와 낮은 나라 모두에서 여성이 남성보다 기분장애(여: 7.3%, 남: 4.0%)와 불안장애(여: 8.7%, 남: 4.3%)를 더 자주 경험했고, 남성은 알

15) 지금까지 평생동안 한 번 이상 정신질환에 걸린 적이 있는 사람의 비율
16) 최근 1년간 한 번 이상 정신질환에 걸린 적이 있는 사람의 비율

코올이나 기타 약물사용장애(여: 2.0%, 남: 7.5%)를 더 자주 경험했다.

건강 수명과 사회경제적 질병부담에도 정신질환은 큰 비중을 차지한다. 세계 10대 장애요인에서 우울증과 알코올 남용, 조울증, 정신분열병, 강박장애 등 정신질환이 절반을 차지한다. 2001년 세계보건기구(WHO)는 전 세계 인구 4명 중 한 명이 평생 한 번 이상 정신질환이나 신경질환을 경험할 것으로 보고했고, 이 중 우울증은 세계 질병부담의 4번째 원인인데, 2020년에는 허혈성 심장질환에 이어서 2위를 차지할 것으로 예상했다(WHO, 2001). Walker 등(2015)은 정신질환이 전인구의 사망원인 중 14.3%를 차지하고, 매년 8백만 명의 사망에 관련된다고 보고하였다. 정신질환은 장애보정수명(Disability-Adjusted Life-Years: DALYs)[17]으로 추산하는 질병부담 중, 조기사망에 따른 손실수명년수(Years of Life Lost: YLL)는 적은 반면, 장애를 안고 살아가야 하는 장애생활년수(Years Lived with Disability: YLD)가 길다. 정신건강문제의 질병부담은 통계에서 자살이 제외되고, 통증과 스트레스성 신체질환, 성격장애도 제외되는 등 과소평가되는 경향이 있다. 하지만 이를 감안해도 정신질환은 전체 장애생활년수의 30% 이상을 차지하는 압도적 1위이고, 장애보정수명도 전체 질병부담의 13%로서 심혈관 및 순환기질환과 비슷한 수준이다(Vigo et al., 2016).

세계보건기구는 1990년부터 2013년까지 우울증과 불안장애로 고생하는 사람이 4억 1600만 명에서 6억 1500만 명으로 늘어 세계 인구의 10%에 이르며, 정신장애는 치명적이지 않은 질병의 30%를 차지하고 있다고 밝혔다. 긴급 상황이 발생할 경우, 5명 중 1명은 우울증과 불안장애를 겪는 것으로 추정했다. 우울증 · 불안장애가 매년 1조 달러(약

17) 한 사람이 건강한 생활을 잃어버린 년수를 도입한 측정법

1200조 원)의 경제적 부담을 주고 있는 것으로 나타났다(Chisholm et al., 2016).

Chisholm 등(2016)은 36개국을 대상으로 2030년까지 15년간 정신질환에 대한 치료비용과 기대효과를 계산하였다. 그 결과, 정신질환 상담과 항우울제 치료 등에 1470억 달러가 소요되지만, 노동시장 참여 인력과 생산성 향상으로 3990억 달러의 경제적 효과가 있고, 건강증진의 효과도 3100억 달러에 달할 것으로 전망했다. 우울과 불안 치료를 발전시키면 아주 보수적으로 계산해도 4배 이상의 경제적 이익이 돌아온다는 것이다. 노동력과 생산성 손실은 세계경제에 악영향을 주고 기업과 조직의 발전을 저해한다. 따라서 높은 기대효과가 입증된 정신건강 향상에 더 많은 재정을 투입하는 것은 합리적 선택이다.

2) 한국의 정신질환 현황

보건복지부에서 5년마다 성인을 대상으로 정신질환실태 역학조사를 실시하는데, 2011년 조사에서 정신질환의 평생유병율은 27.6%(남 31.7%, 여 23.4%)로서, 성인인구 4명 중 1명 이상이 평생 한 번 이상 정신건강문제를 경험하고 있는것으로 나타났다. 이 중 알코올과 니코틴 사용장애를 제외한 정신질환의 평생유병율은 14.4%(남 9.2%, 여 19.5%)로서 2006년 12.6%에 비해 증가하였다.

일년유병율(지난 1년간 한 가지 이상의 정신질환에 한 번 이상 이환된 적이 있는 비율)은 현재 질병에 걸려있는 인구 규모를 짐작하는데에 도움이 되는 지표인데, 25개 정신질환의 일년 유병율은 16.0%(남 16.2%, 여 15.8%)로서 알코올 · 니코틴 사용장애를 제외하면 10.2%(남 6.1%, 여 14.3%)이며, 2006년 8.3%에 비해 22.9% 증가하였다.

주요 정신질환별 조사 결과를 살펴보면, 기분장애[18]의 평생유병율은 전체 7.5%(남 4.8%, 여 10.1%)로 나타나 2001년 대비 1.5배 증가했다. 우울증의 평생유병율은 전체 6.7%(남 4.3%, 여 9.2%)로서 2006년의 5.6%보다 증가했으며, 일년유병율도 2001년 1.8%에서 2006년 2.5%, 2011년 3.0%로 계속 증가했다. 특히 40~50대 남성에서 각각 0.6%, 0.5%에서 2.0%, 2.6%로 크게 증가하였고, 주요 생산연령에 해당하는 20대에서도 우울증 유병율이 증가하였다.

불안장애[19]도 남녀 모두에서 증가하는 추세로 나타났다. 평생유병율은 2006년 6.9%에서 2011년 8.7%로, 일년유병율은 2006년 5.0%(남 3.2%, 여 6.9%)에서 2011년 6.8%(남 3.7%, 여 9.8%)로 나타나서 최근 1년 간 불안장애를 경험한 사람은 245만 여명으로 추산된다.

병적 음주(알코올 사용장애[20])의 평생유병율은 13.4%(남 20.7%, 여 6.1%), 일년유병율은 4.3%(남 6.6%, 여 2.1%)로 다소 감소 추세인 반면, 병적 도박과 인터넷 중독은 증가하고 있다.

정신건강의 가장 심각한 문제라고 할 수 있는 자살의 경우, 성인의 15.6%는 평생 한 번 이상 심각하게 자살을 생각하며, 3.3%는 자살을 계획하고, 3.2%는 자살을 시도하는 것으로 나타났다. 최근 1년 사이에는 성인의 3.7%가 한 번 이상 심각하게 자살을 생각하고, 0.7%가 자살을 계획하며, 0.3%가 자살을 시도한 것으로 나타났다.

18) 기분장애 = 우울증(주요우울장애) + 기분부전장애 + 양극성장애(조울증)
19) 불안장애 = 사회공포증 + 강박장애 + 공황장애 + 특정공포증 + 외상후스트레스장애 등
20) 알코올 사용장애 = 알코올 의존 + 알코올 남용

〈표 35〉 2006년과 2011년의 주요 정신질환 일년유병율

		2006			2011		
		남	여	전체	남	여	전체
	모든 정신장애	20.7	13.5	17.1	16.2	15.8	16.0
질병명	니코틴 사용장애 제외한 정신장애	13.0	12.9	12.9	11.5	15.5	13.5
	알코올 사용장애	8.7	2.5	5.6	6.6	2.1	4.4
	정신병적 장애	0.4	0.2	0.3	0.2	0.5	0.4
	기분장애	2.1	3.9	3.0	2.3	4.9	3.6
	불안장애	3.2	6.9	5.0	3.7	9.8	6.8

출처: 보건복지부 연구용역사업 보고서: 정신질환 실태 역학조사(2006, 2011)

정신건강서비스 이용실태는 정신질환에 걸린 적이 있는 사람 중 15.3%만이 정신과 의사, 비정신과 의사, 기타 정신전문가에게 정신건강문제를 의논하거나 치료받은 경험이 있는 것으로 나타났다. 이 수치는 2006년의 11.4%보다는 증가한 것이지만, OECD 국가들의 평균인 40%에 비하면 매우 낮은 수준이다.

3) 근로자 정신건강 현황

근로자 대상의 정신건강 및 정신질환 조사 자료는 찾기 어려운데, 2012년 건강보험공단 자료에 의하면, 총 진료실 인원 48만 명 중 43.9%가 스트레스성 질환, 기분장애가 29.1%를 차지하였다(우종민 등, 2014). 근로자 중 진료실인원 통계를 정신질환자 추계에 비추어보면, 극히 소수만이 적절한 치료를 받고 있는 실정이다. 직장인에게 정신건강의 문제가 발생하면, 근로자 개인뿐만 아니라 가족과 직장, 나아가 사회 전체가 부정적인 정신적 영향을 받고, 결국 경제적인 문제까지 유발되므

로 이를 해결하기 위한 방안이 절실히 요구된다.

근로자 계층의 자살문제도 심각하다. 한국의 자살률이 OECD 국가 중 12년째 가장 높은 수준임은 주지의 사실이다. 이 중 근로자 자살이 전체 인구의 자살에서 차지하는 상대적 비중은 1983년 54.71%에서 2013년 36.11%로 감소하였다. 하지만 자살자 수는 계속 증가하고 있다. 경제위기 직후인 1998년과 2009년에 각각 전년도 대비 큰 증가를 보였고, 2011년에는 근로자 자살이 5,613건에 달해서 2000년에 비해 2.12배가 증가한 수준이었다. 따라서 근로자 자살예방을 위한 적절한 스트레스 관리, 개입과 조기 진료가 시급하다(우종민 등, 2014).

OECD에서는 최근 근로자의 정신건강과 사회심리적 건강지표 및 고용의 질의 관련성, 장애수급자로 하향 편입되는 과정을 조사하였다(OECD, 2012). OECD는 최근의 역학조사 결과를 반영하여 대상 근로자의 정신질환 상태를 크게 두 가지로 분류하였다. 과거 전통적인 정신질환으로 간주되었던 조현병(schizophrenia[21]), 양극성장애, 기질성 뇌질환 등을 중증정신질환(Severe Mental Disorder: SMD)로 분류하고, 유병율이 훨씬 높은 우울증, 불안장애, 성인기 주의력결핍 과잉행동장애(Attention Deficit/Hyperactivity Disorder: ADHD)등은 일반정신질환(Common Mental Disorde: CMD)으로 별도 분류하였다. 일반정신질환은 주로 발병하는 연령대가 취업연령 이후이므로 근로자 계층에 상당히 많다.

OECD의 분석 결과, 일반정신질환은 모든 종류의 장애연금 수급(disability benefit)의 가장 큰 유입경로이고, 향후 장애연금의 수급자

21) 조현병(調絃病): 과거 정신분열병(정신분열증)으로 불리던 병명이 사회적 거부감과 편견을 불러일으킨다는 이유로 2011년에 '조현병'으로 개정되었음. 조현(調絃)이란 현악기의 줄을 고른다는 뜻이다. 사고, 감정, 지각, 행동 등 여러 가지 측면에서 이상 증상이 발생하여 환자의 모습이 마치 잘 조율되지 못한 현악기처럼 혼란스러워 보인다.

가 될 가장 중요한 예측인자로 나타났다. 한편 일반정신질환자의 고용률은 평균 70% 내외로서 중증정신질환자의 평균 고용률 50%에 비해 훨씬 높았고, 일반 인구의 평균 고용률 80%에 비해 크게 낮지 않았다. 그러나 일반정신질환을 앓는 근로자는 당뇨나 심혈관계질환 등 다른 상병이 공존했을 때 치료 순응도가 낮고 예후가 더 나빴다.

이러한 결과는 일반정신질환에 이환된 근로자의 고용이 잘 유지되어야 장애연금 등 복지수혜자가 되는 것을 막고 사회보험의 재정건전성도 지킬 수 있음을 시사한다. 따라서 근로자가 일반정신질환에 이환될 경우, 조기에 치료를 받고 업무에 잘 복귀할 수 있도록 지원해야 한다. 근로자의 정신건강 문제는 기업과 조직의 생산성 향상과 국가 경쟁력 강화, 연금 등 사회경제적 자원의 균형 있는 사용과 지속성 확보에 중요하며, 지금보다 훨씬 더 적극적이고 통합적인 대처가 필요하다.

4) 조직에서 나타나는 정신건강 문제

근로자 정신건강의 문제는 근로자 본인의 삶의 질 저하 뿐만 아니라, 가족 · 사업주 · 정부 등 여러 이해 관계자에게 영향을 준다. 근로자 정신건강이 악화되면 집중력 저하, 우울증, 불면증 등의 다양한 형태의 문제를 유발하며, 이는 곧 생산성의 저하로 이어질 수 있다(우종민 등, 2011).

일반적으로 근로자의 정신적 문제로 인한 경제적 비용에는 직접 치료비와 결근과 비효율근무 등의 생산성 손실, 저조한 업무성과, 이직으로 인한 대체 인력의 채용 등과 같은 간접비용 등이 포함된다. 영국의 경우, GDP의 2%, 캐나다의 경우 GDP의 1.7%가 근로자의 정신건강 문제로 손실되는 비용으로 추산된다. 미국 고용주들에게 근로자의 결근과 비효율근무를 발생시키는 주요 원인을 조사한 결과, 정신질환이 근골격계질환에 이어 두 번째로 생산성 손실에 큰 영향을 미치는 원인으로 조사되었다(American Psychiatric Association & American Psychiatric Foundation, 2002) 〈그림 11〉.

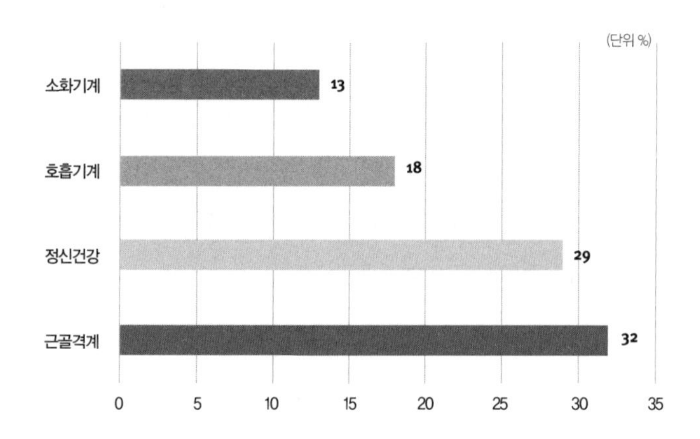

〈그림 11〉 생산성 손실에 영향을 미치는 질환의 비율

자료: American Psychiatric Association & American Psychiatric Foundation(2002). Depression's Surprising Toll on Worker Productivity. *Mental Health Works*, *4*.

과도한 스트레스와 치료되지 못한 정신건강 문제는 근로자의 생산을 떨어뜨릴 뿐만 아니라, 결근율을 높이고, 질병 유급 휴가의 과다한 사용을 야기하며, 사고율과 장애수당 비용을 크게 증가시킨다(McClellan, 1985). 1992년 미국 직장인의 46%가 높은 스트레스를 경험한다고 보고되었는데, 이는 1985년보다 2배나 증가한 것이다. 이에 따라 의사를 찾는 환자의 75~90%는 스트레스와 관련된 불만이나 질병으로 나타났으며, 산업재해의 60~80%가 근로자의 스트레스와 직 · 간접적으로 연관되어 있었다(Schore & Atkin, 1993).

Cocker와 그의 동료들(2013)은 217명의 중소기업 경영자 · 관리자들을 대상으로 불안이나 우울 증상과 같은 심리적 고충 수준을 측정하고, 이를 '낮음', '중간', '높음', '매우 높음'의 4단계로 구분하였다. 조사 대상

중 36.8%가 심리적 고충 수준이 '높음' 혹은 '매우 높음'으로 분류되었는데, 이 중 38.7%는 지난 한 달 사이에 결근을 경험했고, 82.5%는 지난 한 달 사이에 비효율업무를 경험했으며, 비효율업무 경험자들은 생산성이 평소보다 50% 이하로 떨어졌다. 심리적 고충은 업무 생산성에 부정적 영향을 미친다. 〈그림 12〉은 심리적 고충과 업무 효율의 관련성을 나타내는데, 지난 1개월간 중소기업 경영자 · 관리자들이 자가 보고한 업무 효율성을 측정하여 평균치를 계산한 결과, 심리적 고충이 낮거나 중간 수준의 집단에서는 업무효율성이 평균 64.8%인데 비해, 심리적 고충이 높거나 매우 높은 집단에서는 업무효율성이 48.3%에 불과하였다. 이러한 결과를 통해 심리적 고충이 높은 관리자들의 경우, 업무상 비효율근무는 높아지고 업무효율성은 저하된다는 것을 알 수 있다.

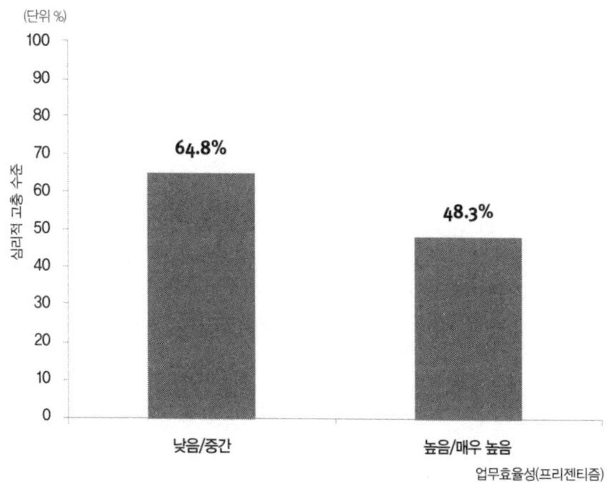

〈그림 12〉 심리적 고충 수준 별로 상이한 업무 효율

자료: Cocker et al. (2013). Psychological Distress, Related Work Attendance, and Productivity Loss in Small-to-Medium Enterprise Owner/Managers. International Jaurnal of Environmental Research and Public Health, 10.

Woo와 그의 동료들(2011)은 우울증으로 정신건강의학과에 내원한 환자들을 대상으로 근로자의 우울증이 생산성에 미치는 영향을 연구하였다. 그 결과 우울증군은 지난 4주간 신체적, 정신적 건강 문제로 결근한 일수가 대조군에 비해 0.8일 정도 유의하게 높았으며, 건강 이외의 문제로 결근을 한 일수도 더 많았다. 또한, 결근으로 인해 연간 약 277만원의 손실이 있었으며, 비효율근무로 인한 손실은 대조군에 비해 개인당 연간 약 488만원 큰 것으로 추산되었다. 즉, 근로자 한 명의 주요우울증은 결근으로 연간 252만원, 비효율근무로 연간 488만원, 합해서 연간 740만원의 시간비용 손실이 초래되었으며, 이는 우울증군의 평균연봉 2,841만원의 26%에 이르는 금액이었다.

미국의 경우, 근로자의 우울증으로 말미암아 연간 2억일 이상의 작업 손실과 440억 달러의 비용이 발생하고 있다. 이는 우울증을 경험하고 있는 근로자 1인당 약 6천 달러의 비용이 발생하는 셈인데, 이 중 70%는 다름아닌 이들이 속한 기업에서 부담하고 있다. 결국 기업체 총 부담의 28%는 의료비 등 직접적인 치료비용이고, 17%는 자살 등으로 인한 인력 손실분이며, 55%는 생산성 저하로 인한 손실이다(Ceridian, 2003).

Stewart 등(2003)은 우울증 근로자들의 결근과 감소된 업무효율성으로 인한 생산시간 손실을 평가하여 우울증으로 인한 총 손실 비용을 추산하였다. 그 결과 우울증에 걸린 근로자들은 생산시간 손실이 주당 평균 5.6시간으로 일반 근로자들의 주당 1.5시간보다 훨씬 컸고, 이들의 손실 81%는 근무 중 감소된 업무성과로 인한 것이었다. 우울증 근로자에서는 결근 보다는 비효율근무가 생산성 손실에 더 큰 영향을 미치는 것으로 나타났다(American Psychiatric Association & American Psychiatric Foundation, 2002).

정신건강에 문제가 발생하면, 우선 자신감이 감소하고 긴장 수준이 높아진다. 업무에 대한 열의가 줄고 불만이 많아진다. 중간 관리자라면 프로젝트를 책임있게 완수하기 어렵고 리더십을 발휘할 수 없다. 근무를 하더라도 효율이 줄어들고, 증세가 심해지면 지각과 조퇴, 결근이 발생한다. 〈표 36〉은 동료 근로자나 관리자가 잠재된 정신건강 문제를 파악할 수 있는 징후들이다(우종민 등, 2005). EAP 제도가 실행되는 조직이라면, 이런 경우 본인에게 EAP 서비스 이용을 권유하거나 직접 의뢰해서 문제에 대처할 수 있다.

〈표 36〉 정신건강 문제를 시사하는 위험신호

호소하는 문제/ 발견 징후	의심되는 질환	파악할 내용	조치
지각, 결근, 조퇴가 늘어난다. 근무 의욕이 없다. 초조하고 짜증이 늘었다. 쉽게 상처받거나 화를 낸다. 울음.	우울증	심각한 생활사건이 있는지 우울증세가 지속된 기간 자살 계획과 시도 유무 대인관계, 가족관계의 변화	본인보다 주변 사람이 더 빨리 인식함. 2주 이상 지속되면, EAP 의뢰
잦은 병가, 다양하고 광범위한 신체증상, 만성적 경과	심인성 장애	검사상 특이 소견 유무	
충격적 상황이 자꾸 떠오르거나 정신이 멍하다.	외상후스트레스 증후군	외상 사건의 경력 법적 문제, 보상 문제	휴식과 사회적지지 제공. EAP 권유
갑자기 가슴이 뛰거나 숨이 막힌다. 죽을 것처럼 두렵다.	공황장애	우울감, 약물남용, 자살 기도 알코올중독 여부	EAP 권유 → 정보 제공 및 의뢰
다양한 걱정, 불안, 신체증상	범불안장애	음주, 약물 복용(증상완화 목적)	EAP 이용 권유
불안해서 출장을 가지 못한다.	광장공포증	일상생활의 장애 정도 우울감, 약물남용, 자살 기도	EAP 이용 권유
실현 불가능한 거창한 계획을 자꾸 주장한다. 쉽게 흥분한다. 돈을 마구 쓴다.	조증	평소 모습과 확연히 달라짐 자기 상태에 대한 인식이 없음 법적 경제적 문제행동	즉시 의뢰
피해의식이 심하고 이유없이 주위사람을 의심한다. 헛소리나 혼잣말을 한다.	망상장애, 정신분열병	환각 / 기괴한 생각 자해나 타해 위험성	즉시 의뢰
직장에서 난폭한 행동, 위협, 폭행, 가정 폭력	충동 조절 장애 성격장애	자해 타해 가능성 구체적 계획과 수단이 있는 자식 또는 배우자 학대	즉시 의뢰
시간/장소를 모른다. 업무 지시를 이해하지 못하고 과거에 잘 하던 일을 수행하지 못한다.	인지기능 장애	유해물질 폭로 대뇌손상의 병력 뇌심혈관계 질환 병력	즉시 의뢰
매일 술을 마신다. 술을 끊으려고 하지 않는다. 해장술을 즐긴다. 주사가 심하다. 기억을 잃는다. 혼자서도 술을 마신다.	알코올중독	직업능률 저하, 지각, 무단결근 신체증상: 간 기능 이상, 잦은 감염, 황달, 파괴적 행동 금단증상 – 초조, 환각, 발한	EAP 이용 권유. 위험물질 취급, 정밀작업, 승무직 등은 즉시 의뢰.

5) EAP와 정신건강 관리

미국과 유럽, 일본 등의 선진국에서는 오래전부터 다양한 법령을 만들어 사업장에서 근로자의 정신건강을 적극적으로 관리할 수 있는 제도적 장치를 마련해놓고 있다. 또한 이러한 프로그램들을 쉽게 실행에 옮길수 있도록 세부적인 운영 지침이나 매뉴얼을 만들어 배포하고 있다. 국내에서도 일부 대기업에서는 사업장 내부에 정신과 진료시설을 갖추고 있으며, 정신건강의학과 전문의를 채용하거나 위탁운영을 하는 사례가 점차 늘고 있다.

EAP에는 일반적인 정신건강의학과나 상담소와 차별화 된 두 가지 특징이 있다.

첫째, 적극적으로 개입하고 서비스 이용을 제안할 수 있다. 예를 들면, 분명히 문제가 있는데도 본인에게 문제의식이 없다고 생각할 때가 있다. 일반적인 정신건강의학과 진료나 상담에서는 본인이 상담하러 오기를 기다리는 입장이므로 이러한 경우에 충분한 대응이 어렵다. 그러나 EAP는 '어떻게 하면 해당 근로자를 상담이나 치료에 연결시킬 수 있을 것인가?'에서부터 시작하기 때문에 관련대책을 상담원 측에서 먼저 제안하고 필요에 따라 개입하게 된다.

둘째, 직장의 관리자와 연계를 취하고 해결책을 만들어 낸다. 예를 들어 우울증이 의심되는 근로자가 있을 때 관리자나 주위에서 "혹시 우울증 아닐까요? 병원에 한번 가보세요"라고 권유를 받아도 근로자는 상담이나 정신과 방문에 익숙하지 않기 때문에 잘 가지 않는다. 권유하는 입장에서도 부담스럽다. 하지만 EAP의 경우에는 우선 관리자가 "최근 업무가 부진하니 EAP 상담을 한 번 받아보세요"라고 권유를 하고, EAP 상담사가 면담을 한 후, "지금 상태가 안 좋은 것 같으니 치료를 받는 편이 낫겠어요"라고 제안하면, 근로자는 치료에 자연스럽게 응할 수 있다. 이러한 관계는 EAP가 업무수행능력을 근거로 삼고 있기 때문에 가능해진다. 물론 관리자와의 연계는 본인의 사생활 보호를 제일 우선하면서 신중하게 진행된다.

2. 흔한 일반정신질환

1) 우울증

(1) 만연하는 '마음의 감기'

흔히 우울증을 '마음의 감기'라고 하는데, 단순히 감기로 그치면 다행이지만 독감이나 치명적 위험으로 이어지기도 한다는 점이 문제다. 올바른 대책을 세우기 위해서는 우선 우울증이 무엇이고 얼마나 흔한 문제인지 이해할 필요가 있다.

사람은 누구나 일시적으로 우울한 감정을 느낄 수 있다. 우울한 상황에서 우울감을 느끼는 것은 지극히 정상적인 반응이다. 그것은 질병이 아니다. 상황에 조응하는 감정을 느끼지 못한다면 오히려 그것이 문제이다. 하지만 상황과 무관하게 또는 실제 상황보다 훨씬 더 심각하게 기분이 변동하여 평소의 기능을 유지하지 못한다면, 그것은 임상적인 도움이 필요한 질병에 해당한다.

누구나 겪을 수 있는 일시적 우울증과 질병으로서의 우울증이 겉으로는 잘 구별되지 않지만, 예방과 치료를 위해서는 질병 상태인 우울장애(depressive disorder)를 정확히 진단하는 것이 매우 중요하다. 우울장애는 기분의 큰 변동을 특징으로 하는 기분장애의 하나로서, 조증, 혼재성 또는 경조증 삽화의 과거력이 없다는 점에서 양극성 장애(bipolar disorder)와 구별된다.

우울장애의 필수 증상으로 최소 2주 이상 지속되는 우울한 기분과 의욕 상실, 낮은 자존감, 불면과 식욕변동, 낮은 에너지, 집중력 저하, 정신운동성 초조나 지체, 피로감, 무가치감 또는 죄책감, 자살사고/시도 등이 있다. 이러한 증상들이 사회적 직업적 기능을 현저히 저하시키고 심각한 고통이나 손상을 초래하며, 이것이 알코올중독이나 갑상선질환 등 다른 신체질환에서 비롯되지 않았다고 판단되는 등 여러 가지 배제진단 기준을 충족할 때, 주요우울장애(major depressive disorder)로 진단할 수 있다〈표 37〉. 하지만 설문도구를 활용하여 최근 증상에 대한 간단한 자발적 응답을 바탕으로 파악한 우울증은, 사회적 기능 저하 수준을 파악하거나 배제 진단과 같은 의학적 진단을 시행한 것이 아니기 때문에, 보건의료 분야에서 사용하는 질환으로서의 주요 우울장애와는 구별해서 이해해야 한다.

〈표 37〉 주요우울장애의 진단기준 중 일부(DSM-5)

A. 다음 증상 가운데 5개(또는 그 이상) 증상이 연속 2주 기간 동안 지속되며, 이러한 상태가 이전 기능으로부터의 변화를 나타내는 경우; 위의 증상 가운데 적어도 하나는 (1) 우울 기분이거나, (2) 흥미나 즐거움의 상실이어야 한다.

1. 하루의 대부분, 그리고 거의 매일 지속되는 우울한 기분이 주관적인 보고(슬프거나 공허하다고 느낀다)나 객관적인 관찰(울 것처럼 보인다)에서 드러난다.
2. 모든 또는 거의 모든 일상 활동에 대한 흥미나 즐거움이 하루의 대부분 또는 거의 매일같이 뚜렷하게 저하되어 있을 경우(주관적인 설명이나 타인에 의한 관찰에서 드러난다)
3. 체중 조절을 하고 있지 않은 상태(예: 1개월 동안 체중 5% 이상의 변화)에서 의미있는 체중 감소나 체중 증가, 거의 매일 나타나는 식욕 감소나 증가가 있을 때
4. 거의 매일 나타나는 불면이나 과다 수면
5. 거의 매일 나타나는 정신 운동성 초조나 지체(주관적인 좌불안석 또는 처진 느낌이 타인에 의해서도 관찰 가능하다)
6. 거의 매일의 피로나 활력 상실
7. 거의 매일 무가치감 또는 과도하거나 부적절한 죄책감을 느낌(망상적일 수도 있는) (단순히 병이 있다는 데 대한 자책이나 죄책감이 아님).
8. 거의 매일 나타나는 사고력이나 집중력의 감소, 또는 우유부단함(주관적인 호소나 관찰에서)
9. 반복되는 죽음에 대한 생각(단지 죽음에 대한 두려움 뿐만 아니라), 특정한 계획 없이 반복되는 자살 생각 또는 자살 기도나 자살 수행에 대한 특정 계획

한국직무스트레스학회는 2005년에 「한국인 직무스트레스 측정도구」를 개발하고 이를 이용하여 대규모 조사를 실시하였는데, 그 결과 한국 직장인 10명 중 1명은 우울증을 앓게 될 가능성이 높은 것으로 나타났다. 또한 관계 갈등이 많고 조직문화와 관련한 문제가 많을수록, 직무 불안정성이 클수록 우울증 위험이 높았다. 특히 직업별 우울증 위험도를 비교했을 때, 고객을 많이 접촉하는 업무의 특성상 감정노동(emotional labor)[22]이 이 필요한 직종에서 우울증 수준이 높았다.

우울증은 적절한 치료로 대개 증세가 호전되고 생활 기능도 향상된다. 따라서 근로자의 우울증에 대해 적절한 치료가 이루어진다면, 개인의 질병 치료뿐 아니라 기업의 생산성 향상으로 사회적 간접비용도 줄일 수 있을 것이다. Woo 등(2011)의 연구 결과에서도 우울증에 이환된 근로자는 연봉의 1/4 이상에 해당하는 생산성 손실을 보였고, 결근이나 사고와 같은 가시적인 손실 이외에 비효율근무처럼 보이지 않는 손실이 더 큰 부분을 차지하였다. 하지만 이러한 생산성 손실은 적절한 치료로 쉽게 호전되어 높은 비용대비 효과를 보였다.

우울증 치료 후의 생산성 증가는 직접적인 치료비용을 월등히 능가한다. 효과적인 정신건강 관리는 단순히 인도주의적 차원의 주장이 아니라 비용-효과적 측면에서 개별 조직과 사회전반의 이익에 부합한다. 이것이 근로자의 우울증에 대한 고용주와 사회의 인식 변화와 함께 투자가 필요한 이유이다.

(2) 조직 차원의 우울증 관리

조직에서는 우울증상을 조기에 파악해서 가급적 빨리 정신건강의학

22) 업무상 요구되는 특정한 감정 상태를 연출하거나 유지하는 노동

과 전문의 또는 관련 전문가가 진단 및 임상적 평가를 할 수 있도록 제도를 설계하고 교육을 실시하는 것이 바람직하다. 본인 스스로는 우울증상을 자각하지 못하는 경우가 흔하다. 따라서 동료나 관리자가 조기 징후를 빨리 파악하면 우울증 예방에 도움이 된다. 안전보건공단에서는 직장에서 관찰되는 우울증 조기 징후를 관리감독자들이 숙지할 수 있도록 지침으로 제시한 바 있다〈표 38〉.

〈표 38〉 직장에서 관찰되는 우울증 조기 징후

1. 이전과 비교해 표정이 어둡고 힘이 없다.
2. 일의 능률 저하
3. 적극성과 결단력 저하
4. 평범한 실수나 사고가 증가(주의력 저하)
5. 지각, 결근, 조퇴의 증가
6. 주위 사람들과의 대화나 교류 감소
7. 여러 가지 신체증상(두통, 현기증, 권태감, 근육통, 관절통 등) 호소

출처: 한국산업안전보건공단(2011). 산업보건관리분야 안전보건기술지침 개발-근로자의 우울증 예방을 위한 관리감독자용 지침(안)

전형적인 우울증 발생과 관리의 사례를 살펴보면서 조직 차원에서 우울증이 발생한 근로자를 어떻게 관리하고 조치를 취하는 것이 좋을지 생각해보자.

20대 중반의 여자 근로자가 지각 및 결근, 작업 도중에 바닥에 주저앉아 우는 모습을 보여서 동료 근로자와 중간관리자의 권유에 따라 EAP 기관에 상담을 신청했다. 해당 근로자는 "라인에서 일할 때 심한 부담감을 느낀다. 사람에 대해서나 일할 때도 심장이 의지와 상관없이 마구 뛰면서 일하다가도 울 때가 자주 있다. 불안한 느낌이 너무 들어서 머리가 아프고 퇴사하고 싶다는 생각에 언제나 사로잡혀 있다. 아침에는 일어나기도 싫다. 이러다가는 자살이라도 할 것 같다"고 호소했다. EAP 기관에서 증상과 불편 사항, 작업 내용을 파악한 결과, 본인이

통제할 수 없는 환경적 스트레스 요인을 강하게 겪고 있었고, 우울과 의욕상실, 불안 증상을 겪고 있었다. 근로자 본인에게 상담을 실시하고 직장 상사에게 문의하여 회사 내에서 관찰된 모습을 파악한 결과, 정신건강의학과 진료를 의뢰하기로 결정하였다. 전문의의 평가와 검사 결과, 일시적 우울증으로 진단되어 정신과적 치료를 받고 우울증 치료제를 복용한 뒤 증상이 호전되어 1개월 만에 업무에 복귀하였다(우종민, 2005).

이 사례에서 조직 입장에서 궁금한 점은 이런 것이다. 발병 초기에 업무량을 얼마나 줄여주고 어떤 점을 배려해야 하는 지, 업무를 줄여주는 정도면 되는 것인지, 아니면 병가를 내도록 해야 하는지, 가족에게 연락을 해야 하는지, 치료 상황에 따라 업무 복귀는 언제 되는지, 업무 복귀 후에는 완전히 정상 근무가 가능한지, 대인 관계에 다른 동료들은 평소와 똑같이 대하면 되는지, 업무나 부서를 바꿔줘야 하는지 등이다. 또 해당 부서의 관리자는 상당한 관리 부담을 느끼게 되는데, 그 관리자는 누구에게 도움을 받아야 하는지, 해당 근로자의 재발을 방지하기 위해 누가 정기적으로 만나서 상태 변화를 파악하면 좋을지 등 다루어야 할 이슈가 많다.

가령 인사부서 등 조직 관리차원에서는 해당 직원에게 직무 변화의 필요성이나 업무 복귀 준비 정도에 대한 의학적 소견과 자문을 필요로 한다. 하지만 일반적인 임상의사는 조직이 필요로 하는 정보를 제공하기 어렵다. 개별 환자 질병을 치료하는 데 전념하기 때문에 관리자와 해당 근로자를 연결해주는 역할을 하기는 어렵다.

이런 경우 EAP가 중간 역할을 할 수 있다. EAP 제공자는 근로자와 치료자, 회사 관리자의 중간에서 역할을 하면서 조직의 관리 부담을 줄이는 해결책을 제시하고 근로자의 원만한 업무 복귀를 도와줄 수 있다.

EAP 제공자는 정신과 등 치료기관과 원활한 연계를 이루고 조직에 필요한 컨설팅을 해줄 수 있다.

우울증은 무엇보다 조기 치료가 중요하기 때문에 증상이 가벼울 때 의사나 믿을 수 있는 전문가와 상의해야 한다. 조직의 입장에서는 이런 상의가 조기에 잘 이루어질 수 있는 시스템과 문화를 만드는 것이 중요하다. 이를 위해 직장의 상사나 기업의 경영자가 염두에 두면 좋을 사항이 몇 가지 있다.

첫째, 장시간 잔무 등 사원에게 과중한 부담을 주지 않는다. 일본의 경우 과로와 습관화된 연장근무가 과로사 등 건강에 나쁜 영향을 준다는 사실이 밝혀진 뒤, 초과근무 시간을 제한하는 조치를 취하고 있다.

둘째, 사원의 우울증의 징후를 조기에 파악할 수 있도록 정신건강 교육을 실시한다. 예를 들어, 우울증 약을 잘 복용하면 업무에 큰 지장이 없이 잘 유지할 수 있는 사람인데, 상사가 약을 먹는 동안에는 출근하지 말라는 식으로 잘못 관여하면 증상이 재발될 수 있다. 증상이 가라앉더라도 재발을 방지하기 위해서는 약을 일정 기간 계속 복용하는 것이 의학적으로 권고되는 치료 방식이다. 그런데 이것을 잘못 알고 불필요하게 조언을 하거나 편견을 조장하는 경우가 있다. 이런 문제를 개선하기 위해 사내에서 기본적인 정신건강 교육을 실시해야 한다.

셋째, 우울증 위험이 있는 직원에게는 관리자와 EAP 사내 담당자 또는 외부 EAP 전문가, 정신건강의학과 및 직업환경의학과 전문의 등과 연계하여 적절한 관리 조치를 취한다. 아무리 상사라도 부하에게 진료를 권하기는 어렵다. 이런 경우에는 "병인지 아닌지 나는 판단할 능력도 없고 그럴 입장도 아니다. 하지만 결근이나 업무에 지장이 계속되면, 회사와 개인 모두에게 바람직하지 않다. 관리자로서 염려할 수밖에 없어서 말을 꺼낸다"라고 회사 업무에 지장을 주는 면을 명시한 뒤,

EAP 이용을 권유할 수 있다. 〈표 39〉에 우울상태 직원을 대할 때 관리자가 취할 바람직한 태도를 예시하였다.

〈표 39〉 우울상태 직원에 대한 관리자의 태도

1. 꾸짖거나 비난하지 않는다.
   "그래서 어쩔 거냐?", "언제까지 그런 말만 하고 있을 거야?" (×)
2. 무리한 격려는 하지 않는다.
   "힘내", "힘내서 극복해 봐" (×)
3. 마음가짐이나 기분 문제로 하지 않는다.
   "그런 것은 마음가짐이 문제다", "기분전환을 해 봐" (×)
4. 노력 문제로 하지 않는다.
   "좀 더 열심히 해야지", "노력이 부족해" (×)
5. 무리하게 행동을 촉구하지 않는다.
   "운동을 해 봐", "여행을 해 보면 어때?" (×)

자료: 한국산업안전보건공단. 산업보건관리분야 안전보건기술지침 개발-근로자의 우울증 예방을 위한 관리감독자용 지침(안), 2011

2) 불안장애

(1) 불안을 동반한 적응장애와 범불안장애

불안으로 인한 고통이 있거나 그것으로 인한 사회적, 직업적 영향이 있을 때 임상적 평가와 치료가 필요하다. 불안을 동반하는 적응장애(Adjustment Disorder with Anxiety)는 일반적으로 급성 형태의 불안이다. 범불안장애(Generalized Anxiety Disorder)는 보통 만성적이고 심각한 불안을 말하며, 다양한 걱정과 신체적 증상을 호소한다. 범불안장애 환자에서 가장 흔히 보이는 집착은 가족, 직업, 돈, 그리고 질병이다.

직장에서 공개적으로 걱정을 내보인다거나, 신체 증상이 심하거나 업무수행이 방해가 될 때 발견된다. 불안을 동반한 적응장애나 범불안장애 환자는 신체적 정신적 증상으로 고통받는 한편, 최적의 수준으로

일할 수 없다는 데에서도 고통을 받는다.

범불안장애에서는 운동성 긴장, 자율신경계의 과활성, 과각성과 만성 불면 등으로 쉽게 피로가 오고, 다양한 신체적 증상과 집중력 감퇴를 경험한다. 근로자는 증상 완화를 목적으로 각종 피로회복제와 진통제, 각성제 등 다양한 약물을 복용하기도 한다. 사업장에서는 이런 사람을 '걱정이 많은 사람', '딴 생각에 빠져있거나 멍하게 지내는 사람'이라고 생각한다.

EAP 제공자는 사업장의 스트레스 요인을 조기에 파악하고, 불안 관리에 도움이 되는 프로그램(이완요법, 스트레스 대처 기술 훈련)을 제시한다. 심한 불안과 걱정을 호소하는 근로자를 안심시키고, 사회적 지지를 해줄 수 있는 체계를 제공하며, 필요한 경우 정신건강의학과 전문의에게 의뢰를 해야 한다. 정신과에서는 이완요법, 호흡법, 최면, 바이오피드백, 인지행동치료나 역동적 정신치료 등을 시행하며, 불안이 심할 때는 우선 항불안제 약물치료로 증상을 완화시킨다. 약물치료를 받는 근로자는 운전이나 업무에 지장을 줄 수 있는 일시적 약물 부작용이 없는지 확인하고, 필요한 정보를 제공받아야 한다.

(2) 공황장애

공황장애(Panic Disorder)는 반복적으로 예기치 못하게 공황발작(심한 공포와 불편감이 급격하게 밀려오는 현상)을 경험하는 질환이다〈표 40〉. 여성에서 유병율이 더 높지만, 근로자사이에서는 남성이 더 흔하다. 평균 발병 연령이 25세 이후이므로 사전에 공황장애를 예방하기는 어렵다.

공황발작은 대개 일상 업무 중 갑자기 발생한다. 공황발작 시에는 심한 신체적 증상을 동반한다. 호흡 곤란, 현훈감 내지 휘청거리는 느낌, 발한, 질식감, 오심, 흉통 등이 수 초에서 수 분 지속한다. 발작은 일상생활 중에도 발생하고, 일련의 사건(생명을 위협하는 질병, 사고, 집을 떠나는 것(대학 진학, 결혼, 새 직장으로 인한 이사), 친밀한 사람의 상실 등과 관련되어 발생하기도 한다.

〈표 40〉 공황장애 진단기준의 일부(DSM-5)

A. 예기치 못한 반복적인 공황발작. 공황발작은 강한 두려움이나 불쾌감이 갑작스럽게 나타나 수 분 이내에 최고조에 이르며, 다음 가운데 적어도 4개(또는 그 이상)의 증상이 발생한다.

1. 심계항진, 심장의 두근거림, 또는 심장 박동수의 증가
2. 땀흘림
3. 떨림 또는 전율
4. 숨가쁜 느낌 또는 숨막히는 느낌
5. 질식감
6. 흉부 통증 또는 가슴 답답함
7. 토할 것은 같은 느낌(오심) 또는 복부 불편감
8. 현기증, 불안정감, 머리 띵함, 또는 어지럼증
9. 오한 또는 열감
10. 감각 이상(마비감 또는 찌릿찌릿한 감각)
11. 비현실감 또는 이인증
12. 자제력 상실에 대한 두려움 또는 미칠 것 같은 두려움
13. 죽음에 대한 두려움

B. 다음 발작 가운데 하나(또는 둘 모두)가 1개월(또는 그 이상)에 적어도 한 번 있어옴:

1. 추가 발작이 나타날 것 또는 발작의 결과에 대한 지속적인 근심 혹은 걱정
   (예: 자제력의 상실, "심장마비가 오지나 않을까", "미치지나 않을까")
2. 발작과 관련되는 뚜렷한 비적응적 행동 변화
   (예: 공황 발작을 회피하기 위한 행동)

공황발작이 오면 극도로 불편하게 느끼고, 예기 불안이 생겨 작업 기능이 떨어지고 고통이 생긴다. 상당수는 광장공포증〈표 41〉이 동반되어 버스나 전철, 기차, 비행기 등 교통수단을 타지 못해서 출장이나 파견근무를 꺼리거나 피하게 된다. 사기 저하와 약물 남용, 고통으로 인한 자살 감행 등 심각한 증상을 나타낼 수 있다. 공황 발작이 오는 근로자 자신은 증상을 뚜렷이 느낄 수 있으나 동료 근로자는 보통 알아채지 못한다. 예기 불안이 증가함에 따라 작업시간은 고통의 시간이 된다.

〈표 41〉 광장공포증 진단기준의 일부(DSM-5)

[광장공포증]

A. 다음 5가지 상황 중 현저한 두려움 또는 불안을 나타내는 경우가 2가지(또는 그 이상) 있음:
  1. 대중교통 이용(예: 자가용, 버스, 기차, 배, 비행기)
  2. 공개된 장소에 있는 것(예: 주차장, 시장, 다리)
  3. 밀폐된 장소에 있는 것(예: 가게, 극장)
  4. 줄을 서는 것 또는 군중 속에 있는 것
  5. 집 밖에 혼자 있는 것

B. 개인은 공황 유사 증상 또는 당황스러울만한 증상을 피하기 어렵거나 도움을 받기 어려운 상황에 처해있다는 생각이 있어 상기 상황들을 두려워하거나 회피한다.

C. 광장공포를 느끼는 상황들은 거의 항상 두려움 또는 불안을 유발시킨다.

D. 광장공포를 느끼는 상황에 능동적으로 회피하고, 두려움 또는 불안을 참고 견디거나 동반자를 필요로 한다.

E. (생략)

F. 두려움, 불안 또는 회피는 일반적으로 6개월 또는 그 이상 지속된다.

업무전환 후에 발생한 정신과적 질환(공황장애 및 적응장애)이 보고된 바 있고(우종민 등, 2005), 그 외 여러 직종에서 비통상적인 급성 스트레스와 관련되어 발생하는 공황장애가 보고되고 있다.

근로자는 예기불안으로 심한 고통을 받거나 광장 공포증으로 무능해질 때에만 잘 발견된다. 질병 교육을 통해 적절한 치료를 받으면 예후가 좋다는 안심시키기를 해야 한다. 치료가 시작되면 작업장에서는 회피 행동을 줄이도록 도와야 한다(예: 출장 시 근로자를 돕는 것).

업무전환 이후 발생한 공황장애 사례

A씨는 35세 남자로 15년 전부터 자동차 정비 업무에 종사하다가, 3년 전 관리책임자 역할을 맡으면서 하루종일 사람(고객)을 상대하도록 업무 성격이 변한 이후 스트레스를 많이 느꼈다. 2년 전부터 직장에서 고객만족도가 강조되면서 고객의 불평이 생기지 않도록 빨리 무마하고, 때로는 본심과 달리 웃는 얼굴로 친절하게 빨리 응대해야 할 필요성이 늘어났는데, 이것이 A씨에게는 큰 스트레스가 되었다. A씨는 자신의 능력에 벅찬 스트레스로 인하여 심한 무기력감과 열등감이 누적되어 왔으나, 이를 적절하게 표현하지 못한 채 지냈다. 2개월 전부터는 승진과 함께 처리해야 할 업무량 및 직무에 대한 책임감이 과중해 졌으며 업무와 관련된 스트레스가 더욱 증가했다.

어느 날 갑자기 가슴이 답답하며 숨을 쉬지 못할 것 같은 증상을 경험하였고 이후 과호흡 증상으로 쓰러졌다. 병원 응급실에 도착 이후 의식을 회복하고 증상이 다소 호전되어 귀가하였으나, 이틀 뒤 다시 공황 증상과 과호흡 증상을 보여 쓰러졌다. 병원 응급실을 방문하여 뇌 자기공명 촬영 및 심전도 검사, 혈액 검사 등을 시행하였으나 특별한 신체적 이상은 발견되지 않았다. A씨는 귀가 후에도 계속 멍한 모습을 보였고, 질문에 대답을 하지 못하며, 주위 사람들을 알아보지 못하였다.

다음 날 정신과를 방문하여 정신과적 면담과 평가를 통해 공황장애 및 적응장애로 추정되어 뇌파검사, 기억 기능 검사, 임상심리 검사, 직무스트레스검사 등을 시행하였으며, 정신과적 약물요법과 지지적 정신치료를 시행받으면서 증상이 다소 호전되었다.

3) 수면장애

수면 문제는 근로자에서 유병율도 높고 주간의 직업적 기능과 삶의 질에도 큰 영향을 미친다. 수면 장애의 하나인 불면증의 유병율은 21~35%로서 성인기의 수면장애 중 가장 흔하다(Ohayon, 2002). 불면증은 주간의 심각한 피로와 졸리움, 자극과민성과 감정 조절 곤란, 정신운동성 수행과 기억력 저하, 집중력 저하 등 전반적으로 심각한 영향을 끼친다. 불면증이 있으면 주간 졸림증이 훨씬 많아지지만, 그 중 5%만이 의사를 찾는다(Walsh, 2004).

불면증은 근로자의 업무 수행에 악영향을 미친다. Lavie(1981)는 1,502명의 근로자를 대상으로 시행한 심층 연구에서는 수면 습관이 직장에 미치는 손실이 직접적으로 드러났다. 주간 피로를 겪는 직원들이 휴식시간 동안 더 졸음을 겪고(14.2% vs. 3.5%), 작업 도중에 더 자주 졸며(16.8% vs. 1.4%), 업무 만족도도 유의하게 낮았다. 불면증으로 인해 병가 및 결근 증가, 업무 생산성 저하, 산업재해와 손상 증가 등 사업장에 손실이 발생하여, 그 액수는 미국에서 연간 150억 달러에서 920억 달러 사이로 추산된다(Bolge et al., 2009; Kleinman et al., 2009). 최근 Kessler 등(2011)은 미국 근로자 7,428명의 자료를 바탕으로 불면증으로 인한 연간 노동손실일수가 3억6천7백만 일에 달하고, 연간 917억 달러의 비용손실을 유발한다고 보고하였다. 결근으로 인한 손실보다 비효율근무으로 인한 업무 수행 손실은 두 배에 달했다.

우리나라 근로자를 대상으로 조사한 연구자료에 따르면, 직장인의 평균 수면시간은 6시간 37분이고, 약 19.6%가 수면의 질에서 상당한 불편감을 호소했으며, 53.4%가 불면 때문에 주간활동에 불편함을 느낀다고 보고했다. 수면의 질이 나쁜 집단이 수면의 질이 좋은 집단보다, 그리고 수면 시간이 6시간 30분 이하인 집단이 이 시간을 초과한 집단보다 비효율근무에 의한 생산성 비용 손실액이 컸다. 조사대상 직장인들은 수면 부족 때문에 1주일에 2시간가량 추가적인 생산성 시간 손실이 발생하고 있어 수면문제로 인한 사회경제적 손실이 상당히 큰 것으로 나타났다(우종민 등, 2011). 이는 실제로 우리나라 직장인들이 수면에 굉장히 많은 영향을 받고 있고 수면의 질이 떨어져서 업무능률, 생산성에 영향을 미친다는 사실을 입증해주는 결과이다.

직장인의 상당수가 불면 문제로 인해 생산성 저하를 겪고 있고, 불면증이나 수면 건강 문제는 지속될 경우 우울증이나 고혈압 등 다른 정신적 · 신체적 만성질환을 일으킬 수 있다는 점을 감안할 때, 사업장에서는 적극적으로 수면 건강을 관리할 필요가 있다. EAP 제공자는 건강한 수면 습관 안내와 교육, 불면증 조기 파악 및 치료 의뢰, 불면증 인지행동치료 등 관련된 서비스를 실행해야 한다.

4) 탈진증후군

탈진증후군(Burnout Syndrome)이란 일종의 증후군으로 정서적으로 부담이 되는 환경에 오랜 시간 동안의 관여에서 비롯되는 생리적, 정서적, 정신적인 소진상태라고 정의된다. 우울, 불안, 긴장, 분노, 원망 등이 흔히 나타나고, 대인관계를 회피하며, 냉소적으로 변하거나 업무에 몰입하지 못하며 의욕이 저하된다. 피할 수 없는 압력에 처하게 되고 동시에 만족을 얻을 수 없을 때 경험하는 상태로서 무력감에 빠져서 대처 노력을 포기하게 되는 상태이다(Rice, 1987).

탈진증후군은 성취동기가 강하고 남들보다 '더 빨리, 더 높이, 더 많이'를 삶의 목표로 삼는 일 중독자에게서 많이 나타난다. 피로감을 느낄 틈조차 없이 달려오던 이들이 어느 날 목표가 달성되거나 목표달성이 불가능함을 깨닫고 깊은 무력감에 빠지는 증세이다. 최근 기업 간에 극심한 생존경쟁이 벌어지면서 급증한 현상으로, 주된 원인은 구조조정, 직무재설계, 사업장 축소 등의 과정에서 비롯된 긴장과 활력 상실 등 업무환경이 급변한 데서 찾을 수 있다.

탈진증후군은 아직 이를 독립적인 진단 범주로 볼 것인지, 아니면 우울증이나 신체형 장애 등 정신질환의 문화적, 사회적 변형으로 볼 것인지는 확정되지 않았다. 하지만 최근 우리나라 직장인들이 흔히 호소하는 문제이고, 업무 몰입에 큰 장애가 되고 있으므로, EAP 상담 장면에서 조기에 파악하여 근로자가 빨리 에너지를 회복할 수 있도록 도울 필요가 있다.

3. 행동적 문제

1) 음주문제

최근 음주문화가 많이 변화하고 있지만, 아직 사업장의 음주 문제는 심각하다. 조기사망이나 질병 등 근로자의 건강과 안전에 영향을 미치고, 잦은 결근이나 조퇴, 절제력 약화로 인한 직장 내 대인관계 악화 때문에 사업장 전체의 생산성 및 효율성을 저하시킨다.

〈표 42〉 알코올 사용장애 진단 기준 중 일부(DSM-5)

A. 최근 12개월 이내에 임상적으로 현저한 결함이나 고통을 초래할 알코올 사용이 있으며, 다음 내용 중 최소한 2가지 이상에 해당될 경우

1. 의도했던 것보다 훨씬 많은 양이나, 혹은 오랜 기간 알코올 사용을 하게 됨.
2. 알코올 사용을 중단하거나 조절하려 노력하지만 뜻대로 되지 않음.
3. 알코올의 입수, 사용 혹은 알코올의 효과에서 벗어나기 위한 활동에 많은 시간을 들이게 됨.
4. 알코올 사용에 대한 갈망이나 강한 욕구, 충동이 있음.
5. 반복적인 알코올 사용으로 직장이나 학교, 가정에서의 중요한 임무를 수행하지 못함.
6. 알코올로 인해 사회 기능, 대인 관계에서의 문제가 지속됨에도 알코올 사용을 계속함.
7. 알코올 사용으로 인해 중요한 사회적, 직업적, 여가 활동을 줄이거나 포기함.
8. 반복적인 알코올 사용이 신체적인 위험성을 야기함.
9. 알코올로 인해 신체적, 심리적 문제가 발생하거나 악화될 수 있음을 알면서도 알코올 사용을 계속함.
10. 내성, 다음 중 하나 이상에 해당될 경우
    a. 원하는 효과를 얻거나 중독에 이를 만큼 매우 많은 양의 알코올을 필요로 함.
    b. 같은 양의 알코올을 계속 사용할 경우 그 효과가 현저히 감소함.
11. 금단, 다음 중 하나 이상에 해당될 경우
    a. 특징적인 알코올 금단 증후군(금단의 진단 기준 A와 B를 참고)
    b. 금단 증상을 피하거나 줄이기 위해 알코올을 사용함.

실제로 회사의 중요한 직위에 있는 관리자가 습관적 음주 때문에 판단력이 떨어져서 업무에 큰 손해를 입히는 경우도 있다. 아래의 〈그림 13〉은 습관적 음주나 약물남용자가 시간이 지남에 따라 황폐화되어 가는 경과이다.

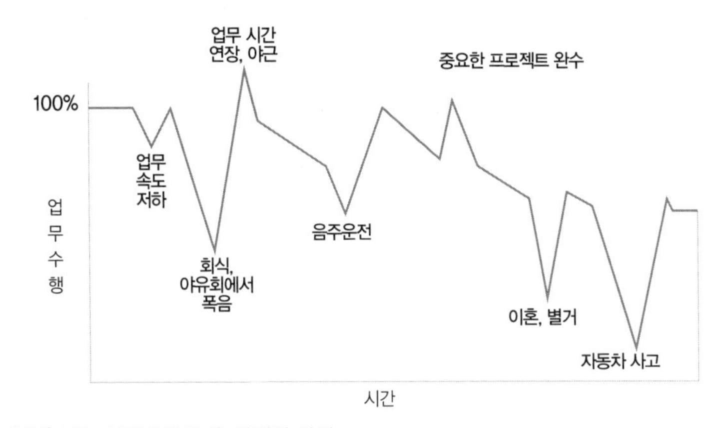

<그림 13> 습관적 음주 후 황폐화 과정

자료: 스트레스 시대, HR의 역할과 직원 관리 방법, HR 프로페셔널, 2003년 5월호.

습관적 음주는 가족 내 갈등과 이혼율 증가, 이차적 범죄로 이어질 수 있다. 미국의 경우 1980년대 말 전체 노동인구의 5%~10%가 알코올 중독자이고, 5%는 약물중독자라고 보고되고 있다. 근무 중 사고의 15%가 알코올중독과 직접적인 관련이 있었다. 또한 알코올중독자의 결근율은 그렇지 않은 근로자보다 4~8배나 높았다. 알코올중독과 관련하여 매년 500만일의 작업일수 손실을 기록하고 있고, 사업장에 발생하는 비용 역시 매년 330~680억 달러에 이르며, 1992년 알코올과 약물남용자에 대한 총 사회경제적 비용은 2,460억 달러에 달했다(Ceridian, 2003).

음주로 인한 직간접적인 문제는 치료나 재활 같은 사후 대처보다는 사전 예방이 매우 중요하고 효과적이다. 오랜 역사를 지닌 EAP는 북미 지역과 서구 유럽 국가, 일부 아시아 지역에서 세계적인 기업들이 사업장 내의 알코올중독 근로자들을 발견하고 적절한 치료를 제공하여 업무성과가 저하되는 문제를 해결하도록 돕고 있다.

음주의 폐해를 줄이기 위해서는 각 기업의 실정에 맞는 EAP를 개발하고, 근로자에게 적절한 지원과 해결방안을 모색하며 스트레스를 관리해야 한다. EAP 활동을 통해 근로자들의 무절제한 음주를 예방하고 안전을 도모할 수 있다. EAP가 문제음주자의 건강과 안전, 그리고 조직의 안전을 위해 필요한 서비스임을 노사 모두가 인지하고 있어야 한다. 특히 직원의 음주로 사고를 경험한 조직에서는 음주 문제 예방과 관리를 EAP 활동의 주요 목표로 설정하여야 한다. 그리고 음주와 관련이 깊은 흡연이나 도박중독 예방, 스트레스 관리, 정신건강관리를 통합적으로 다루는 EAP로 발전시키도록 한다.

2) 대인관계 갈등

대인관계의 갈등은 직장인이 겪는 가장 큰 스트레스 요인이고, EAP 서비스를 이용하는 가장 흔한 이유이기도 하다. 이 중 직속상사와의 갈등에서 고민하는 부하직원의 상담 신청이 가장 많다. 상사와의 관계가 문제가 되는 경우를 크게 나누면, 부하에게 주로 문제가 있는 경우와 상사에게 주로 문제가 있는 경우, 그리고 둘 다 문제가 있는 경우로 나눌 수 있다. 대개 관계란 상대적이기 때문에 양쪽 모두 문제가 있는 경우가 흔하다.

사례를 살펴보자. B씨는 기술직으로 별 문제없이 직장 생활을 하다가 6개월 전 과장으로 진급하여 관리자 역할을 맡게 되었다. B씨는 어떤 프로젝트를 담당했지만, 업무 진척이 좋지 않아서 상사에게 질책을 당하곤 했다. 이 무렵 우울감과 식욕저하, 불면증이 생겼고 결국 사내 건강관리실을 방문하게 되었고, "상사와 잘 맞지 않는다. 상사에게 심한 대우를 받고 있다"고 호소하였다. 사내 보건관리자는 근처의 정신과를 소개하였고, 우울증으로 진단되어 2개월간 요양을 하였다. 치료가 마무리될 무렵, 복직을 앞두고 직무조정을 위해 B씨와 상사가 만났는

데, 쉽게 해결되지 않았다. 상사도 불만이 많았기 때문이다. 결국 B씨는 2개월 더 휴직을 한 뒤, 부서를 이동하였다(우종민, 2006a).

이 사례의 경우, 혼자 일하다가 중간관리자로서 팀워크가 요구된 B씨에게 엄격한 피드백이 오면서 갈등이 시작되었다. B씨가 새로운 역할에 잘 적응하지 못해서 문제가 생겼지만, 그것을 스스로 인정하기는 어렵다. 상사가 악역을 맡게 된 상황이라고 볼 수도 있다. 언젠가 B씨는 자기 능력의 부족함을 수용하지 않으면 안 될 상황에 직면할 것이다. 아마 그 때는 다시 우울 증세를 나타낼 가능성이 높다. 섬세한 관리자라면 그러한 때의 대처를 미리 생각해 둘 필요가 있을 것이다. 이것은 조직에 있어서의 위험 관리이다.

B씨 본인의 입장에서는 인간관계의 갈등에 대해 제대로 된 평가를 받고 상담과 코칭을 받는 편이 좋다. 이를 위해서 상사와의 갈등을 상의할 수 있도록 사업장 내부 또는 외부의 상담창구를 이용할 수 있는 시스템이 필요하다. 이것이 EAP이다. EAP 상담사는 상사와 부하의 알력에 관한 평가를 하여, 부하직원이나 상사에게 심각한 문제가 있는 지 여부를 먼저 판단한다. 일방 또는 양방에게 원래 문제가 있는지, 아니면 관계가 뒤틀려 이차적으로 심각한 문제가 생긴 것인지 판단해야 한다. 이에 따라 관리 방법이 달라진다.

상사와의 갈등 등으로 인해 스트레스가 발생한 경우, 본인이 과장되게 생각하는 경우도 있고, 상사에게 실제로 문제가 있는 경우도 있다. 이러한 상황에서 상담자나 정신건강의학과 의사에게 간혹 "~ 때문에 스트레스가 발생했다"는 식으로 언급해달라고 문서(소견서 등)로 적어달라고 요구하는 경우가 더러 있다. 이 소견을 무기로 삼아 회사에 대응하고자 하는 경우도 있기 때문에 신중한 판단이 필요하다. 말만 듣고 누구의 책임인지를 분간하는 데는 어려움이 있다. 이것은 EAP 본연의 취지에도 어긋나므로 문서 발급은 어떤 형태로도 불가하다.

3) 자살

자살문제는 직장의 정신건강에 있어서 제일 어려운 과제에 속한다. 애플의 납품업체인 Foxconn에서는 2010년 18건의 연속적인 자살기도로 14명이 사망하는 충격적인 일이 벌어졌다. 이처럼 대규모 사업장에서 마치 전염성처럼 잇달아 발생하기도 하는데, 특히 사내에서 발생한 자살 사고는 조직원들의 근무 의욕과 심리적 안정에 심각한 영향을 미칠 수 있고, 회사의 대내외 평판에도 큰 위기를 초래할 수 있다. 따라서 자살을 예방하고 사후 관리를 잘 하는 것은 조직에 필수적인 과제이다.

가령 회사 기숙사에서 근로자가 손목을 긋고 자살을 기도하거나 공장에서 뛰어내리는 경우, 회사에서는 개인적인 일로 치부하고 무관심한 입장을 보일 수 있다. 하지만 기숙사에서 발생한 사건은 사내 분위기에 심각한 영향을 미치게 되며, 전체 직원의 근무 사기와도 연결된다. 때로는 마치 전염성이 있는 것처럼 잇달아 발생하기도 한다. 그래서 이런 일은 회사 차원에서 신중하게 대응하는 것이 일반적이다.

자살 문제도 스트레스성 작업 조건과 관련될 수 있다. 일본에서 사회문제가 되었던 '과로로 인한 자살(Karoshi-Satsu)'이 대표적인 예이다.

자살의 가장 흔한 선행요인은 우울증이다. 그 다음으로는 알코올 의존, 양극성장애, 공황장애 및 기타 불안증, 조현병, 인격장애 등 다양한 마음의 병에서 자살 동기가 나타날 수 있다. 물의를 일으킨 데 대해 책임을 지기 위해 자살을 했다든지, 신병이나 경제적 곤란을 비관하여 죽음을 택했다는 식으로 보도되는 경우도 실제로는 우울증이나 양극성장애(조울증)에 시달리는 환자인 경우도 많다. 전문적 진료를 꾸준히 받았다면 자살을 예방할 수 있었을 것이다.

자살 예방을 위해서는 주위의 지원이 필요하다. 자살을 꾀하는 대부분의 사람은 죽음을 결심한 그 순간에도 죽음을 망설이게 된다. 이른바 '자살의 명소'라고 불리우는 샌프란시스코의 골든게이트브리지에서는 많은 사람이 육지 쪽을 향해 뛰어내린다고 한다. 즉 살고자 하는 본능이 죽고자 하는 본능을 초월한다는 것이다. 이러할 때 주위에서 지원을 해주는 사람이 있는 경우, 죽음에 대한 생각을 단념하게 할 수도 있다. 실제로 EAP 상담을 통해 마지막 순간에 자살을 방지한 예는 쉽게 찾을 수 있다.

사례를 살펴보자. A씨는 유통업체 판매원인 젊은 여성근로자였다. 어려운 가정환경을 딛고 열심히 살았는데, 교제하던 사람과 결혼에 실패하고 불면과 불안 등 우울 증상을 겪다가 자해를 시도했다. 응급 처치를 받은 뒤 회사를 쉬게 되었는데, A씨 본인이 원하여 EAP 상담을 신청했다. 회사 내외의 대인관계 개선과 재정적 컨설팅은 EAP 상담사의 직접 서비스에서 도움을 받았고, 우울 증상은 EAP를 거쳐서 의뢰된 정신건강의학과 전문의의 치료로 도움을 받았다. 그 결과 회사에 성공적으로 복직을 하였다.

이와 같은 자해나 자살 기도의 경우, 인사담당자는 적극적으로 사례를 관리하는 입장을 취하게 마련이다. 해당 부서의 관리자 및 보건담당자와 협력해서 회사 내 위험관리의 측면에도 신경을 쓴다.

이때 EAP 제공자의 역할은 매우 중요하다. 처음에 접수를 했을 때 자살 위험성을 잘 판단하여 신속하고 적극적인 개입을 시도한다. 개입 이후에도 사례관리를 지속적으로 한다. 회사와 가족을 연결하여 해당 직원을 잘 도와줄 수 있도록 조정자의 역할을 하고, 직원의 안위를 지키려는 전문가적 자세를 견지한다.

4. 성격장애

1) 성격장애의 특징과 치료

성격이란 안정적으로 나타나고 예측 가능한 전체적인 감정이나 행동 경향을 말한다. 성격은 사람이 움직이는 근원이고, 각자에게 고유한 성격의 특성이 있어 쉽게 바뀌지 않는다. 성격은 오랜 시간동안 주변 환경 및 대인관계에 반응하면서 형성된다. 바람직한 성격은 변화하는 내외적 환경에 따라 유연하게 적응하는 것이다.

성격에 문제가 심해서 자기 파괴적인 결과를 낳거나 남들을 지나치게 힘들게 하는 양상이 계속되는 상태를 성격장애라고 한다. 성격장애는 현실적으로 유익하지 않고 사회적 가치나 기준에서 벗어나는 행동 방법으로 대처하는 부적응 상태이다. 스트레스를 받으면, 성격에 문제가 있는 사람은 평소 나타내지 않았던 문제 행동을 더 강하게 드러낸다. 건강한 사람들은 삶의 경험을 통해 자신의 성격을 바꾸거나 좋은 방향으로 행동을 수정한다. 하지만 성격장애가 있으면, 부정적인 결과를 무시해버리거나 아예 알아채지 못한다. 그래서 결과에 따라 행동이 변하지 않고, 같은 행동 양상을 반복한다. 성격장애 환자는 자기 문제를 인정하지 않는 것이 가장 큰 특징이다.

EAP 상담가는 여러 가지 방법으로 의식과 무의식의 문제를 파악해 내담자가 자신의 문제를 스스로 깨쳐 고치도록 돕는다. 반복되는 문제를 종합해서 잘못된 사고방식과 행동 습성을 찾아낸 뒤 이를 수정하는 인지행동요법도 많이 사용한다. 성격장애는 불안, 우울, 충동성 등 다양한 증상을 동반하는 경우가 많은데, 이러한 증상은 약물치료로 조절될 수 있으므로 정신건강의학과에 의뢰를 한다. 충동성이나 공격성이 심하면, 항우울제와 기분안정제 등을 사용하며 1년 정도 꾸준히 전문가의 치료받을 필요가 있다. 성격장애도 다른 질병처럼 조기에 치료를 받을수록 잘 낫는다. 그러나 성격장애가 있는 사람은 스스로 병을 치료할 필요성을 느끼지 못하기 때문에 치료를 받지 않는 경우가 많다. 주변에서도 비난만 할 뿐 강하게 치료를 권하거나 통제를 하기 어렵기 때문에 나중에 사고가 여러 번 발생한 이후에야 치료를 찾는 경우가 흔하다. 직장에서 흔히 관찰되는 성격장애의 특징은 〈표 43〉과 같다.

〈표 43〉 조직에서 흔히 관찰되는 성격장애의 종류와 특징

종류	특징
편집성	남을 의심하고 혹시 누가 자신을 욕하는지에 민감하다. 연인이나 배우자를 조종하려고 하고 질투가 심하다. 남 탓을 많이 하고, 자기에게 부당하게 할까봐 예민하고 화를 잘 낸다.
분열성	내성적이고 감정적으로 차갑고 다른 사람이 다가가기 어렵다. 다른 사람과 친하게 지내는 것을 두려워하고 혼자만의 몽상에 빠진다.
경계성	자신이나 남에 대한 평가가 극단에서 극단으로 오간다. 우울 짜증 분노를 되풀이한다. 나이가 들면서 증세가 약화되고 안정화된다. 중립적인 생각을 못한다. 여성에게 많다.
반사회적	다른 사람의 권리와 감정을 예사로 무시하고 자신의 이익을 위해 이용한다. 범죄 뒤에도 죄의식이나 양심의 가책을 느끼지 못한다. 남성에게 많다.
자기애적	자신의 능력 외모 중요성을 과대 평가한다. 높은 지위와 이상적 사랑을 꿈꾼다. 자존심이 상하면 비정상적으로 분노하거나 침울해진다.
히스테리성	주의를 끌려는 행동이 심하고 과장된 표현이 많으며 때로 인위적이거나 유치해 보인다. 자신의 외모에 지나치게 집착한다.
강박성	사소한 것에 집착해서 임무의 목적을 잊어버리곤 한다. 완벽주의를 추구한다.
의존적	여성과 막내에게 많다. 자신의 욕구도 남에게 종속시키고 책임도 떠넘긴다. 의존하는 사람의 욕구를 허락한다.
회피성	실패할지도 모른다는 두려움 때문에 대인관계를 피하고 문제를 미뤄 더 큰 화를 초래한다. 속으로는 누군가와 친밀한 관계를 원한다.
수동공격형	남과 정면으로 부딪히지 않고 피해버리고 어떤 의견이나 생각을 말하지 않는다. 직설적으로 자기 의사를 표현하지도 않고 대안을 제시하지도 않는다. 하지만 나중에 보이지 않는 곳에서 일의 진행을 지연시키거나 방해한다. 공유해야 할 중요한 자료를 공유하지 않기 때문에 일의 진행에 방해될 수 있다.

이 중 주요한 성격장애의 특징과 그에 대한 대처를 살펴보면 다음과 같다(우종민, 2006b).

2) 강박성 성격장애

(1) 특징

강박적인 사람은 꼼꼼하고 일에 대한 헌신도가 높기 때문에 처음에는 회사에서 환영받는다. 겉모습을 보면 옷을 단정하게 입고 머리도 잘 다듬어서 말끔한 인상이다. 말도 또박또박 정확하게 한다. 세심하게 실수없이 일하는 스타일이다.

그러나 이런 성향이 지나치면 융통성이 없고 완벽주의에 빠지므로 동료나 하급직원이 같이 일하기를 힘들어하고 견디질 못한다. 너무 지엽적인 것에 신경을 쓰기 때문에 나무만 보고 큰 숲을 보지 못한다. 일의 자질구레한 내용이나 규칙 목록 순서 등에 집착해 본질을 놓친다. 중요한 결정을 할 때는 의외로 소심하고 우유부단하다. 마감이 닥쳤는데도 자신의 기준을 채우려다 마감을 넘기곤 한다. 개인적인 여가 활동이나 친구보다 일에만 매달리는데 막상 효율은 떨어진다. 이들은 양심의 가책을 쉽게 느끼고 소심하다. 늘 긴장하고 경직되어 있다. 남을 쉽게 믿지 못하므로 위임을 못한다.

(2) 대처

강박적 성격은 얼핏 보면 알아채기 힘들다. 그들은 일도 열심히 하고 본인 스스로는 잘 하고 있다고 생각한다. 오히려 남들이 대충대충 일한다고 비난한다. 문제는 대개 동료나 부하직원이 제기한다. 상사는 문제를 금방 알아채지 못한다. 순종적인 부하이기 때문이다.

이들은 노력가이기 때문에, 자기 문제를 인식할 수만 있으면 대인관계가 많이 좋아지고 성격도 조금씩 고쳐나갈 수 있다. 위임을 못하는 문제도 부하에게 맡기고 내버려 두어도 부하들이 잘 해낸다는 것을 경험하게 하면, 점차 혼자 일하는 스타일을 바꿀 수 있다. 그러면 조직에 대한 기여도도 훨씬 높아진다.

이들은 마음 속에 두려움이 크기 때문에 자신을 보호하기 위해서 완벽을 기하는 것이다. 그런 불안을 줄이고 더 균형 잡힌 인생의 가치를 이루도록 권유하면 좋다.

3) 편집성 성격장애

(1) 특징

편집성 성격장애는 과도하게 장기간 지속되는 의심과 불안을 갖는 경우이다. 의처증이나 의부증, 법적 소송을 잘 거는 사람 등이다. 이런 유형의 사람들은 극도로 날카롭고 신경이 곤두서있다. 타인들은 정직하지 못하고 속임수를 써서 자신을 파멸시키려 한다고 생각한다. 늘 남들이 자신을 괴롭히고 착취하고 해치려한다고 생각해서 정당한 이유 없이 의심한다. 질투도 심하다. 늘 긴장되어 있고 냉담하고 무정한 면이 있다. 자만심을 보이며 유머감각이 결여되어 있다. 극도의 의심과 경계심, 불신감, 조심스러움, 적대감 같은 정서적 반응을 보인다. 다른 사람들은 그렇게 보지 않는데도 자신의 성격이나 명성이 공격당했다고 느끼고 즉시 화를 내거나 반격한다.

(2) 대처

이런 사람은 논리적으로 따지지 말고 따뜻하게 대해주어야 한다. 너무 가깝지도 않고 그렇다고 너무 멀지도 않게 적당한 거리를 유지하면서 공정하게 대하는 것이 좋다.

관리자는 주기적인 미팅을 통해 진행되고 있는 업무를 논의한다. 이야기 내용은 업무에만 초점을 맞추도록 한다. 가정사나 개인적인 이야기는 피하는 것이 좋다.

4) 히스테리성 성격장애

주의를 끌기 위한 행동이 심하고, 사고와 느낌을 과장해서 표현한다. 감정이 급히 변하고 피상적으로 표현된다. 겉으로 드러나는 것은 그럴싸하고 화려한데, 오래 같이 있다 보면 깊은 맛이 전혀 없다.

외모를 가꿔 관심을 집중시키려 노력한다. 그리고 타인이나 주변 상황에 쉽게 영향을 받는다. 상대방이 생각하는 것보다 자기는 그 사람을 더 가깝다고 여긴다. 매력적이고 사귀기 쉽지만 대인관계에서 깊고 가까운 관계를 오래 지속하지는 못한다.

이들은 가벼운 자극에도 지나치게 반응하고 변덕스럽다. 불만스러운 일이 있으면, 울음, 비난, 자살 소동으로 상대방에 죄책감을 일으켜 조종하려 하기도 한다. 이런 성향은 개인적으로 또는 업무에서 스트레스를 받을 때 과장되어 나타난다.

대인관계에서도 자기 요구만을 들어주기 원하는 이기적인 사람이다. 이들은 자주 부적절한 성적 또는 자극적 행동을 추구하기도 한다. 이성관계에서도 낭만적인 환상에 잠시 빠져 들었다가도 곧 싫증을 내고 중단해 버리는 경우가 많다. 발병률은 전체 인구의 2~3%라고 하며, 여성에 많다. 알코올 중독과 신체화 장애와 관련이 높다.

5) 자기애적 성격장애

(1) 특징

자기애적 성격장애에서는 자신의 재능, 성취도, 중요성 또는 특출성에 대한 과대적 느낌을 가지고 있어 타인의 비판에 매우 예민하게 반응한다. 이들은 자기가 중요하다고 믿는다. 그래서 특별대우를 기대한다. 자존심이 불안정하며 남들이 자기를 얼마나 좋게 보고 있는지에 항상 집착되어 있고 타인으로부터 계속적인 관심과 칭찬을 요구한다. 사소한 일에도 쉽게 분노와 패배감, 열등감, 모욕감을 느끼고 우울한 기분에 빠져든다.

이들은 주로 개인의 능력을 발휘할 수 있는 전문 직업인에서 흔히 볼 수 있다. 재능에 집착하는 것만큼 스스로 열등감과 무가치감으로 고통을 받기도 한다. 자기능력에 대해서 비현실적으로 평가하여 지나친 재물, 권력, 아름다움 또는 이상적 사랑을 원하기도 한다. 때로는 이러한 목표가 달성되기도 하지만 더욱 커다란 목표가 달성되지 않았다고 실망하기도 한다.

이들은 존경과 관심의 대상이 되고자 끊임없이 애를 쓰며 내부의 충실보다는 표면에 나타나는 모습을 더 중요시한다. 친구를 가까이 사귀는 데는 인색하지 않지만 멋진 사람들 틈에 어울리기를 더 좋아한다.

(2) 대처

자기애적인 사람은 조직을 심각한 딜레마에 빠지게 만든다. 그들은 의욕이 매우 높고 창의적이며 조직에 많은 기여를 했을 수 있다. 그러나 결국은 그들이 무엇을 하더라도 그것은 모두 자기 자신을 위한 것이다. 자기는 절대적으로 중요하지만 남은 그만큼 중요하다고 여기지 않는다.

내면적으로는 외로움과 두려움, 그리고 분노가 많기 때문에 그것을 대치할 수 있는 것을 찾는다. 그래서 권력이나 아름다움, 돈이나 쇼핑, 지식이나 육체적 힘에 집착하는 것이다. 이런 것들이 공허한 마음을 다채워주지는 못한다. 하지만 그나마 그런 대체물에서도 실패하면 우울증이나 자기 파괴적 행동으로 이어지기 쉽다.

이런 사람들은 상당히 조심스럽게 접근해야 한다. 상사도 긍정적인 피드백을 주면서 부드럽게 관계를 유지하는 가운데 조금씩 스스로의 문제를 인식하도록 조언하는 것이 좋다. 특히 존중받는다는 느낌에 아주 민감하기 때문에 이에 주의해야 한다.

6) 경계성 성격장애

경계성 성격장애는 정서, 행동 및 대인관계의 불안정과 주체성의 혼란으로 모든 면에서 변동이 심한 이상 성격을 지칭한다. 항상 위기상태에 있는 것처럼 보이며 어떤 위기상황에 처했을 때 참을 수 없는 분노감을 나타내고, 논쟁적이고 요구적이며, 자신의 문제를 다른 사람에게 책임 전가시키려 한다.

평상시에도 기분은 변동이 심하며 만성적인 공허감과 권태를 호소하기도 한다. 짧은 시간 내에 정상적인 기분에서 분노로, 우울에서 정상 기분으로 옮겨지는 정서변화가 분명하게 나타나는 것이 특징이다.

대인관계가 불안정하고 강렬하며, 의존과 증오심을 동시에 갖고 있다. 버림받을 것 같은 느낌을 피하기 위해 충동적인 행동을 한다. 그래서 혼자 있는 것을 참지 못한다. 행동면에서는 매우 돌발적이고 자제력이 상실되어 있어서 예측할 수 없으며 사치스런 소비경향, 성적 문란, 도박, 약물남용, 좀도둑질, 과식, 거짓말 등의 행동을 보인다.

때로는 자해행위, 자살위협을 하기도 하는데 남들로부터 동정을 받기 위해서라든지, 분노를 표시하기 위하여, 또는 자신의 불안정한 정서를 가라앉히기 위해서이다. 발병률은 인구의 약 1~2%로 보고 있다. 여성에게 많고, 환자의 가족 중에 우울증, 알코올리즘, 약물 남용자가 많다고 한다.

7) 회피형 성격장애

회피성 성격장애는 거절과 배척에 대해 극도로 예민하다. 비난과 거절, 불인정이 두려워 꼭 만나야 할 사람을 안 만나거나 꼭 해야 할 일을 하지 않는다.

사회적으로 은둔적인 생활을 하지만 실제로는 남들과 안정된 친분관계를 갖기를 열망하고 있다. 그러나 상대방으로부터의 거절에 대하여 지나치게 민감하고 두려워하기 때문에 조건 없이 확고한 보장을 받을 수 있는 대인 관계만을 갖고자 하는 것이 특징이다. 그래서 자신을 확실히 좋아하는 사람만 사귄다.

자존심이 낮으며 마음의 상처를 받으면 다른 사람들로부터 떨어져 나와 은둔적인 생활을 해 버린다. 직업적인 영역에서는 수동적인 분야에서 일한다. 사회공포증도 흔히 나타난다.

5. 사업장의 재해와 외상후스트레스장애

1) 재해와 사고의 정신건강 영향

사업장에서 발생한 재난이나 외상적 사건은 개인이나 집단의 안전과 건강, 수행능력, 업무 의욕에 영향을 미친다. 사업장 내에서는 불만 있는 근로자의 폭력적 행동, 사업장 폭발이나 공장 작업장에서의 부상, 급성호흡기증후군(SARS)이나 메르스와 같은 감염성 질환, 테러 등이 있을 수 있다. 사업장 외에서 발생한 중대 사고, 근로자나 그 가족에 대한 상해나 납치, 출근 도중 대중교통에서 재난 경험, 태풍과 지진 등 자연재해도 근로자와 조직 전체에 영향을 미쳐서 업무에 지장을 주고 직장 복귀를 어렵게 한다(Vineburgh et al., 2007). 대규모 인원 감축이나 사업장 폭력 사건은 근로자에게 무력감을 느끼게 하고 심리적 및 신체적 건강 장해를 유발할 수 있다.

우선 한국의 산업재해 현황을 살펴보면, 1964년 이후 2016년 현재까지 약 450만 명의 근로자가 업무 도중 부상을 입었고, 이 중 사망자는 약 9만 명에 이른다. 매년 평균 9만 명이 다치고, 2,000여 명이 사망한다. 한국의 산업재해 발생률은 OECD 평균보다 약 세 배나 높다. 2012년 산재 사망자는 1,864명이었는데, 산재사고 사망률은 근로자 10만 명당 7.3명으로서 OECD 국가 중 1위를 차지했다. 산재를 직접 당한 근로자는 물론 같이 일 하던 동료나 가족 등 주변 사람도 큰 스트레스를 받을 수 있다는 점을 고려한다면, 통계에 잡히는 것보다 훨씬 더 많은 근로자들이 산재 등 사업장 내외의 사고와 관련된 정신적 후유증을 앓을 것으로 예상된다.

급격한 스트레스로 인하여 강한 충격을 받아서 그 체험이 기억 속에 남아 정신적인 영향을 지속적으로 주는 후유증을 나타낼 때, 그 사건을 외상(外傷) 또는 트라우마(trauma)라고 하고, 이에 수반하는 정신생리적 반응을 외상 반응이라고 한다. 이 때 외상은 신체적 손상이 아니라 정신적 심리적 손상을 뜻한다. 대부분의 사람에서 외상 반응은 일과성으로 나타나며 가벼운 증상이 출현하였다가 해결되는 것으로 지나가지만, 일부 사람에서는 만성화되어 사회생활과 기능에 많은 장애를 초래하기도 한다. 10% 내외의 피해자들은 만성화되어 외상후스트레스증후군(Post-Traumatic Stress Syndrome: PTSS) 또는 외상후스트레스장애(Post-Traumatic Stress Disorder: PTSD)가 된다. 이 상태에서는 외상을 정신적으로 재경험하거나 비슷한 상황을 회피하고 과각성 반응을 보인다.

신체적 외상을 당하였을 때 여러 가지 손상이나 질병이 발생하고 이에 따라 여러 진단을 동시에 받을 수 있는 것처럼, 정신적 손상도 그 종류와 강도, 발현 시기에 따라 급성 스트레스반응(Acute Stress Reaction), 적응장애, 급성 스트레스 장애(Acute Stress Disorder), 외상후스트레스장애, 우울증, 수면장애 등 다양한 정신질환 및 정신건강상의 문제로 이어질 수 있다.

외상성스트레스(traumatic stress)의 발생 여부는 사고의 심각성과 관련된다. 산업 재해를 직접 경험한 근로자를 대상으로 한 연구 결과, 생명을 위협받지 않고 부상도 입지 않은 사건을 경험한 경우에 외상후스트레스장애 유병율은 9.1~14.7%, 생명을 위협하는 사건 경험 후에는 34.5~38.6%, 부상을 당한 경우에는 42.9%, 생명을 위협하는 사건과 부상을 동시에 경험하게 되면 59.2~65.9%로 증가하였다. 테러나 재난에 노출된 사람들은 우울증, 범불안장애 및 공황장애가 증가하였고, 알코올사용장애와 외상후스트레스장애가 증가하였다(Fullerton et al., 2003) 산업 재해로 절단 사고를 당했을 경우 부정적인 정서 반응이 더 심하며, 보상과 소송, 보상 신경증, 외상후스트레스장애 만성화와 관련되므로 조기 중재가 증상 호전 및 빠른 직장 복귀에 매우 중요하다.

정신적 외상에는 실제로 겪은 일 뿐 아니라 목격하거나 간접적으로 경험한 경우도 포함된다. 2001년 미국 9.11 테러로 뉴욕 세계무역센터가 붕괴됐을 때 간접피해자에 대해 활발하게 연구가 이뤄진 바 있다. 인근 주민의 40%가 정서적 무감각, 우울, 불면증 등 외상후스트레스장애 증상을 겪었고, 뉴욕에서 멀리 떨어진 지역에서 TV로 중계방송을 본 사람들과 사고 수습 및 현장 구조 인력에게까지 광범위하게 트라우마 후유증이 나타났다. 중국에서는 직접적인 사고 피해자가 아닌 사고 목격자에 대한 연구에서, 건설 현장의 사고를 목격한 동료 근로자들 중 사고 후 1개월에 약 27%, 4개월에는 약 13%가 외상 후 스트레스 장애로 보고하였다. 이와 같이 산업 재해로 부상을 입은 근로자뿐만 아니라 동료 목격자에게도 정신적인 문제를 일으킨다는 것을 주의해야 한다(최경숙, 2015).

트라우마 후유증은 사건 이후 오래 지나서야 증상이 발현되는 경우도 있으므로 주의 깊게 관찰해야 하고, 외상후스트레스장애는 물론, 우울증, 물질사용장애, 폭력, 신체적 건강, 분노 및 대인관계 기능 등이 포함되는 광범위한 영향을 평가해야 한다(Ursano & Norwood, 2003). 외상후스트레스장애는 만성화되기 쉽기 때문에, 초기에 적극적인 관리를 통해 증상이 고착되지 않도록 하는 것이 바람직하다. 트라우마 이후 정신건강을 잘 관리하지 못하면 개인과 조직 모두에 사회경제적 손실이 크게 발생한다. 외상후스트레스장애는 업무수행 능력이 감소하고 정신질환 중 결근일수가 가장 많은 편이며 생산성 저하가 크다. 연구에 따르면, 전체 정신질환의 작업 손실 일수가 월평균 3일인데, 우울증과 외상후스트레스장애는 6일 이상으로 나타났다(Kessler, 2000). 실제 결근일수도 외상후스트레스장애가 평균 2.44일로 정신질환 중 가장 높았다(Lim, 2000).

이러한 손실을 줄이기 위해서 조직은 대응 및 회복을 위한 대책을 세워놓아야 한다. 재난의 심리적 영향에 대한 보건학적 접근은 치료 이전에 예방과 건강 증진에 초점을 맞춘다. 소방관, 경찰, 인명 구조대, 의료 종사자 등은 업무 자체만으로도 외상후스트레스장애를 유발할 수 있으므로 일반 근로자에 비해 외상후스트레스장애의 유병율이 몇 배 높다. 이처럼 생명이 위험한 상황과 폭력적이거나 극단적 장면에 노출되기 쉬운 직업군에 대해서는 특별한 관심이 필요하다.

2) 외상후스트레스장애의 진단 및 임상 양상

외상후스트레스장애는 재해의 정신적 후유증 중에서 가장 널리 알려진 질병이다. 외상후스트레스장애는 개인이 감당하기 어려운 트라우마 즉 외상적 사건을 체험하거나 목격한 사람이 침습적 재경험과 회피, 기분·인지의 부정적 변화, 과도한 각성 등 병적인 반응을 심각한 정도로 1개월 이상 장기간 겪는 경우를 뜻한다.

(1) 트라우마에 노출 경험

외상후스트레스장애를 정확한 진단하기 위해서는 트라우마에 대한 정보를 확실하고 충분하게 습득해야 한다. 과거 외상후스트레스장애는 '극도로 비통상적인 사건에 대한 정상적인 반응'이라는 관점에서 외상적 사건의 양태를 중요하게 다루었다. 하지만 최근에는 외상 발생 이전의 개인적 소인이나 외상을 당하고 난 후의 사회적 지지체계 등 외상후 요인 등도 매우 중요한 요인이라고 알려졌다. 그래서 너무 외상적 사건의 범위가 커지는 것을 제한할 필요가 있다.

2013년 미국 정신과학회의 진단 기준 편람(DSM-V)에서는 외상적 사건을 '실제 사망이나 사망 위협, 심각한 부상, 성폭력이 다음 4가지 방식 중 한 가지 또는 그 이상의 방식으로 일어난 경우'로 규정하였다. 4가지 방식은 ① 외상적 사건을 직접 경험, ② 그런 사건이 다른 사람에게 발생한 것을 직접 목격, ③ 친한 가족이나 친구에게 폭력적이거나 우연하게 외상적 사건이 발생한 것을 알게 된 것, ④ 반복적으로 혹은 극심하게 외상적 사건의 혐오적인 세부사항을 체험(예: 유해를 수습하는 최초 대처자, 아동학대의 세부사항에 반복적으로 노출되는 경찰관)이다. 단, 전자미디어, 텔레비전, 영화, 사진을 통한 노출은 업무와 관련된 경우에만 인정한다.

(2) 특징적 증상

① 침습

외상후스트레스장애의 가장 본질적인 양상의 하나로 의식 속으로 반복적으로 침습하는 외상 사건에 대한 두려운 반복 경험이 발생한다. 이러한 재경험은 생각으로, 혹은 영상과 같은 지각의 형태로 나타난다. 이러한 침습은 고통스럽고, 두려움, 분노, 슬픔, 혐오감, 죄책감 등을 가져온다. 외상 사건을 상기시키는 단서에 접했을 때 침습이 나타나기 시작하기도 한다. 악몽은 재경험의 흔한 형태이다. 악몽을 꾸면서 외상 사건이 정확하게 재현되기도 하고, 상징적으로 묘사되기도 한다. 플래시백(flashback)이라는 현상은 외상적 사건이 현저하게 재현되는 형태로 마치 시간을 되돌려 그 외상을 다시 겪고 있는 것처럼 느낀다. 일반적으로 플래시백은 시각적인 재경험을 의미하나, 감각, 행동, 감정의 형태로 나타날 수 있다.

② 회피 및 감정적 둔화

침습적 사고(invasive thought)와 이에 따른 각성이 매우 불쾌하므로 환자들은 외상을 떠올리게 하는 모든 것을 회피하고자 하는 절박한 노력을 한다. 외상적 사건에 대해 이야기하는 것을 거부하고, 그것을 상기시킬 수 있는 활동, 장소, 사람, 물건 등과 접하는 것을 피하고 대화나 상상을 피하려고 한다. 심한 경우는 두려운 것과 마주치는 것을 피하기 위해서 집안에서만 지내기도 하고, 고통스러운 느낌을 피하기 위해서 약물에 의존하거나, 과도한 업무에 매달리기도 한다. 회피가 극심한 경우에는 고통스러운 기간에 대하여 완전히 기억을 상실하는 경우까지도 있다.

어떤 기억이 매우 고통스러울 때 이에 대하여 둔감해지려는 시도가 나타난다. 그런데 외상적 사건과 관련된 기억 및 감정 이외에도 전반적인 기억과 감정을 억제하게 된다. 여행과 여가활동, 취미, 휴식 등 유쾌한 활동에 대해서 즐거움을 느끼지 못하고 둔감해진다. 따라서 대인관계도 어려워지고, 감정의 범위가 좁아지는 소위 정신적 둔마(psychic numbing)이나 감정적 마취(emotional anesthesia)가 나타난다.

③ 인지와 기분의 부정적 변화

DSM-5에 새롭게 추가된 기준 증상이다. 외상적 사건의 중요한 부분을 기억하지 못한다. 자기 자신이나, 타인, 세상에 대해서 지속적으로 증폭된 부정적인 신념을 가지게 된다. 외상적 사건의 원인이나 결과 등에 대해서 지속적으로 왜곡된 인지를 나타낸다. 공포, 분노, 죄책감, 수치감 등처럼 지속적으로 부정적인 정서를 나타낸다. 분리되거나 타인으로부터 떨어져 나가는 것 같은 느낌을 갖는다. 긍정적인 정서를 경험하는 것이 지속적으로 불가능해질 수도 있다.

④ 과도 각성

반응성과 각성상태에 큰 변화가 나타난다. 작은 스트레스에도 민감하게 반응한다. 수면장애, 경련, 악몽, 초조, 분노 폭발, 참을성 부족의 형태로 나타나기도 한다. 집중, 기억 곤란. 과도 경계, 과잉보호 혹은 과잉 통제, 겁에 질림, 사소한 자극에 대한 과민 반응 같은 것이 나타나며, 신체적으로도 스트레스 호르몬의 증가, 심장 박동 증가, 혈압 상승, 호흡 항진, 머리의 몽롱함, 발한 등의 증상이 평시에 혹은 어떠한 유발인자에 대한 반응으로 일어날 수 있다.

(3) 증상의 지속 기간

외상후스트레스장애로 진단을 하기 위해서는 이러한 증상들이 최소 1개월 이상 지속되어야 한다. 만일 외상적 사건 이후 병적인 과정이 1개월 내에 종료된다면 이는 급성 스트레스 장애로 진단해야 한다. 급성 스트레스 장애를 구분하는 이유는 아직 많은 증거가 있지는 못하나 1개월 내에 회복되는 경우는 만성으로 문제를 일으키는 경우가 적다는 관찰에 의거한 것이다. DSM-IV에서는 3개월 이내에 증상이 해결되면 급성 외상후스트레스장애로, 증상이 3개월보다 오래 지속되면 만성 외상후스트레스장애로 구분하였으나, 이 구분은 DSM-V에서 삭제되었다. 외상적 사건에 폭로 이후 6개월 이상 지난 뒤에야 증상이 시작된 경우는 지연성 발현(delayed onset)이라고 표기한다.

(4) 사회적 · 직업적 기능의 장애

외상후스트레스장애 환자들은 과도한 각성 때문에 정상적인 각성-수면 유지 주기를 유지하는 것이 어렵고, 자신이나 타인에게 공격적이고 변하는 경우가 많다. 성적인 충동 조절이 어려워지기도 하며, 애정관계를 유지하는 데에 어려움이 생긴다. 여러 자극을 구분해내는 신경생물학적 능력이 손상되어 주의 집중이 어려우며, 해리나 신체화 증상도 나타난다. 또한 외상과 관련된 자극에 대하여 학습된 공포 반응이 나타난다. 대인관계 면에서도 의미 있는 관계가 깨져 신뢰, 희망의 상실, 사회적 회피, 애착관계에 대한 장애 등이 현저하게 나타날 수 있게 된다.

이처럼 외상후스트레스장애는 인간관계나 직업적 기능에 심각한 영향을 미친다. 단순히 증상만 있다고 진단을 하는 것이 아니라, 감정적 둔마, 내면으로의 침잠, 사람과 사회적 상황의 회피, 적의, 충동조절 장애 등으로 인하여 심각한 대인관계 장애가 나타나며, 장기 결근, 피로, 집중력 장애 등으로 직업 수행 능력에도 영향을 미칠 때 외상후스트레스장애 진단을 내릴 수 있다.

6. 정신질환의 업무관련성 평가와 요양

2013년 7월에 개정된 산재보험법 시행령 『별표 3. 업무상 질병의 구체적 인정기준』 및 근로기준법 시행령 『별표 5. 업무상 질병의 범위』에서 정신질환 중 외상후스트레스장애가 법령상 업무상 질병 인정기준에 처음으로 명시되었다.

2001년부터 2012년까지 정신질환으로 산재를 신청한 사례는 총 729건이었는데, 이 중 자살이 141건(승인 40건)이었고, 주요 진단명은 우울증(신청 87건, 승인 25건), 적응장애(신청 38건, 승인 16건), 급성스트레스장애(신청 46건, 승인 26건), 외상후스트레스장애(신청 41건, 승인 23건), 불안장애(신청 42건, 승인 7건)이었다. 질병 발생 이전에 특정한 사건(권고사직 등 고용의 급격한 변화, 감사 등 책임 문제, 성희롱 및 작업장 폭력, 폭언 등 상사 동료 갈등, 사고 경험 등)을 경험한 경우에 승인되는 경우가 많았다. 2005년부터 업무상 질병으로 인정되어 요양 승인된 재해자를 별도로 분리하여 통계를 내고 있는데〈표 44〉, 가장 빈도가 높은 질병은 우울증과 스트레스성 질환(적응장애, 급성 스트레스장애, 외상후스트레스장애)이었다.

〈표 44〉 2005년부터 2012년까지 업무상 사고 중 정신질병 신청건수와 승인 건수

		2005	2006	2007	2008	2009	2010	2011	2012
	신청	50	82	78	62	59	67	56	75
	승인	26	26	24	19	13	14	12	32
질병명	우울증	6	7	9	0	2	2	3	4
	적응장애	9	5	8	5	2	3	2	9
	급성 스트레스 장애	0	9	1	4	2	2	3	7
	외상후스트레스장애	1	2	2	7	3	5	2	7
	불안장애	6	0	1	2	1	1	0	1
	기타	4	3	3	1	3	1	2	4

정신질환으로 인한 사망 중에서 자살로 여겨지는 사망에 대한 업무상 질병 승인 신청이 급증하고 있으며, 주된 선행 질병은 우울증이다 〈표 45〉.

〈표 45〉 정신질환으로 인한 자살 건수

(단위: 건)

		2005	2006	2007	2008	2009	2010	2011	2012
	신청	3	6	9	7	24	22	46	52
	승인	1	5	6	5	9	7	14	15
질병명	우울증	1	4	4	5	7	5	11	11
	적응장애	0	1	1	0	1	1	0	2
	급성 스트레스 장애	0	0	0	0	0	0	1	0
	불안장애	0	0	0	0	0	1	2	0
	기타	0	0	1	0	1	0	0	2

* 사망원인: 자살(투신, 음독, 목맴 등)

직장에서 접할 수 있는 정신과적 질환을 크게 분류해보면 첫째, 물리적인 사고의 충격으로 뇌를 다쳐서 발생하는 질환(기질성 정신장애) 둘

째, 조현병(과거 정신분열병)이나 양극성장애 등의 비교적 심한 정신병(내인성 정신장애) 셋째, 적응장애, 외상후스트레스장애, 반응성우울증, 대인공포증, 불안증, 신경쇠약증 등 비교적 가벼운 질환(심인성 정신장애)으로 나눠 볼 수 있다(우종민, 2006a).

첫 번째 부류인 뇌를 다친 경우는 환경적 원인이 명확하기 때문에 두부 외상이 선행하고 그것이 정신 증상과 일치되는 경우, 산재 인정과 관련 논란의 소지는 적은 편이다.

두 번째 부류인 심한 정신병은 원인이 분명치 않은데, 주로 유전적, 체질적인 내인성이 강하다고 본다. 정신질환 중 양극성장애(조울병), 재발성 주요우울장애, 조현병 등이 여기에 해당된다. 이런 질병은 일상생활에서 일어날 수 없는 극도로 심하거나 급격한 스트레스원인이 선행하는 경우에 업무관련성이 인정될 수 있다. 기존 질환자가 직무스트레스 때문에 재발하는 경우가 있는데, 스트레스에 대해 취약성이 있기 때문에 업무상 부담이 심해지면 재발하기 쉽다. 이런 경우에는 어떤 요인이 더 영향을 키게 미쳤는지 판단하여 사례별로 판단을 할 수 있다.

문제는 세 번째 부류인데, 이런 질병은 대인관계, 정신적 충격 등의 환경적 요인이 복합적으로 작용하기 때문에, 원인을 명확히 단정 짓기 힘들다. 이 중 직무상의 큰 스트레스를 경험하는 외상적 사건이 명확한 경우 발생하는 급성 스트레스장애나 외상후스트레스장애는 사고 당시 받은 정신적 충격에 의해 발병한 것으로 인정되는 비율이 높다. 적응장애(Adjustment Disorder), 신체형장애, 전환장애 등 신경성 질환의 경우, 직무스트레스가 선행한 원인으로 확인된다면 업무관련성 정신질환으로 인정될 수 있다. 그러나 공황장애나 강박장애 등은 예외적으로 직무스트레스가 심한 촉발원인인 경우에만 인정되고 있다.

자살 및 자해 관련해서는 산업재해보상보험법 제 37조(업무상의 재해의 인정기준) 2항에서 '근로자의 고의 · 자해행위나 범죄행위 또는 그것이 원인이 되어 발생한 부상 · 질병 · 장애 또는 사망은 업무상의 재해로 보지 아니한다. 다만, 그 부상 · 질병 · 장애 또는 사망이 정상적인 인식능력 등이 뚜렷하게 저하된 상태에서 한 행위로 발생한 경우로서 대통령령으로 정하는 사유가 있으면 업무상의 재해로 본다'라고 규정하고 있다. 제 37조 제 2항 단서에서 '대통령령으로 정하는 사유'란, 산업재해보상보험법 시행령 제 36조(자해행위에 따른 업무상 사고의 인정기준)에서 3가지 중 하나에 해당하는 경우를 말한다. 그것은 ① 업무상의 사유로 발생한 정신질병으로 치료를 받았거나 받고 있는 사람이 정신적 이상 상태에서 자해행위를 한 경우, ② 업무상의 재해로 요양 중인 사람이 그 업무상의 재해로 인한 정신적 이상 상태에서 자해행위를 한 경우, ③ 그밖에 업무상의 사유로 인한 정신적 이상 상태에서 자해행위를 하였다는 것이 의학적으로 인정되는 경우다. 업무상 스트레스와 관련되어 악화된 우울증 등 정신질환 때문에 판단력이 망실되어 자살에 이르렀다고 인정되면, 업무상 질병으로 승인되기도 한다.

생각거리

1. 평소에 성실하던 동료가 지각이 늘어나고, 의욕을 상실한 모습이다. 이러한 상황에서 관리자가 취할 수 있는 조치와 이를 통해 조직이 얻을 수 있는 이익을 논의한다.
2. 정신질환의 생산성 손실 및 적절한 관리를 통한 비용대비 효과에 대해 숙지하고 이를 조직의 경영진이나 담당자에게 설명한다.
3. 주변에 우울증이나 자살 사고를 호소하는 직원이 있을 때 관리자가 어떻게 대처하면 좋을지 시나리오를 짜서 설명한다.
4. 직장에서 흔히 발견하는 성격 문제와 대인관계 갈등의 사례를 들고 이에 대한 개입 전략을 수립한다.

제 12 장

재난과 위기상황에서 스트레스 관리

조직에는 크고 작은 사고가 심심치 않게 발생한다. 산업재해, 교통사고, 안전사고, 폭력이나 물리적 습격, 화재 등 사고의 종류도 다양하다. 이런 사고를 당하면 피해자 및 조직원 전체가 정신적인 혼란과 충격을 받는다. 업무 수행에도 지장을 받는다. 이런 정신적 충격을 조기에 수습하지 않으면 장기적인 상처를 남기기도 한다. 사고와 재난 이후 발생하는 정신적 후유증은 적극적으로 관리해야 한다. 조직의 안정성과 존립을 위협하고 다른 사고나 재난으로 이어질 수 있기 때문이다. 본 장에서는 사업장에서 발생할 수 있는 재해와 사고를 개괄하고, 이로 인해 발생하는 외상후스트레스 등 정신건강문제를 살펴보며, 이를 예방 및 관리할 수 있는 접근법과 수칙을 요약함으로써 조직원의 트라우마를 줄이고 업무 복귀를 촉진하는 방법을 제시하였다. 본 장은 우종민·최수찬(2008)에서 기술된 재난과 위기 상황 시 발생하는 정신적 스트레스와 위기상황 스트레스관리법을 수정 및 보완하였다.

1. 외상후스트레스의 예방과 관리 모델

누구라도 심한 충격을 받으면 정신적 후유증이 올 수 있다. 병약한 사람만 정신적 후유증을 겪는 것은 아니다. 일 하기 싫어서 게으름을 부린다거나 정신력이 약해서 그렇다는 식으로 개인적 결함으로 문제를 호도하는 것은 타당하지 않다. 물론 외상적 사건을 겪었다고 해서 누구나 다 정신적 후유증이 생기는 것은 아니다. 그러나 평소에 황소처럼 일도 잘하고 건강하게 잘 살던 사람이 심한 충격을 받고 후유증을 겪는 일도 아주 흔하다. 외상적 사건을 겪지 않았다면 그렇게 되지 않았을 것이다. 그러므로 외상후스트레스 관리 프로그램은 전 사업장을 대상으로 사전에 기획되고 실행되어야 한다(윤경원, 2003).

조직 차원에서 정신적 후유증의 예방은 평소에 대형사고가 발생하기 이전부터 시행되어야 하고, 후유증의 효과적 사후관리와 재발 방지 프로그램도 장기간에 걸쳐 일상 활동으로 이루어져야 한다. 이러한 이유 때문에 EAP가 활용된다.

〈표 46〉 작업장 대형사고 발생 시 대처 모델

단계	단계명	시기	내용
1	사건 직후	0 ~ 2일	심리적 일차 구급처치
2	단기간	2일 ~ 2주	경청, 교육 개별적인 외상후 지원
3	장기간	2주 이후	사례관리, 후속 상담

계획 수립 단계에서 가장 널리 쓰이는 개념은 〈1차 예방, 2차 예방, 3차 예방〉의 틀이다(대한재난의학회, 2015).

1차 예방은 정신건강문제의 원인을 변화시키려는 가장 근본적인 접근방법이다. 주 관심사는 문제가 생기기 전에 재난 및 그 재난으로 인한 충격 자체를 감소시키는 것이며, 질병에 대한 회복력을 기르기 위한 훈련을 예방 주사처럼 시행하는 것이다.

최근 주목받는 레질리언스(resilience)는 회복력이나 복원력, 회복탄력성이라고 하는데, 위기와 스트레스 상황 이후에 적응적으로 건강하게 기능하고, 역경에 직면했을 때 원상태로 복귀하는 개인과 집단의 능력이다(Hoge et al., 2007). 역기능적인 가정환경 속에서 성장한 어린이들은 건강한 가정에서 성장한 어린이들에 비해 탈선 행동을 보이는 경향이 높다. 그러나 어떤 어린이들은 힘든 어린 시기를 보냈는데도 남들

보다 오히려 더 건강하게 성장한다. 이는 레질리언스가 좋기 때문이다. 어떤 사람들은 정신적 외상 이후에 오히려 이전보다 더 성숙하고 건강해지는 외상후성장(Post-Traumatic Growth)을 보이기도 한다.

정신적 외상 자체는 피할 수 없기 때문에, 외상 자체보다는 그에 대한 회복력과 성장에 주목하여 '레질리언스 증진훈련'을 시행하는 것이 최근의 추세이다. 네트워킹 향상, 위기를 극복 가능한 것으로 인식하기, 현실을 직시하고 목표 세우기, 실천계획 수립, 삶에 대한 긍정적인 관점 갖기 등이 레질리언스 증진훈련의 주요 골자이다.

2차 예방은 증상이나 징후를 조기에 파악하여 빨리 개입하는 것이다. 재난스트레스가 보다 심각한 정신건강문제를 초래하기 전에 증상의 심각도를 줄일 수 있는 방안을 강구한다. 심리적응급지원(Psychological First Aid: PFA)과 심리회복기술(Skill for Psychological Recovery: SPR), 위기상황스트레스관리(Critical Incidence Stress Management: CISM) 등의 다양한 초기개입이 2차 예방에 속한다. 이러한 전략들은 설계와 평가가 용이하고, 피해자들에게 잘 수용될 수 있다는 장점이 있다. 물론 평소 회복력 등 준비성을 높이는 1차 예방의 노력과 연결되면 보다 효율적이다.

3차 예방은 이미 발생한 질병을 치료하는 데에 주목한다. 그리고 질병이 사회적인 장애로 남지 않도록 막거나 재활을 한다. 이러한 예방적 측면의 접근이 이루어지면, 건강하지 못한 여러 가지 행동 또는 기능저하를 많이 감소시킬 수 있다. 외상의 발생 직후에는 가족이나 동료와의 관계를 이용해서 정서적 지지를 받고 스스로 회복할 수 있도록 돕는다. 외상후 한 달 이내에는 누구든지 불안정한 행동을 보일 수 있으며 이것이 병적 과정이 아니기 때문이다. 그러나 한 달이 지나도 지속되면 만성적 후유증으로 고착될 가능성이 높아지므로 전문적인 치료에 들어가야 한다. 그래서 사고 발생 시 조기 진단 및 치료가 가능한 신속한 대응 체계가 필수적이다.

각 관계자들이 1차, 2차, 3차 예방의 관점에서 어떤 역할을 하고 이것이 어떻게 체계화되어 진행될 수 있을지 모델을 〈그림 14〉에 제시하였다. 이 매트릭스에 상황을 대입하면 각 프로그램이 전체 예방 관리에서 어디에 위치하는지 파악할 수 있다.

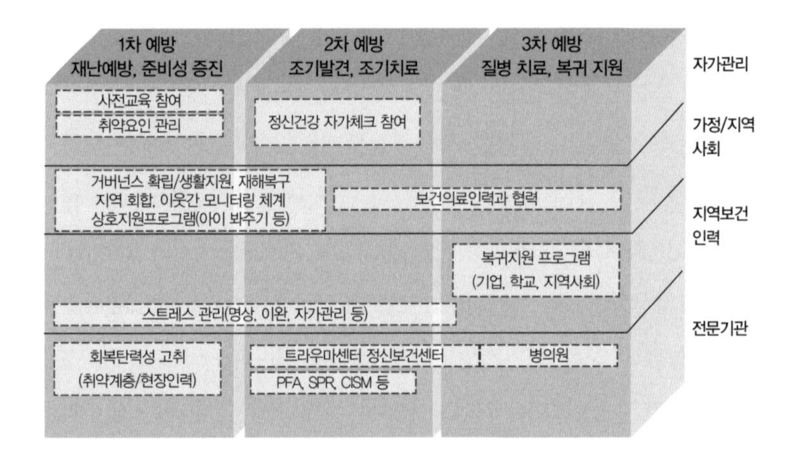

〈그림 14〉 재난정신건강의 각 주체별 1차·2차·3차 예방 역할 모델

(PFA: Psychological First Aid 심리적응급지원
SPR: Skill for Psychological Recovery 심리회복기술
CISM: Critical Incidence Stress Management 위기상황스트레스관리)

2. 위기상황 스트레스 관리

1) 위기중재

위기중재(Crisis Intervention)는 피해자들이 적응적 기능의 수준으로 복귀하도록 지원하고, 정신적 외상의 부정적 영향을 방지하거나 최소화하기 위해 긴급하게 시행하는 정신적 관리 대책이다(Everly & Mitchell, 1999).

위기중재 절차의 중요한 3대 원칙은 ① 근접성(proximity), ② 즉시성(immediacy), ③ 기대성(expectancy)이다(Kardiner & Spiegel, 1947). 여기서 근접성이란 어디든 서비스가 필요한 현장에 가서 서비스를 제공하는 것이다. 즉시성은 문제가 발생하자마자 빨리 중재를 하는 것이다. 기대성이란 현재의 불균형 상태는 현재의 문제에서 비롯된 것으로서 당연히 기대되는 결과라는 입장이다. 즉 중재의 목적은 현재 문제를 다루는 것이지 기존에 있던 정신적 문제를 치료하는 것이 아니라는 점이다.

EAP는 위기중재의 원칙으로서 앞서 언급한 근접성, 즉시성, 기대성의 세 가지를 적용한다. 피해자가 병원으로 가는 대신 EAP 상담사가 현장으로 방문할 수 있고(근접성), 네트워크를 이용해서 유사시에 필요한 많은 전문 인력을 빨리 제공할 수 있고(즉시성), 피해자의 평소 정신건강 문제는 뒤로 돌리고 우선 사고로 인한 정신적 충격을 초기에 완화하는 데에 집중한다(기대성). 조직 차원에서는 외상후스트레스의 예방을 위해 항상적 모니터링과 교육, 평가 및 의뢰 시스템이 필요하며, 이를 위해 EAP를 활용할 수 있다.

최근 위기중재의 다양한 방법에 대해 심도 깊은 연구가 많이 진행되고 있고, 대형사건이 벌어질 때 여러 가지 프로토콜로 중재를 시도하고 있다. 이 중 미국의 기업과 정부기관에서 가장 많이 사용되고 있는 위기중재 방법으로서 위기상황스트레스관리법(CISM)에 대해 좀 더 자세히 살펴보겠다. 이것은 외상후스트레스 관리의 2차 예방에 속한다. 즉 응급상황에서 정신적인 후유증을 줄이기 위한 정신적 구급처치이다. 병원에서 이루어지는 질병의 치료나 상담과는 성격이 다르다.

2) 위기상황 스트레스관리법의 개념과 기법

위기상황 스트레스란 자연재해(화재, 홍수 등), 인위재해 및 각종 응급상황의 피해자와 관련업무 종사자가 겪는 스트레스를 말한다. 위기상황스트레스관리법은 위기상황으로 발생한 스트레스의 유해성을 감소시키고 조절하기 위한 포괄적이고 체계적인 접근 방법이다.

위기상황스트레스관리법은 구조대원 출신인 Mitchell 박사와 심리학자인 Everly 박사가 함께 개발하였고, 1990년대 오클라호마 폭발사건 이후 그 효과가 알려져서 확산되게 되었다. Everly와 Mitchell(2008)은 위기상황스트레스관리법을 외상후스트레스의 전체적 예방과 치료, 관리 과정이라는 〈연속선상〉에서 보아야 한다고 강조한다. 예를 들어, 심장마비로 사람이 쓰러진다면, 우선 구급차가 출동하고 응급처치를 시행한 뒤, 〈기본적 응급진료 → 본격적인 응급실 치료 → 내과와 외과 진료 → 재활의 순서〉로 조치가 취해질 것이다. 이와 마찬가지로 정신적인 충격을 심하게 받는 사례에서도 일차적 위기중재, 즉 정신적 응급처치(psychological first aid)를 시점으로 〈발전된 위기중재 → 상담 → 정신치료 → 정신과 약물치료 → 정신사회 재활〉의 연속선상에서 중재의 흐름을 볼 수 있다. 여기서 위기중재는 바로 정신적 응급처치에 해당하며, 사고 후 사회심리적 관리의 연속선에 진입하는 첫 단계로서 향후 증상을 감소시키고 후유증을 최소화하기 위한 것이다. 즉 〈위기중재-정신과 치료〉의 관계는 〈응급처치-수술〉의 관계와 같다.

위기상황스트레스관리법은 그룹 프로그램이 지니는 상호 지지의 효과를 활용하고, 또 프로그램 내에서 인지 행동적 기법을 활용함으로써 재난의 충격을 소화해내고자 한다. 최소한 재난 직후의 심리적 고충을 줄이고 향후 심각한 외상후스트레스장애로 발병할 확률을 줄인다. 위기상황스트레스관리법은 소방관, 경찰관, 군인, 응급의료종사자, 사회복지사, 구호요원에게 적용할 수 있고, 소방서, 경찰서, 재해관리부처, 지역사회복지관, 응급의료센터, 적십자사, 관련대학 및 학과, 대기업, 군대 등에서 이를 교육 프로그램으로 활용할 수 있다. 위기상황스트레스관리법의 전체를 요약하면 〈표 47〉과 같다.

〈표 47〉 위기상황 스트레스 관리법 개관

방법	적용단계	초점 그룹	목표	비고
위기상황대비	위기 전	위기예측	저항력과 레질리언스 증진 대응능력 향상 스트레스 관리 교육	집단조직
평가	위기 전	직간접 위기 노출자	중재의 필요성 결정	
전략적 계획 수립	위기 전/ 위기 동안	예상되는 위기 노출자 및 피해자 집단	전반적 위기반응 향상	
개인중재(1:1)	수시	필요한 개인	평가, 선별검사, 교육, 정상화, 급성 증상 완화, 선별, 연속된 지지 촉진, 가능한 근무복귀, 필요시 전문 치료 의뢰	충격/각성도가 클 때
대그룹 위기중재				
집단진정	위기 직후 근무교대 직후 현장 투입 후	대규모 동질적 집단 응급구조 인력 사건중심 (재난, 대규모 사건)	압력 감소, 전환 촉진, 중증도 분류 교육, 기본적 필요 충족 심리적 억압 해제	정보제공 10분 + 음식 및 휴식 제공 20분 내외 소극적 개입

방법	적용단계	초점 그룹	목표	비고
휴식센터	진행중인 대형 사건	응급인력, 대그룹	휴식, 음료수, 선별검사, 중증도 분류 및 지지	
대그룹 상황설명(CMB)	수시	이질적 대그룹 대규모 집단에 충격을 주는 어떠한 사건	정보 제공, 헛소문 통제, 그룹 내 응집력 증가, 간단한 질의 응답	정보 전달 위주. 일방향 진행 중등도 개입
소그룹 위기중재				
소그룹 상황설명(sCMB)	수시, 필요에 따라 반복	정보나 자원을 필요로 하는 소그룹	정보 제공, 헛소문 통제, 그룹내 응집력 증가, 긴급한 고충 감소, 레질리언스 증가	정보 전달 위주. 일방향 진행
스트레스분산	위기 후 12시간 이내	동질적 소그룹 증상중심	증상 완화, 안정화, 해소, 급성 고충 감소, 선별검사, 정보, 그룹 내 응집 증가, 레질리언스 촉진	적극적 개입 느슨한 수준의 지도에 따른 토론
위기상황 스트레스 디브리핑 (CISD)	급성 사건 후 : 1-10일 후 재난후 회복기: 3-4주	응급대원, 군대 등 똑같은 외상에 노출된 동질적 소그룹 (증상중심/사건중심)	심리적인 안정 촉진, 증상 완화, 그룹 내 응집력 증가, 정보 제공, 정상화, 레질리언스 촉진	매우 적극적 개입 조직적 지도에 따른 팀별 토론
가족 위기중재	필요시	가족	광범위한 중재	
추후관리 의뢰	수시	증상중심	정신건강 수준 평가 전문적인 관리	치료 연속성 보장

자료: Mitchell, J.T., & Everly, G.S., Jr. (2003). Critical Incident Stress Management (CISM): Group Crisis Intervention. Ellicott City, MD: International Critical Incident Stress Foundation, Inc. 내용을 바탕으로 재구성함.

위기상황 스트레스관리법의 각 기법을 살펴보는 것은 본 저서의 범위를 넘어선다. 하지만 자주 등장하는 용어를 이해하는 차원에서 몇 가지만 설명하고자 한다(우종민, 2005).

우선 1:1 개인 중재는 대상자의 각성 수준이 높을 때 사용하는 개인적 위기중재 프로토콜이다. 목적은 증상 중심의 대처로서 심리적 불편감을 줄이는 데 있으며, 정신상태를 파악하고 조속한 근무 복귀를 촉진하는 데 있다.

집단진정(demobilization)은 대형 재해 시 임무 교대할 때, 신속히 정보와 휴식을 제공하고 추가로 도움이 필요한 사람을 조기에 발견하며, 임무 교대 직후, 다시 투입되기 직전에 적용하는 프로그램이다. 대형재해 시에만 적용할 수 있고, 대규모 집단을 대상으로 하며, 동료가 순직한 경우에는 활용할 수 없다. 동질적인 그룹 구성이 필수적이다.

스트레스분산(defusion)은 현장 투입 후 복귀 직전에 시행한다. 소그룹 단위로 진행하며, 당장 위기상황스트레스해소법을 전체적으로 적용하기 어려울 때 사전에 교육을 받은 동료 근로자가 인도하여 약식으로 위기상황 스트레스해소법을 적용한다.

위기관리 상황설명(Crisis Management Briefings: CMBs)은 최근에 개발되었으며, 테러나 재난 시기에 10명~300명 사이의 그룹을 대상으로 시행하는 프로그램이다. 1시간 이내가 소요되며 대상자가 동질적이지 않아도 된다.

위기상황 스트레스해소법(CISD)은 가장 널리 알려진 전형적인 위기중재 방법이다. 재해 직후 수일부터 수주일간 후에 행해지는 급성기 개입으로서 스트레스 반응의 악화와 외상후스트레스장애를 예방하는 방법으로서 각국에 널리 퍼졌다. 이것은 경험자들의 생각과 감정을 중심으로 이야기할 기회를 제공하는 구조화된 모임이다. 여기에는 반드시 정신건강 전문가가 포함되어야 한다. 대개 7단계 과정(도입→ 사실→ 사고→ 반응→ 증상→ 교육→ 재도입)으로 이루어지며, 2시간 가량 소요된다. 위기상황 스트레스해소법을 이용해서 외상에 대한 기억이 고착화되는 것을 방지하고 정화의 기회를 갖는다. 외상, 두려움, 공포 등을 말로 표현함으로써 심리적 외상을 전체적으로 파악하고, 혼란스럽고 풀리지 않는 의문들을 표현하는 과정에서 심리적 문제가 해소될 수 있다. 또한 집단적 지지를 이용해서 스트레스를 해소하고 건설적인 대처 방안을 모색한다.

위기상황 스트레스관리법은 실용적이고, 그동안의 실전경험으로 축적된 많은 프로토콜이 있다. 현장에 있는 인력을 위주로 구성했기 때문에 필요할 때 필요한 조치를 취할 수 있다. 또한 조직문화에 따라 잘 받아들여지는 곳은 호응이 아주 좋다. 내부적으로 같이 고생한다는 공감대가 강하고 동료 지지가 잘 이루어지는 조직 문화에서 효과가 좋다. 또한 전문가(정신과의사, 심리학자 등)의 접근이 어렵거나 원치 않을 때 일차 구급 역할을 할 수 있다. 위기상황 스트레스관리법이 가장 잘 적용되는 경우는 동질적 집단에서 동일한 사건이 많은 사람에게 영향을 미치는 경우와 사건이 너무 심각하지 않은 경우이다. 즉 동료의 순직이 발생한 경우에는 적용되지 않는다.

3. 사고 발생 시 대처 방법[23)]

1) 트라우마 피해자에 대한 조직의 대처

(1) 일단 안전한 환경으로 이동

피해자는 일단 사고 현장에서 빨리 벗어나서 정신적으로 안정할 수 있는 따뜻하고 조용한 환경으로 옮긴다. 피해자들이 사고 관련 장면이나 장소에 노출되지 않도록 한다. 사고에 대해 확인되지 않은 뉴스나

23) 본 내용은 우종민(2014). Special Report: 조직의 트라우마 극복(4)- 조직원 '트라우마' 막으려면 섣부른 위로 대신 현실 문제 해결해줘야. DBR(동아비즈니스리뷰) 153;49-53에 소개된 바 있다. 주요 내용은 〈사업장의 중대재해 발생 시 급성스트레스에 대한 조기대응 지침, KOSHA Guide, 한국산업안전관리공단, 2011〉, 〈안전보건공단, 「외상후스트레스장애」의 직업건강 가이드라인, 2013〉, 〈대한신경정신의학회 대한정신건강재단 재난정신의학위원회, 상실과 애도에 관한 정신건강안내서. 2014〉을 참고하였다.

루머도 차단한다.

(2) 처음 접촉할 때

피해자와 처음 접촉하는 사람은 말을 걸어도 되는지 먼저 허락을 구한다. 불안과 흥분을 가라앉히기 위해서는 가급적 앉아서 대화를 시작한다. 서서 이리 저리 돌아다니며 이야기를 시작하는 것은 바람직하지 않다. 사고 초기에는 정신이 혼란스럽기 때문에 먼저 자기소개를 한다. 피해자의 정확한 신상 정보를 확인하고 자신의 신상도 분명히 밝힌다.

(3) 현실에 초점을 맞춰 질문

그들이 '지금' 겪고 있는 현실 문제를 먼저 도와줄 수 있도록 해야 한다. "어떤 부분을 도와드릴까요? 지금 무엇이 필요하세요?" "몸이 아프거나 불편한 곳은 없으세요?" 질문을 통해서 자신을 잘 돌보는 것이 가장 중요함을 일깨워준다. 필요한 물품이 있는지, 치료가 필요한 건강 문제가 있는지 파악한다. 기본적으로 잘 먹고 물을 많이 마시고 충분히 자고 휴식을 취하도록 권유해야 한다. 불면과 소화불량, 통증 등의 증상을 사망자에 대한 미안함 때문에 덮어두지 않도록 도와줘야 한다. 과거의 기억에서 벗어나 현재의 안전과 안정에 초점을 맞추는 것이 중요하다.

(4) 피해야 할 말

단순히 견디거나 극복하라는 말은 금물이다. "어떤 느낌일지 알아", "곧 괜찮을 거야" 등 근거 없는 막연한 위로는 삼간다. "다들 정말 힘들어하네. 희망이 정말 없는 것 같아" 등의 비관적인 말도 굳이 드러내서 할 필요가 없다. 또한 책임 소재를 따지는 일은 나중으로 미룬다. 자칫

자책감 때문에 더 괴로워할 수 있기 때문이다. 사고 장면을 떠올리는 구체적인 질문은 하지 않는 것이 좋다.

피해자가 피해 현황을 궁금해 하는 경우, 우선 어디까지 알고 있는지 물어본다. 사고 상황을 회피하려는 것처럼 보이면 안 된다. 다만 지금은 피해 상황을 자세히 아는 것 자체는 중요하지 않으며, 잘잘못을 따지거나 되돌릴 수 없는 상황에 대해 후회할 때가 아니라 피해를 최소화하기 위해 차분하게 수습할 때임을 주지시킨다. 주변 사람도 정신적으로 감당하기 어렵기 때문에 자신도 모르는 사이에 상황에 직면하지 않고 덮어두려고 할 수 있다. 그러나 이것은 피해자에게 더 큰 의혹이나 불안을 일으킬 수 있다. 주변 사람이 먼저 차분하게 현실을 직시하고 해결하려는, 안정된 모습을 보여야 한다.

2) 2차적 트라우마 예방

주변에서 목격했거나 피해자의 상처가 안타까운 나머지 너무 강하게 감정이입을 하면 마치 본인이 직접 피해를 겪은 것처럼 2차적인 트라우마 증상이 생길 수 있다. 입맛이 없고 무기력해지며 불안하고 외출을 하거나 먼 곳에 출장을 가기 힘들며 개인적으로 겪었던 상처나 걱정이 재발하는 등의 증상이 대표적이다. 이것을 막기 위해서는 피해자 이외의 다른 조직원들을 사고 장면에서 차단하고 개별적으로 질문을 하거나 의견을 보태지 않도록 해야 한다. 조직원들은 감정적인 중심을 잡고 '지금', '여기'에서 하고 있는 일에 몰두하는 것이 정신건강면에서 바람직하다.

소식은 조직의 공식적인 브리핑으로만 파악할 수 있도록 해야 한다. 루머가 퍼지면 조직 전체가 걷잡을 수 없는 혼란과 불안에 휩싸여서 업무에 더 큰 지장을 초래할 수 있다. 통일된 소통 방식이 매우 중요하다.

반복되는 뉴스 속보를 끊임없이 봐야 할 필요가 없도록, 주변에서 중요한 뉴스를 파악해서 전달해주는 편이 낫다.

3) 피해 당사자의 대응 지침

- 아주 심한 스트레스를 받을만한 사건이 발생했다는 것을 일단 받아들이는 편이 정신건강에 좋다. 마음이 너무 힘든 것은 당연하다. 그러나 인간은 역경을 헤쳐 나갈 용기도 갖고 있다.
- 충분한 휴식과 균형 잡힌 식사, 운동을 통해 본인의 건강을 지키고 자기 삶의 중심을 회복해야 한다. 몸을 돌보면 마음도 따라서 좋아진다. 술과 커피를 줄이고, 담배를 줄이거나 끊는다. 잠을 자기 위해 수면제 대용으로 거의 매일 술을 마시거나 당장의 고통을 잊기 위해 술을 폭음하는 것은 특히 좋지 않다.
- 긴장을 풀 수 있는 시간을 가진다. 음악 듣기, 목욕, 심호흡, 명상 등은 긴장을 완화하는데 도움이 된다.
- 평범한 일상으로 돌아간다. 고통스러운 생각을 잊기 위해 너무 무리해서 다른 일에 몰두하려고 애쓸 필요는 없다. 현실적으로 생활을 다시 시작하는데 필요한 일들을 조금씩 시작한다.
- 감정을 너무 억누를 필요가 없다. 악몽이나 사건이 다시 떠오르는 것은 괴롭다. 하지만 시간이 지나면 조금씩 기억이 옅어질 것이다. 재난 장면을 자세히 회상하는 것은 좋지 않다. 거기에 빠져들면 자기 파괴적인 행동을 할 우려가 있다.
- 충격적 사고를 겪은 직후라면 직장을 그만두거나 이사를 가는 등 생활환경이 급격하게 바뀔 수 있는 결정은 일단 미뤄둔다.
- 가족이나 주변의 친한 사람들과 많은 시간을 함께 보낸다. 너무 고독해지면 자기 파괴적인 생각에 파묻혀서 충동적인 행동을 할 우

려가 있다.

- 주변에서 도와주지만 만사가 너무 힘들고 혼자 있고 싶을 때는 "도와주셔서 고맙습니다. 하지만 당장은 혼자 있고 싶네요. 나중에 도움이 필요할 때는 꼭 말씀드릴게요"라고 말한다.

4. EAP와 재난정신건강

1) 재난 발생 시 EAP 제공자의 역할

재난으로 인한 심리 및 행동적 후유증은 EAP에서 날마다 다루는 것과 같은 문제와 질환들을 포함한다. 그래서 선진국에서는 사업장의 재난이나 사고 발생 시 전면에 EAP를 배치하는 경우가 흔하다.

EAP 제공자는 위기대처 인력을 자체 보유하거나 위기대처 프로그램을 전문적으로 제공하는 기관 및 인력과 연계하여 서비스를 제공할 수 있다. 위기상황에서는 사고 현장에서 즉각 판단을 내려야 하므로 사업장 상황과 운영 원리를 잘 알고 있어야 한다. 하지만 외부의 위기대처 전문가는 사업장 상황에 익숙지 않다. 따라서 평소 해당 사업장의 상황을 잘 알고 근로자들의 특성이나 평소 정신건강문제와 의사소통 방식을 잘 알고 있는 EAP 제공자가 중간 역할을 수행한다. 사업장 관리자와 논의할 내용과 방식, 직원들과 프로그램을 진행하는 방식을 고안할 수 있다. 이런 역할을 잘 하기 위해 EAP 제공자는 재난정신건강에 대해 사전에 충분히 교육 훈련을 받아야 한다.

근로자지원전문가협회에서는 2002년 10월 재난대처특별팀의 활동을 결산하면서 산업 분야에서 재난 정신건강 관리를 위한 몇 가지 지침을 발표하였다. 그 주요 내용은 다음과 같다(EAPA, 2002).

EAP 전문가들은 기업과 조직 차원에서 재난 대처 계획을 세우는 데 조력한다. 재난 대처 프로그램은 사전 대처 계획, 급성기 대처, 사고 후 반응, 후속조치, 대처결과 검토와 계획 수정 등을 포함하는 연속선상의 서비스이다. 사전 대처 계획에는 위험 평가, 정책 개발, 경영진 자문, 관리자 훈련, 위기상황 스트레스관리법 훈련, 협력기관 네트워킹이 포함된다. 급성기 대처에는 현장 대처, 서비스의 조정, 협력, 기술적 물적 자원 지원, 경영진 자문이 해당된다. 사고후 반응에는 심리적 해소, 그룹 위기상황 스트레스해소법, 대그룹 상황설명, 사정과 의뢰 서비스, 중재자의 자기 관리가 해당된다. 후속조치에는 경영진에 대한 상황설명, 재난 리뷰, 자료 수집과 분석, 훈련이 포함된다. 대처결과 검토와 계획 수정은 활동 과정에서 얻은 교훈을 정리하고 훈련과 대처 프로토콜을 보완한다.

2) 재난과 산업재해 피해자에 대한 EAP 활동 사례

(1) 위기상황 스트레스관리 프로그램

2007년 12월 7일, 허베이스피리트호와 삼성 해상크레인의 충돌로 태안 앞바다에 기름이 뒤덮이는 재해가 발생했다. 인근 지역 과반수의 주민이 충격과 민생고에 빠져있던 차, 생활고를 비관한 자살사건이 연이어 발생했다. 사태의 심각성은 단순한 생태계의 오염에 그치지 않고 자연환경과 어우러져 생계를 꾸려가는 주민들에게 이중의 고통을 준다는 데 있었다. 시설복구는 물론 심리적 복구가 필요한 상태였다.

(사)한국EAP협회는 방제작업이 진행되는 현장지휘소 인근에서 피해주민을 위한 출장상담을 개시했고, 태안군청과 함께 피해주민을 대상으로 〈위기상황 스트레스관리 프로그램〉을 실시했으며 강원도 횡성의 숲체원에서 〈산림치유 프로그램〉을 운영했다. 치유 프로그램에 참석한

주민들은 웃음 찾기와 행복 찾기, 즐겨 찾기 순으로 진행된 프로그램에서 재충전과 건강증진의 기회를 얻었다. 이런 활동은 피해 주민들의 트라우마 극복에 기여했다(정영은 등, 2010).

(2) 산재환자 대상 심리안정프로그램

심리재활 프로그램은 산업재해를 겪은 환자들에게 증상의 개선만이 아닌 긍정적인 측면을 부각시켜 개인의 성장을 도모하여 사회적 복귀를 돕기 위한 프로그램이다. (사)한국EAP협회는 근로복지공단에서 진행하는 사업의 일환인 '희망키움' 프로그램을 통해 산업재해를 겪은 환자들을 대상으로 총 4회기의 심리재활 프로그램을 실시하였다. 심리재활 프로그램에는 스트레스에 대한 인식, 본인이 가진 강점 파악, 긍정적인 사고 강화, 자아탐색 등의 내용이 포함되었고, 긍정적 정서 습득, 성취감 및 자존감을 높일 수 있는 활동을 진행하였다. 회기 당 2시간에서 2시간 반이 소요되었고, 전문상담사 자격증 소지자 10인이 지역별로 진행을 하였다.

프로그램 참가자는 분노와 우울, 신체화증상이 감소하였고, 사회적 지지 결여와 외상후성장에서 유의한 호전을 보였다. 생리적 지표인 심박변이도(HRV) 지표에서도 유의한 호전을 보였다. 본 프로그램은 산재환자들의 심리재활과 긍정적 정서 함양을 통한 복직 의욕 향상에 효과적인 것으로 나타났다(임성견 등, 2012).

생각거리

1. 사업장 재난과 사고에서 발생할 수 있는 정신건강 문제를 설명한다.
2. 외상후스트레스 관리의 1차, 2차, 3차 예방과 사례를 기술한다.
3. 위기중재 절차의 3가지 원칙을 열거한다.
4. 재난 피해자를 대하는 방법을 실습한다.
5. 재난 발생시 EAP 제공자의 역할을 기술한다.

제 4 부

사례 연구

미국과 영국 등 서구에서는 정신건강과 약물남용 등 전통적 분야 이외에도 웰니스 등 건강증진과 생활관련 복지서비스로 발전하고 있으며, 특히 9.11 이후에는 직장 내 사고와 위험관리를 포괄하고 있다. 일본에서는 산업보건과 밀접한 관련을 가지면서 정신보건과 자살예방과 관련된 활동이 활발하다. 제4부는 저자들이 직접 경험했거나 방문하여 확인한 사례를 중심으로 기술하였다.

제 13 장

미국

미국은 전 세계에서 EAP가 가장 먼저 태동한 이른바 EAP의 본향(本鄕)이고, EAP 벤더(vender) 및 종사자가 가장 많은 나라이며, EAP에 대한 연구 및 학술 활동도 가장 활발한 곳이다. 본 장에서는 EAP가 미국에서 먼저 발전한 배경을 요약하고, 우종민·최수찬(2008)이 제시한 미국 연방 정부 및 기업의 대표적인 운영사례를 재인용하고, 최근 사례를 보완하였다.

1. 배경

미국에서 EAP가 먼저 등장하고 발전한 배경으로는 크게 근로자의 음주 및 약물남용 문제가 대두된 점, 산업재해나 스트레스 등으로 조직의 효율성이 저하되고 기업의 비용지출이 증가하게 된 점, 그리고 의료보험을 비롯한 사회적 환경 변화가 나타나게 된 점 등을 들 수 있다.

우선 근로자의 음주 및 마약 문제가 사회적 이슈로 대두된 것이 미국에서 EAP가 탄생한 직접적 계기가 되었다. 알코올 의존자는 비의존자에 비해 결근율과 의료기관 이용률이 훨씬 더 높고 전반적인 생산성도 낮았다. 운수 업종에서는 음주 및 약물남용과 관련된 대형 사고가 연속적으로 발생하여 이것이 공공 안전에 심각한 위해요인으로 지적되었다. 1991년 미국 의회에서는 운수근로자 검사법(Omnibus Transportation Employee Testing Act)를 제정하였다. 이에 따라 항공, 트럭, 철도, 대량운송, 송유관/가스관, 해안경비대 등 안전에 중요한 사업장의 근로자는 미국 교통부의 규정에 따라 정기적으로 알코올과 약물남용 평가를 받는다. 신규 직원을 채용할 때는 입사 시에 알코올과 약물남용 문제에 대한 서약서를 작성하게 한다. 운전자 중에서 매년 25~50%를 무작위 추출하여 알코올 중독과 약물남용 여부를 검사한다. 양성 반응자는 현업에서 즉시 물러나서 약물남용전문가(Substance Abuse Professional: SAP)에게 평가 및 상담을 받아야만 하고, 문제가 해결되었다고 판정되어야 현업에 복귀할 수 있다(Department of Transportation, 2008). 대개 처음 문제가 발생된 경우에 한해서는 회사의 EAP나 EAP에서 소개하는 외부기관을 통해 적절한 재활 프로그램에 참여하면 고용을 유지할 수 있다. 그러나 이를 거부하거나 해당 프로그램을 끝마치지 못하면, 해고의 사유가 된다. 어떤 기업은 '삼진 아웃제'를 적용하기도 한다.

둘째, 경제적 차원에서 산재보상과 소송이 증가하고 브로커가 많아지면서 배상액이 크게 증가하는 등 사업주 지출이 늘어났다. 스트레스 등 업무 집중력 저하가 생산성 저하에 미치는 악영향도 연구를 통해 입증되었고, 비용에 대한 투자수익률도 제시됨으로써 EAP를 운용하는 것이 조직에 이익이 된다는 공감대가 형성되었다.

셋째, 의료비 부담을 줄이는 방안으로서 1990년대에 EAP가 급격히 확산되었다. 정신적 행동적 문제가 심각해지면 의료기관에서 치료를 받아야 하는데, 미국은 의료 수가가 상대적으로 높고 회사의 부담이 크다. 정신건강 문제가 심해지면 환자가 자발적인 치료 노력을 하기 힘들다. 따라서 보험회사 입장에서는 근로자가 겪는 고충을 미리 상담하고 초기에 해결함으로써 심각한 질병으로 이어지지 않도록 예방할 경제적 이유가 발생했다. 각 기업에서도 재정 절감 방안을 모색하였고, 그 대안으로 EAP가 확산되었다. 초기에 상담을 활용해서 필요한 서비스를 적기에 제공하면, 의료비도 줄고 환자 스스로 치료를 위해 자발적으로 노력하므로 서비스 이용량도 줄어들기 때문이다.

조직 관리 차원에서도 카페테리아식 복지플랜이 확산되면서 알코올 해독프로그램(detoxification)이나 위기 상담과 같은 서비스가 기본적인 복지 플랜의 요소가 되었고, 조직 구성원에게 사회심리적 서비스를 제공하는 것이 일반화되었다.

2. 미국 연방정부기관

미국 연방정부기관(federal agency)은 각 기관 별로 다양한 형태의 EAP를 운영하고 있다. 가장 많은 형태는 내부-외부 혼합형이다. 즉 조직 내에서 EAP 상담사 약간 명을 직접 고용하여 기본적인 EAP 서비스를 운영하는 한편, 외부 EAP 서비스 전문기관과 계약을 맺어 광범위한 EAP 서비스를 직원들에게 제공하는 형태이다. 일부 산하기관에서는 컨소시엄 형태를 택하기도 한다.

연방정부기관에서 시행하는 EAP의 배경이 되는 관련 규정은 다음과 같다. ① 연방 기관은 근로자들을 위해 알코올과 약물남용 문제에 대한 예방과 개입, 재활 프로그램 및 서비스를 개발해야 한다(Public Law 99-570, the Federal Employee Substance Abuse Education and Treatment Act of 1986, Title 5 Code of Federal Regulations Part 792). ② 연방 기관은 알코올과 약물남용 문제가 있는 근로자와 그 가족들이 이용하기에 적절한 상담 서비스를 제공해야 한다(Public Law 96-180, 96-181). ③ 연방 기관은 알코올과 약물남용 문제를 포함한 근로자의 전반적인 문제에 대한 상담 서비스와 보건과 관련된 모든 형태의 서비스를 제공해야 한다(Public Law 79-658). ④ 연방 기관은 EAP를 핵심 요소로 하는 '약물 없는 연방정부 만들기' 계획을 수립하고 실행해야 한다(Executive Order 12564, Drug-Free Workplace).

특히 1985년 공표된 이 시행령은 알코올과 불법적인 약물 사용에 대한 연방 정부의 입장을 상세하게 규정하고 있다. EAP를 이용해서 문제 파악, 상담, 의뢰, 개입 및 재활 서비스를 활용하도록 명시하고 있는데, 각 기관 및 부서장이 EAP 서비스와 효과적으로 연계하여 조직원을 잘 관리하도록 강조하고 있다.

연방정부기관에서는 개인정보 보호와 비밀 유지에 대한 명문화한 규정을 마련하는 등 각별한 주의를 기울이고 있다. EAP 담당자는 서비스를 이용하는 근로자에게 기록의 보호 및 작성된 내용에 영향을 미칠 수 있는 법과 절차에 대해 문서화된 자료를 사용하여 설명해 주어야 한다. 이것은 개인정보 보호법(The Privacy Act 5 U.S.C. 552a)과 알코올 및 약물남용자에 대한 EAP 서비스 내용에 대한 보호(42 Code of Federal Regulations 2 Part 2, Confidentiality of Alcohol and Drug Abuse Patient Records)에 근거한다. 원칙적으로 문서화된 내담자의 동의 없이 상담 내용은 공개될 수 없다. 하지만 내담자의 건강이 위급하거나 법원의 요구가 있는 경우, 약물 없는 일터와 관련한 시행령에 저촉되는 경우는 예외에 속한다.

연방정부기관이 제공하는 EAP 서비스에는 기본 서비스와 전문 서비스, 부가 서비스 등이 있다. 기본 서비스로는 문제 평가 및 해결을 위한 단기 상담 프로그램을 제공한다. 전문 서비스로는 지역사회 자원 연계와 전문 상담 프로그램, 이용 근로자에 대한 사후관리 프로그램, 업무 관련 문제에 대한 중간관리자 대처 능력 향상 프로그램, EAP 서비스 이용 안내 프로그램, EAP 서비스에 대한 노조 및 중간관리자의 역할 향상 프로그램이 있다. 부가 서비스로는 직장 내 폭력 예방 프로그램과 스트레스로 인한 우발적 사고 발생 예방 프로그램, 구조 조정 시기 전직지원서비스(outplacement service)로서 EAP를 제공한다.

3. 존슨앤드존슨

1) 개괄

존슨앤드존슨(Johnson & Johnson)은 직원 수가 11만 명에 달하는 세계적인 대기업이다. 존슨앤드존슨은 세계에서 가장 일하고 싶은 회사 중 하나로 늘 선정되고 있으며, '건강한 생활 습관과 사고 없는 직장 만들기'라는 비전을 갖고 있다. 존슨앤드존슨은 작업시간 동안의 사고와 건강 문제뿐 아니라, 근로자가 퇴근하여 집에 있는 동안의 건강 문제에도 회사가 관심을 갖고 관리해야 함을 오래전부터 인식하였다. 회사 안에서의 건강 상태는 회사 밖 건강 상태와 연결되어 있고, 가족의 건강과도 밀접하게 관련되기 때문이다.

존슨앤드존슨이 EAP를 강화하게 된 계기는 수송 업무를 담당하는 운송직 33,000명 중 51%에 해당하는 약 17,000명이 운전 동안의 피로와 졸림을 호소하였던 자체 조사 결과이다. 운전 도중 사고가 나면 회사는 큰 손실을 입게 된다.

또한 부서 전체가 출장 워크숍을 하던 중 당시 이혼 직후였던 한 영업사원이 호텔방에서 자살한 사건이 발생하였다. 이때 회사에서는 관리자 중 누가 가족에게 알려야 하는지, 전할 내용과 전달 방법을 어떻게 해야 할지 몰라서 매우 당황하였다. 게다가 모든 부서원이 경찰서에 불려가서 사망자의 사인과 사망 직전 상황에 대해 조사를 받았다. 이로 인해 부서전체의 사기가 저하되고 한동안 정상적인 근무를 할 수 없었다. 이것은 부서장이나 중간 관리자가 어떻게 해결할 수 있는 문제가 아니었고, 별도의 조직적 해결책이 필요한 상황이었다. 일련의 몇 가지 사건을 겪으면서 존슨앤드존슨은 근로자들이 급변하는 비즈니스 환경에 잘 적응하도록 도와서 생산성을 향상하고 비용 손실을 절감하고자 EAP 조직을 강화하였다.

2) 직원건강증진종합계획

존슨앤드존슨은 자체적으로 직원건강증진종합계획인 〈Healthy People 2005〉를 설정하였다. 존슨앤드존슨은 건강증진을 위한 웹사이트를 제작했고 이를 이용해서 건강위험도를 측정하였다. 2년마다 온라인으로 건강상태를 측정하고 15분 정도가 소요되는 설문에 응답하면, 500달러를 지급하였다. 참여자에게는 콜레스테롤과 혈압 수치, 운동과 금연 정보, 스트레스 측정 및 도움말, 기타 관련 정보를 제공하였다. 〈온라인 행동계획 가이드〉를 구성하여 영양, 금연, 스트레스관리, 체중관리, 요통관리 서비스를 제공하였고, 사내 간호사에게 생활습관 상담을 의뢰하였다. 상담 시간에는 건강교육과 질병관리, 우울증 등 정신건강 선별검사, 스트레스관리 훈련, 음주 및 약물남용 교육, 운동 활성화 전략 등을 교육하였다.

2003년까지 존슨앤드존슨은 EAP와 생활지원 프로그램, 산업보건, 장해 관리, 웰니스와 피트니스를 통합한 〈건강 및 웰니스 프로그램〉를 시행하여 좋은 결실을 맺고 있었다. 이 프로그램을 이용해서 존슨앤드존슨은 1995년부터 1999년 사이에 연평균 850만 달러를 절감했고, 존슨앤드존슨이 운영하는 자회사들은 근로자 일인당 매년 224달러의 의료비를 절약하였다.

2003년부터 존슨앤드존슨은 쌍방향식 정신건강 조기파악도구인 〈Workplace ResponseTM〉을 미국 내 직원과 그 가족에게 실행하였다. 이 프로그램을 이용하여 참가자는 우울증과 음주문제, 불안, 외상후스트레스장애, 조울증, 식사장애를 조기에 파악할 수 있었다. 여러 언어로 번역하여 라틴아메리카 등 지사에도 사용하고 있다. 이런 프로그램이 실행될 수 있는 배경에는 조직의 문화가 직원의 EAP 이용을 장려하기 때문이다. 예를 들어 관리자와 인사 담당자들은 심각한 문제가 발생하기 전에 직원들이 도움을 요청할 수 있도록 격려하는 방법을 별도로 교육받았다.

2004년 1월에는 조직 구성상의 큰 변화가 있었다. 존슨앤드존슨은 건강과 웰니스 프로그램을 전세계 보건안전본부(Worldwide Health & Safety Division)에 통합하였다. 사람의 행동에 관련된 이슈들은 서로 겹치는 영역이 많기 때문에 더 광범위한 분야의 전문 인력을 통합적으로 활용하는 편이 낫다고 판단한 것이다. 존슨앤드존슨은 글로벌 차원에서 전 직원에게 적용할 스트레스관리 및 레질리언스 프로그램을 개발하였다. 이 프로그램에는 정신건강 조기검진과 스트레스관리 기법 강좌, 건강한 식사습관 프로그램과 피트니스 및 웰니스 증진, 질병 관리 등이 포함되어 있다.

한편 존슨앤드존슨은 자체 EAP 서비스 이외에 외부 파트너인 밸류옵션(Value Options)을 미국 내 EAP 제공자로 활용하고 있다. 2003년 11월부터 밸류옵션은 EAP 서비스가 근로자의 결근율과 생산성, 정신건강상태에 미치는 영향을 조사하였다. 2005년까지 146명의 근로자를 조사한 결과, EAP 서비스를 받은 직원들의 정신건강 점수는 10점 만점에 평균 5.66에서 7.57으로 증가하였다(American Psychiatric Association & American Psychiatric Foundation, 2005). 이 조사에서 EAP는 웰빙뿐 아니라 생산성 손실과 결근율, 의료비 지출을 줄이고 업무 능률을 높이는 것으로 나타났다.

3) 효과

투자수익률 분석 결과, 결근율이 78% 감소하고 비효율근무가 60% 감소하였으며 정신건강상태도 38% 향상하여 결국 EAP 이용자 1인당 약 4,000달러의 이익을 보는 것으로 추산되었다. 세부적으로는 첫째, 근로자의 건강 위험도가 감소하였고, 둘째, 의료비 지출이 1인당 224달러 감소(응급실 방문 11달러, 정신과 방문 45달러, 입원일수 감소 119달러 등)하였으며, 회사 전체로는 연간 3억 달러를 절감하는 효과를 거두었다. 이외에도 온라인 스트레스관리 프로그램을 이용해서 스트레스 증상이 47% 감소하였고, 참가자의 86%가 스트레스관리 기술이 발전하였다. 2004년 기준으로 EAP의 효과는 이용자 만족도 99%, 이용률 미국 내 7%, 미국 외 8%, 관리자의 의뢰 사례가 15%, 위기상황 관리가 미국 내 58건 미국 외 12건, 스트레스관리 훈련 후 65%의 개선 효과를 나타냈다. 그에 따라 2009년까지 전체 직원의 60%가 스트레스관리 및 레질리언스 증진 훈련을 받도록 목표를 설정하였다(American Psychiatric Association & American Psychiatric Foundation, 2005).

4. 기타 사례

1) 듀폰

듀폰(DuPont)은 세계적인 화학 회사이다. 듀폰은 일찍이 1942년에 사내 단주 모임을 시작했을 정도로 작업장에 미치는 인적 요소를 중시하였다. 듀폰은 탄탄한 EAP를 개발하였다. 회사 조직 구조에서 듀폰의 EAP는 인사부서 산하에 산업보건프로그램과 함께 있다. 이것은 듀폰이 사업장내의 신체적 정신적 건강을 모두 중시하고 있음을 시사한다.

듀폰에서 포괄적인 EAP를 개발한 이유는 사업장 내 안전을 확보하고 숙련된 노동력의 이직을 줄이는 것이었다. 화학업종은 잠재적인 위험요인이 많기 때문에 숙련된 인력을 장기간 보유하는 것이 아주 중요하다. '안전'과 '사람'은 듀폰 EAP의 주요한 동력이다.

한편 2004년 듀폰 미국지역 직원 중 30%가 업무관련 스트레스가 주된 스트레스라고 보고하였고, 스트레스가 제1의 건강문제로 나타났다. 또한 그 해에 듀폰 미국지역에서 정신과 서비스에 지불한 비용이 건강관련 비용 중 세 번째로 높게 나타났다. 듀폰은 적극적으로 EAP를 활용하였고 의료비를 22%나 절감할 수 있었다.

2) 푸르덴셜

푸르덴셜(Prudential Insurance Company)은 1990년 이후 노인부양지원프로그램을 제공하기 시작했다. 1996년까지 99,000명 이상이 노인부양 자원 안내와 의뢰 서비스를 이용하였다. 예를 들어 갑자기 부모상을 당했거나 치매 부모를 위해 요양시설을 찾는 사람은 해당 문제의 컨설턴트와 통화하여 전화 상담을 받거나, 해당 지역의 자원을 소개받을 수 있다. 근무시간 중에 서비스를 이용하면 업무에 지장이 생길 수 있으므로 푸르덴셜은 외부 기관과 계약하여 근로자들이 1년 365일 아무 때나 무료 전화번호를 통해서 서비스를 이용할 수 있도록 하였다. 특히 가족과 멀리 떨어져 근무하는 경우에 유용하고 많은 시간을 절약할 수 있어서 반응이 좋았다고 한다.

푸르덴셜의 노인부양 지원 프로그램은 근로자가 노인병 전문가와 상담할 수 있도록 지원하기도 한다. 예를 들어, 개별적으로 전문가의 상담을 받는 경우 3시간에 600달러를 지불해야 한다면, 푸르덴셜의 근로자는 본인부담금 100달러만 내고 3시간 동안 전문가와 함께 노인 치료 계획을 짤 수 있다. 나머지 금액은 회사가 높은 구매력을 바탕으로 전문기관과 단체계약을 해서 지원하는 방식이다.

3) 애보트

미국 제약회사 애보트(Abbot Labs)는 정신건강이 악화된 직원이 치료 후 성공적으로 업무에 복귀할 수 있도록 기간과 횟수에 관계없이 지속적으로 관리하는 EAP를 실시하고 있었다. 두 자녀를 둔 30대 초반의 사무보조원이 이혼 후 업무 집중도와 생산성이 크게 낮아졌다. 이를 발견한 중간관리자는 사내 EAP 담당자에게 도움을 요청하였다. EAP 담당자는 사무보조원에게 병가를 권고하였고, 정신건강의학과 전문의가 해당 근로자에 대한 종합적 평가 및 집중 치료를 진행하였다.

2개월 후, 사무보조원은 회사로 복귀하였다. 그러나 자살 시도 등 정신질환 징후가 재발하였다. EAP 담당자는 다시 병가와 입원을 권유하였다. 해당 근로자는 6주간 치료를 받은 뒤, 시간제로 복귀하였고 한 달 후 전일제로 전환하였다. EAP 담당자는 회사 복귀 후 연락을 계속하면서 그녀의 회사 및 가정생활에 대한 안부를 확인하였다. 그 후 중간관리자에게 복귀가 성공했음을 통보하였다. EAP 기관의 담당자는 총 10개월 과정에서 관련된 의사나 중간관리자, 기타 회사 관계자들과 총 163번의 전화 또는 면담을 실시하였다.

제 14 장

유럽과 일본

미국 EAP의 태동을 직장내 알코올리즘의 만연과 이에 대한 조직적인 대응에서 찾을 수 있다면, 유럽과 일본의 EAP가 활성화된 배경은 조금 다르다. 영국의 경우는 근로자의 스트레스 관련 소송에서 기업이 잇달아 패소하면서 이슈가 되었고, 일본은 과로사나 자살에 대한 기업차원의 대응이 요구되면서 EAP가 도입되었다. 본 장에서는 우종민·최수찬(2008)에서 기술된 영국과 스웨덴, 일본 등의 사례를 수정·보완하였다.

1. 영국

1) 배경

영국에서 개별 기업 차원을 넘어 외부 EAP 전문 기관을 통해 관련 서비스가 제공되기 시작된 것은 1980년대 초반이다. 영국의 EAP는 시작 초기부터 법률상의 문제나 재정 문제에 대한 조언, 유아 및 노인부양 지원에 관한 서비스와 상담 등 다양한 생활지원 서비스가 시행되었다.

1994년 고등법원은 지방법원의 결정을 뒤집고 처음으로 근로자의 업무관련성 스트레스 장해에 대해 보상하도록 결정하였다. 해당 기업이 지불해야 하는 보상액은 한화 기준으로 30억원에 달했다. 2002년에도 이와 비슷한 결정이 내려졌고, 그 이후 직무스트레스와 관련된 근로자의 소송이 급증하였다. 2003년에는 조직 내 스트레스 예방 소홀을 이유로 약 100여 건의 행정소송이 진행될 정도였다. 이러한 일련의 과정은 이후 영국에서 EAP 시장이 성장하는 중요한 요인이 되었다. EAP는 소송 발생 시 회사의 부담을 줄일 수 있는 방법이 되기 때문이다. 고용주는 고용 과정에서 불가피하게 일어나는 일에 대해 직원을 도와야할 의무가 있고, 이를 이행해야 하며, 예측가능한 상해에 관한 책임이 있다. 이것을 이행하지 않으면 근로자가 소송을 제기하여 승소할 수 있다 (Carroll, 1996).

영국의 근로자 5명 중 1명은 스트레스를 겪고 있고 그들은 스트레스와 관련해서 연평균 2.5일의 병가를 사용하였다. 영국 안전보건청 Health and Safety Executive(HSE)의 2006년과 2007년 연구 자료에서는 스트레스와 우울, 불안 등으로 인한 노동일수 손실을 연간 1,380만 일로 추산하고 있다.

스트레스로 인한 이런 피해를 줄이기 위해서 영국 정부는 직장안전보건법(Health and Safety at Work etc Act 1974)을 제정하였고, 5인 이상 사업장에서는 위험 평가를 시행하도록 하였다. 영국 안전보건청에서는 스트레스와 정신건강 측정에 대한 가이드라인을 제시하였다. 기업에서는 이 가이드라인을 활용해서 작업의 질과 생산성을 향상하였고, 산업재해와 관련된 소송이 발생할 때 사업주의 부담을 줄일 수 있었다. 정유회사, 발전소, 수자원관리, 원자력관리기관, 화학회사 등 위험요인을 취급하는 업종에서는 근로자의 스트레스가 자살이나 상해, 방화 등 극단적인 위험 행동으로 이어질 수 있다. 이로 인한 사회적 파장과 손실을 일으키는 사례를 경험하면서 각 기업체는 중대 재해를 예방하기 위한 활동을 강화하고 있다.

2) 관리표준의 제정 및 효과

영국 안전보건청에서는 직종과 지역, 연령을 기준으로 관리표준(Management Standard)이라는 가이드라인을 제시하였다. 1993년부터 기초 조사를 실시하였고, 2000년에는 노사협의를 거쳐 향후 10년간 목표를 설정하고, 2001~2004년까지 4년간 전 분야에 걸쳐 컨설팅을 받은 뒤, 실질적 개선을 위해 성취 가능한 목표를 수치화하여 발표하였다.

관리표준은 건강과 웰빙, 조직 내 성과의 현재 수준을 평가하고 개선책을 찾을 수 있는 표준화된 도구이다. 관리표준은 〈위험요인의 분석 → 장단기 목표 설정 → 조직의 위험요인 평가 → 문제에 대한 해결책 모색 → 모니터링과 효과 분석〉의 5단계로 구성되며, 각 단계에 대한 구체적 절차를 매뉴얼로 만들어서 제시하고 있다. 또한 각 기업 실무자가 직접 자기 회사의 직무스트레스를 측정하고 이를 동종업계나 동일지역의 다른 회사와 비교할 수 있는 도구와 통계 자료를 제공하고 있다.

영국 안전보건청의 관리표준과 통계자료는 기업과 공공조직이 민간 EAP기관을 효과적으로 활용하는 데 있어서 큰 도움을 준다. 즉 영국 안전보건청은 민간이 활동할 수 있도록 이른바 멍석을 깔아주는 역할을 수행하고 있는 셈이며, 이것은 공공부문과 민간부문이 협력하여 사회적 서비스를 발전시키는 좋은 모델이라고 할 수 있다.

3) EAP 현황

2005년 기준으로 17개 EAP 제공자가 영국 EAP협회에 등록되어 있고, 그들은 10~12%의 영국 사업장들에게 서비스를 제공하고 있다. 영국 EAP협회는 EAP를 이용할 수 있는 근로자의 수가 전체의 20%에 달한다고 추정하였다. 350만 명 이상의 직원과 그 가족들이 생활지원 서비스나 EAP를 이용하였다.

영국에서는 관리자 의뢰를 미국보다 더 강조하고 있다. 관리자가 지원이 필요한 직원을 잘 파악하여 EAP 서비스 이용을 잘 하도록 연결해 주는 것이 관리자로서의 중요한 역할로 보고, 조직 관리 차원에서 EAP를 적극적으로 활용하고 관리자 교육을 실시한다.

영국 정부기관에서도 EAP를 적극적으로 실시하고 있다. EAP 서비스를 위한 예산은 각 구매부서에 따라 결정된다. 대부분 외부 전문기관을 이용하고 있으며, 정규직 이외에 파트타임 근로자와 그 가족을 위한 서비스도 제공된다.

일반적으로 개인 문제와 약물남용 문제를 포함하여 5~8회의 대면 상담서비스가 제공되고 있다. 모든 서비스는 사용주가 제공하므로 근로자와 가족은 비용 부담이 없다. EAP의 효과 평가는 관례적으로 EAP 서비스 제공자가 이용건수를 집계한다.

2. 스웨덴

스웨덴 볼보(Volvo)의 EAP는 내부-외부 협력 모델을 택하고 있다. 사업장이 외곽에 위치한 중북부에서는 사내에서 직접 EAP 담당자를 고용하고, 예테보리의 본사에서는 외부의 전문회사에 의뢰하고 있다. 볼보는 경영진과 노조가 긴밀하게 협조해서 작업장 내의 행동적 위험요인을 파악하고 건강한 작업환경을 만듦으로써 생산성 향상과 근로자의 정신건강 및 대인관계 향상을 이루고자 노력하고 있다. 가령 공장 벽면 게시판에 챠트를 만들어서 근로자들이 직접 스트레스 정도를 평가하고 조장을 중심으로 그 개선책을 토의하는 등 자발적 참여로 진행한다. 평가도구는 볼보그룹 직원 태도 척도(Volvo Group Attitude Scale: VGAS)인데, 일종의 직원만족지수에 해당하며, 1~9까지의 9점 척도로 매년 2월~10월 사이에 정기적으로 평가한다.

볼보는 다양한 웰빙 프로그램을 시행하고 있다. 과거에는 직무관련성이 높은 문제부터 개입을 시작하였지만, 현재는 생활습관 개선 프로그램을 확대보급하고 있다. 개인의 생활습관과 직무 요인은 서로 연관되어 생산성에 영향을 미치며 명확하게 구별하기 힘들기 때문이다.

볼보의 행동적 위험관리의 일환으로 사업상 내 탈진 예방 프로그램을 시행하고 있다. 볼보에서 탈진 예방에 관심을 기울이는 이유는 실수와 태만, 주의집중력 저하로 발생하는 안전사고가 대부분 직원들의 정서적 탈진에서 비롯되기 때문이다. 특히 연구직처럼 정신적 부담이 많은 경우 탈진으로 인해 장기간 병가나 휴직을 내는 경우 회사에서는 상당한 손실이 발생한다. 이를 예방하기 위하여 일중독을 방지하는 조직문화 정착과 오버타임 금지, 회복시간 제공, 현황 파악 및 조사를 시행하고 있다.

3. 일본

1) 발전 배경

1990년대의 어려운 경제 환경과 일본식 고용 제도의 변혁기에 근로자의 심리적 부담이 증대하였다. 1997년 노동성 조사에서 근로자의 74.5%가 마음이 지친다고 호소하였다. 일본은 종신고용신화의 붕괴 이후 회사와 직원간의 윈-윈을 위해 경력 상담, 정신건강 관리, 인사시스템 관리 등의 지원 서비스가 늘어나는 추세이다.

1990년대 중반 이후 스트레스로 인한 뇌심혈관 질환이 산업재해의 주요 질환으로 나타났다. 일본 정부는 뇌심혈관 질환 예방 법규를 강화하였다. 기업은 사회적 책임을 이행하고 집단소송을 대비하기 위해 과로사나 우울증을 관리하기 시작하였다.

결정적인 계기는 1990년대 후반 덴쯔(Dentzu)라는 큰 광고 회사 직원이 초과 근무로 인한 스트레스로 자살을 하여, 회사가 2억 5천만 엔을 배상한 사건이었다. 일본은 초과근무를 아주 많이 하는 것이 관례였는데, 자살이나 사망사고와 관련된 소송이 발생할 경우, 초과 근무 시간이나 평소 회사의 관리 여부에 따라 재판 결과가 달라지기 때문에 많은 변화가 일어났다. 뇌심혈관질환이 발생한 경우 초과 근무시간이 월 40~70시간은 상황에 따라 결정되며, 월 70~100시간일 경우 대부분이 회사 책임으로, 100시간 이상일 경우에는 100% 회사 책임으로 규정되고 있다.

일본 노동성은 산업재해 보상 인정 기준을 완화하였고, 2002년 〈마음의 건강 만들기 지침〉을 내는 등 대책을 강구하고 있다. 경영자와 근로자, 국가 모두가 근로자의 생산성 향상을 위한 정신건강의 중요성을 인식하고 있다고 볼 수 있다. 이러한 배경 아래 기업에 있어서의 정신건강관리 방법으로서 EAP에 주목하기 시작했다.

일본 후생성에서는 『정신건강증진 가이드라인(2000)』을 통해 고용주가 각 사업장에 정신건강증진 계획을 마련해야 하도록 의무화하였고, 네 가지 방식의 정신보건 관리를 실행하도록 권고하였다. 첫째, 근로자 자신이 하는 자가 관리, 둘째, 직장의 개선이나 근로자에 대한 상담대응 등 업무라인이 하는 관리, 셋째, 직장 내 심리상담자나 산업 카운슬러, 임상심리사, 정신과 전문의 등 사업장내 산업보건 스텝이 하는 관리, 넷째, 정신보건센터와 근로자 건강증진 서비스 기관(예: EAP), 산업보건추진센터 등 사업장외 자원에 의한 관리가 해당한다. 산업보건의 강한 전통을 지닌 일본의 전형적인 EAP 진행체계는 〈그림 15〉와 같다.

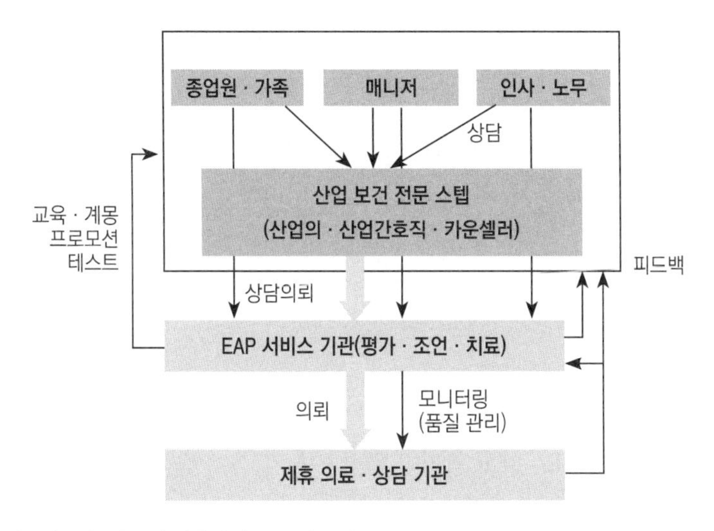

〈그림 15〉 일본의 전형적인 EAP 시스템

2) 정부의 정신건강 증진 정책

일본 정부는 2005년 11월 노동안전위생법의 개정과 2006년 3월 근로자의 정신건강을 보호증진하기 위한 지침 개정을 통해 직장인들의 정신건강 대책을 추진하였다. 후생노동청에서 발표한 근로자의 정신건강 증진 지침의 내용은 아래와 같다.

① 근로자 마음 건강 유지 증진 지침(후생 노동청, 2006. 03)

지침에 따르면 사업주는 정신건강관리와 관련하여 사업장 내의 현황 및 문제점을 명확히 하는 한편, 그러한 문제점을 해결하기 위한 구체적인 방안 등에 관한 기본적 계획을 수립해야 한다. 이 때 직장 내 정신건강 케어는 크게 셀프케어, 상사에 의한 케어, 사업장내 산업보건 담당자들에 의한 케어, 사업장 외부의 자원을 활용하는 케어 등 4가지 관점에서 이루어진다. 이러한 방식이 계획적이고 지속적으로 이루어질 수 있도록 관계자들에게 관련 교육을 시키고 정보를 제공하는 한편, 작업환경의 개선 및 휴업자들의 직장복귀를 원활하게 하는 것이 중요하다. 또한 사업주는 정신건강관리를 추진하는 실무를 담당하는 추진담당자를 선임하는 노력을 기울여야 한다. 또한 이러한 관리는 정책 표명, 목표 설정, 평가 및 개선의 단계로 이루어진다. A사업장의 예를 들면 다음과 같다.

① 정책 표명 : 우리 사업장은 한 사람 한 사람 직원의 심신 건강을 소중히 여기고, "밝고 활기찬 직장 만들기"를 추진하겠다.

② 목표

- 라인에 의한 관리 추진을 위해 모든 관리 감독자가 기본적인 지식과 기술을 익힌다.
- 사업장에 마음건강 만들기 체제 및 설명서를 제공한다.
- 연간 마음의 건강 만들기를 계획한다.
- 산업전문의를 강사로 초빙하여 중간관리자나 마음건강 추진 담당자, 관리 감독자에 대한 교육을 실시한다.
- 마음건강 문제에 전문적인 진단가 치료가 필요할 경우 산업 의사가 근로자에게 소개할 주변의 정신과 의료 기관의 목록을 작성한다. 또한 마음건강 문제에 따라 휴직 후 직장 복귀 단계를 결정한다.
- 보건관리자 1명이 심리상담사 과정을 수강한다.

③ 평가 및 개선

- 과장 및 계장 직급 중 70%가 관리 감독자 교육을 이수했다. 내년에는 나머지 30%가 교육 이수하는 것을 목표로 하겠다(평가: 10점 기준).
- 주변 정신과 의료기관 목록 및 마음건강 문제로 인해 휴직한 후 직장 복귀할 시 제공할 설명서 제작을 완료하였다(평가: 10점 기준).
- 심리 상담을 제공하였다(만족도 평가: 10점 기준).

(2) 서비스 제공 시스템

이와 같은 정책은 기본적으로는 후생노동성 직속 행정기관을 통해서도 추진되지만, 도도부현(都道府縣)에 설치된 노동안전위생기관을 통해서도 추진되고 있다. 또한 건강보험조합 및 외부 EAP기관의 활용도 활발하게 이루어지고 있다.

① 노동관련 행정기관의 역할

노동기준감독서 및 노동국은 사업주 및 근로자들을 대상으로 정신건강 대책과 관련된 기본적인 정보를 제공하고 행정적인 지도를 하는 한편, 직접 상담창구를 만들어서 운영한다.

② 노동안전 위생분야 기관

중앙노동재해방지협회는 멘탈헬스 대책과 관련하여 기본적인 지원, 현상체크, 마음건강증진 계획을 지원하고 의식을 향상시키며 교육연수, 자기주도적인 스트레스 체크 및 케어를 지원하는 등 다양한 활동을 수행한다. 전국 47개의 도도부현에 설치된 산업보건추진센터는 멘탈헬스 및 카운셀링 전문가를 통해 창구상담을 하며, 직장 멘탈헬스를 증진하기 위해 사업장으로부터의 상담을 처리한다. 지역산업보건센터는 노동기준감독서 단위 수준에 설치되며 해당지역 의사회에 의해 운영된다. 산업보건센터와 연계하여 주로 50인 미만 사업장 및 종업원들을 대상으로 멘탈헬스 상담 및 산업보건 서비스를 제공한다.

③ 건강보험조합

건강보험조합은 건강보험법에 기초하여 비보험자 및 피부양자의 건강유지 및 증진을 위해 건강교육 건강상담, 건강조사 등 예방적 사업을 시행한다(건강보험법 제150조). 건강보험조합에 따라서는 EAP기관과 제휴하여 개인적인 전화상담이나 면담을 실시하거나 사업소와 협력하여 라인 관리자들에 의한 케어나 교육, 셀프케어 교육 등을 실시하는 경우도 있다

④ 외부 EAP 기관

외부 EAP 기관은 직장 근로자의 건강문제 가족문제 경제문제 알콜중독 약물중독 법적문제 대인관계 스트레스 등 직업성과에 영향을 미치는 다양한 개인적 문제들을 찾아서 해결하는 역할을 한다. 일반사단법인 생명의 전화연맹(いのちの電話連盟)이 실시하고 있는 생명의 전화 또는 일본산업카운셀러협회(日本産業カウンセラー協會)가 직장인들을 대상으로 실행하고 있는 일하는 사람의 고민 핫라인(働く人の悩みホットライン) 등이 있다. 일본산업카운셀러협회는 후생노동성의 위탁을 받아 일하는 사람들의 멘탈헬스 포탈 사이트인 마음의 귀(こころの耳)를 운영하고 있다. 마음의 귀는 마음건강에 관한 정보를 인터넷에 제공하는 한편, 일하는 사람들의 마음건강을 보호하고 자살이나 과로

사를 예방하는 것을 목적으로 하고 있다

⑤ 직장 내 괴롭힘 방지제도

근로자 정신건강 관련한 유럽의 가이드라인, 제도들을 살펴보면 직장 내의 괴롭힘, 따돌림. 차별 등에 대하여 개인 차원의 문제로 국한시키지 않고, 근로자의 정신건강 유지 차원에서 국가가 가이드라인, 노동법 법령으로 억지력을 발휘하고자 하는 제도적 장치를 갖추고 있다. 이 법령의 구속을 받아 각 사업장은 직장 내 괴롭힘, 차별 등의 문제가 발생하지 않도록 정기적으로 전문 기관 등의 도움을 받고 있다.

⑥ 업무 복귀 프로그램 및 전문 시설

이는 여타의 사정으로 업무를 중단한 근로자가 직장에 복귀하는 과정에서의 심리적 부담감을 줄여줄 뿐만 아니라 보다 빠르고 효율적인 적응을 도울 수 있다. 또한 업무 중단 기간 동안의 정신 건강을 관리하는 기능을 하여 기업의 생산성과 국민의 정신건강 향상에 이바지할 수 있다. 정부 지원으로 업무 복귀 프로그램 및 기관 설치가 활성화될 경우, 심리학자, 사회복지사, 놀이치료사 등 정신보건 관련 전문가들의 고용을 창출하는 효과도 거둘 수 있다.

3) 캐논

캐논(Canon)은 세계적인 광학 및 사무기 제조회사로서 약 22,500명의 근로자가 4조 엔의 매출을 올리고 있다. 캐논은 산업보건관리에 많은 노력을 하고 있다. 월 80시간 이상의 초과 근무는 금지하고 뇌심혈관 질환 예방을 위해서 별도 부서를 만들었으며, 외부의 EAP 회사 및 컨설팅 회사와 연계하여 교대제나 여성, 고위험군, 재정이나 가정문제가 있는 근로자, 질환자 등으로 분류하여 예방 프로그램을 진행하고 있다. 정신건강 문제가 생산성에 관련되므로 노사와 각 부서가 협조하여 관리한다는 공식적인 방침을 수립하고 연 3회 지침을 공표하고 있다.

캐논은 정신건강 관리를 위해 2004년부터 〈인간관계센터〉라는 별도 부서를 만들어서 인사부나 환경안전부서와는 독립적으로 운용하고 있다. 인간관계센터는 정신건강 관리, 성희롱, 경력 상담, 근로의욕 조사, 조직문화 개선 등을 전담하는 부서이다. 이런 일들은 비밀이 보장되어야 성공적으로 정착할 수 있다. 인사부서에 있으면 정보 노출에 대해 신뢰하지 못할 수 있기 때문에 아예 별도의 독립적 부서로 운용하고 있다.

캐논은 내부의 산업보건부서와 외부 EAP 기관의 협조체계가 잘 구축되어 있다. 캐논 내부의 보건담당자(주로 간호사)들도 상담과 스트레스관리 교육을 년 80시간씩 받고 일반적인 상담과 교육을 한다. 하지만 직원들 중에는 내부 기관을 이용하기 싫은 사람도 많다. 인사부서에 소속된 상담사의 경우 비밀 유지를 신뢰하기 힘들다. 반면 내부 상담사나 의료 인력은 개인의 문제를 파악하고 조언을 해줄 수는 있지만, 경영적 측면에서 상담 결과를 유익하게 활용하기 어렵다. 그래서 캐논에서는 직원이 원하면 처음부터 외부 EAP 기관을 이용할 수 있도록 채널을 열어둔다. 사내 담당자가 초기 면담에서 별도 관리가 필요하다고 판단한 경우도 외부 기관에 의뢰한다.

전체적으로 볼 때 캐논의 시스템은 세 가지 차원의 예방(1차: 예방과 건강증진, 2차: 조기발견과 조기치료, 3차: 업무복귀 지원)과 일본 후생성이 제시한 네 가지 관리(본인, 상사, 산업보건/인사전문가, 사업장 외 전문가에 의한 관리)를 결합하여 정신건강관리 체계를 수립하고 다양한 방법으로 실행하고 있다〈그림 16〉.

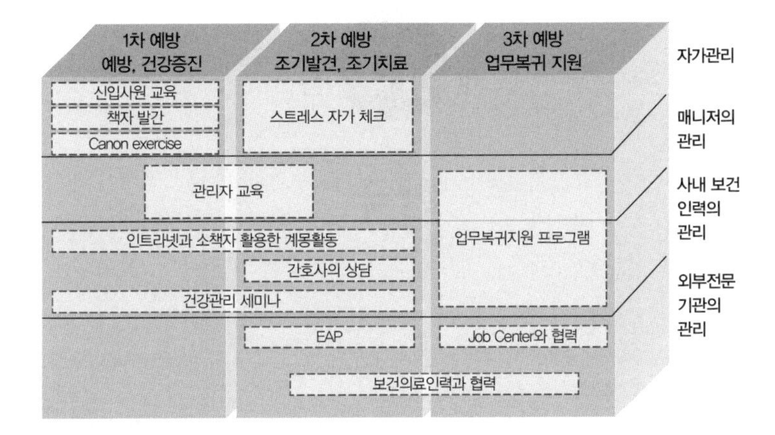

<그림 16> 일본 캐논사의 정신건강 관리체계

제 15 장 한국

우리나라 근로자들이 당면하는 제 문제는 근로자 개인의 문제에 국한되지 않고 필연적으로 가족 구성원과 사업장, 사회전체에 부정적인 영향을 미치고 있다. 선진국의 오랜 EAP 실행 경험을 한국의 사업장에 적용하는 동시에 우리의 특성에 맞는 EAP를 개발하고 토착화시키는 것은 그 어느 때보다 절실하다. 본 장에서는 우종민·최수찬(2008)의 한국 사례를 일부 인용하고, 최근 민간기업과 정부주도의 EAP 사업을 추가 기술하였다.

1. 국내 EAP 욕구조사

근로계층에서 느끼는 사회심리적 서비스의 필요성은 상당히 높다. 먼저 김의명(1997)의 연구에 의하면, 사용자의 89.1%와 근로자의 78.4%가 근로자의 개인적 문제인 알코올중독, 사고, 우울증, 가정불화가 근로자의 생산성에 영향을 미친다고 응답하였다. 또한 사용자의 81.3%와 근로자의 78.4%가 생산성을 향상하기 위해서는 회사에 재정적 손실 등 끼칠 수 있는 근로자의 개인적 · 정신적 문제 해결을 돕는 상담서비스를 제공할 필요가 있다고 응답하였다.

박해웅(2002)의 연구에서도 조사대상 근로자의 80.3%가 전문상담프로그램을 이용하길 원했으며, 유료일지라도 이용하겠다는 응답이

72.8%로 아주 높은 비율을 나타냈다. 최수찬(2004)과 최수찬과 박해웅(2005)은 사기업과 공기업 근로자 각 700여명을 대상으로 조사했는데, 대다수 근로자들은 기본적 욕구와 사회심리적 당면문제를 해결하기 위해 서구의 EAP와 같은 복지관련 서비스(상담 및 관련 정보 제공, 필요 자원 연결 등)가 필요하며, 그것을 전문적으로 제공하는 기구도 필요하다고 응답하였다. 또한 스트레스로 인해 우울증상을 경험할수록 EAP 서비스에 대한 욕구는 증가하였다.

김대성 등(2007)은 직장인의 정신건강증진에 대한 서비스 욕구를 조사하였다. 그 결과, 근로자들이 경험하는 문제 중 직무스트레스 문제 및 예방 관리, 정신건강 · 일상관련 스트레스관리, 신체단련 건강증진 프로그램, 노인 보호 서비스, 실직 · 퇴직 관련 고충 상담, 여가 비용 지원, 여가 시간 확충 등은 근로자들이 현재 경험하고 있는 문제와 향후 제공받기를 원하는 서비스로 동시에 지적을 받았다. 직무스트레스나 정신건강 문제는 근로자들이 경험하는 가장 큰 문제로 드러났으며, 신체 건강 증진, 여가 비용 및 여가 시간 확보는 근로자들이 가장 필요로 하는 서비스로 나타났다.

이러한 서비스 욕구는 최근의 사회경제적 변화를 그대로 반영하고 있다. 조사대상자들은 직무스트레스나 정신건강 관련 문제, 신체 건강 증진, 여가비용 및 여가 시간 지원 서비스를 원하였다. 이는 직장인들이 기초생활 보조적 성격의 전통적 기업복지 서비스보다 EAP와 같은 사회적 서비스에 더 큰 관심과 욕구를 느끼고 있음을 의미한다. 또한 고용의 불안정성이 높은 경제적 여건을 반영하듯 실직 · 퇴직 관련 문제가 심각한 당면 과제로 지적되었다.

주목할 만한 결과는 노인 보호 서비스에 대한 욕구가 4위로 높게 나타난 점이다. 본 연구 참가자의 상당수가 중 · 장년 남성층인 것과 최근 심각해지고 있는 고령화 문제를 고려할 때 이들에게 노부모의 건강과 부양 문제가 큰 고충으로 작용하고 있음을 알 수 있다. 여성들과 20대 30대의 응답자들은 다른 응답자들에 비해서 여가 비용 지원과 여가 시간 지원에 대한 욕구가 높은 편이였으며, 40대 이상의 근로자들은 노인 보호 서비스나 실직 및 퇴직 관련 고충 상담 서비스에 대한 욕구가 높았다. 이러한 결과는 EAP 서비스를 제공할 때 근로자의 연령과 성별, 특성에 따라서 각기 다른 맞춤식 서비스를 제공해야 함을 시사한다.

우종민 등(2008)은 전통적인 EAP가 관심을 가져온 문제들이 근로자의 스트레스와 업무수행도에 미칠 수 있는 영향력을 측정하였다. 그 결과, 건강 문제, 업무조직 문제, 생활 문제가 심각할수록 근로자들은 지각된 스트레스를 많이 경험하는 것으로 나타났다. 또한 근로자들의 건강 문제와 업무조직 문제가 심각할수록 집중력이 저하되었다. 생활 문제, 업무관련 문제, 문화 및 여가 문제가 심각할수록 이직 의도를 많이 갖게 되는 것으로 조사되었다. 이에 높은 이직률 때문에 고충을 겪고 있는 기업에서는 생활문제나 업무관련 문제를 폭넓게 다뤄줄 수 있는 EAP의 도입을 적극적으로 검토해야 한다. 경력 상담이나 코칭과 멘토링, 전직지원 프로그램도 유익하다. 지식집약적 산업이나 위험물을 취급하는 제조업종의 경우, 근로자들이 집중력을 잘 유지할 수 있도록 지원프로그램을 구성할 필요가 있다.

한편 82.1%의 근로자들은 EAP와 같은 복지관련 서비스를 전문적으로 제공하는 기구가 필요하다고 인식하였다. 또한 회사 · 기관 내 전담기구를 신설(28.1%)하는 것보다는 전문적으로 직장인 지원 서비스를 제공하는 외부 업체에 용역(70.0%)을 맡기는 것이 바람직하다고 생각했다. 하지만 각각의 모형이 갖는 장 · 단점이 있기에 사업장의 특성과 조건, 요구에 따라 적합한 제공 방식이 모색되어야 할 것이다.

또한 근로자의 사회심리적 문제에 대한 주요 개입 수단인 상담의 형태에 있어서 응답자들의 과반수는 개별상담(62.4%)을 선호했지만, 인터넷상담(18.4%)이나 전화상담(8.9%), 집단상담(8.97)을 선호하는 층도 상당수 존재하였다. 따라서 개별상담을 통한 개입을 원칙으로 하되, 산업상담 담당자와의 약속이나 접수 단계의 간단한 정보 교류 등은 인터넷이나 전화, SNS 등 온라인 매체를 활용할 수 있다.

최근 우리나라 여성의 경제활동 참가율이 50%를 넘어서고 육아 및 노부모 부양, 자녀교육 문제와 부부간의 갈등이나 가족해체 문제가 심각한 문제로 대두되고 있다. 특히 여성들이 직면하고 있는 노부모에 대한 부양의무나 육아 부담, 지나친 가사활동 등은 직무에 대한 몰입을 방해할 수 있으며 근로자가 경험하는 가정 내 문제는 직장생활에까지 전이되어 가정-직장갈등을 일으킬 수 있다. 이러한 문제를 가진 근로자들은 상당 수준의 스트레스에 직면하게 된다는 점을 고려할 때 직장과 가정의 갈등 문제는 이제 개인적 노력만이 아닌, 업무조직과 사회 전체의 관심과 개입이 요구되는 영역이라 할 수 있다.

2. 기업 내부 및 외부 EAP 사례

EAP라는 이름은 아니지만 SK, 삼성, 포스코 등 몇몇 대기업에서는 직원의 심신건강을 증진하고 개인적 고충 처리를 도와주기 위한 프로그램을 운용한 바 있다. 1990년대 후반, 듀폰 코리아(Dupont Korea)와 한국 피엔지(P&G) 등 본사에서 EAP를 시행하는 외국계기업에서 글로벌 프렉티스의 일환으로 한국에서 EAP를 실시했다. 2000년대에 들어서 국내에도 EAP 서비스를 전문적으로 제공하는 업체들이 생겨서 활발히 활동하고 있다. 2004년 홍콩 업체인 휴먼다이나믹 아시아퍼시픽이 한국에서 활동을 시작하여 본사와 계약된 다국적기업의 한국지사를 주 대상으로 EAP 서비스와 컨설팅를 제공하였다. 비슷한 시기에 (주)다인과 (사)한국EAP협회 등이 EAP 제공자로서 활동을 시작하였다. 최근에는 인사관리분야의 컨설팅업체나 상담기관, 정신과 병원 등에서도 EAP 서비스를 제공하고 있다. 아직 역사가 짧지만, EAP를 도입하는 기업과 이용 근로자의 숫자는 급속도로 증가하고 있다. 특히 외부 모형을 도입한 기업이 사내모형만 실행하는 회사보다는 훨씬 많으며, 고유한 기업문화와 조직의 특성을 감안하여 다양한 외부-내부 연계모형이 시도되고 있다.

1) 유한킴벌리

유한킴벌리에서는 2002년 3월부터 〈피톤치드〉란 이름으로 EAP를 실행하고 있다. 이 제도는 근로자들과 그 가족의 개인문제도 회사가 함께 고민하고 보다 합리적인 판단에 이르도록 도움으로써 근로자들의 만족도를 높이며, 근로자나 가족들이 극단적인 위험에 처하지 않도록 돕기 위한 것이다. 24시간 언제든지 비밀보장을 원칙으로 자녀관련, 가족관계, 업무관련, 재정관련 등 다양한 범위에서 자유롭게 각 분야의 전문가에게 컨설팅을 제공받을 수 있다. 행복한 가정생활에 도움을 주는 가족관련 사내특강을 매월 열어 다양한 지식을 제공하고 있으며, 영업사원들을 위해 멘토 제도를 운영함으로써 정신적 만족도를 높이고 있다.

유한킴벌리의 자체 평가에 따르면, 피톤치드 프로그램은 산재사고 발생률을 줄여서 안전한 사업장을 구축하는 데 기여하였고, 근로자의 직장 만족도가 높아지며 이직률이 감소하여 제조업 월평균 2.57% 보다 낮은 0.2%를 기록하고 있다고 한다. EAP는 유한킴벌리가 받고 있는 좋은 사회적 평판에도 기여하고 있다(김광진, 2007).

2) 포스코 광양제철소

포스코 광양사업장은 상담의 비공개 원칙을 철저히 준수하는 것이 EAP 성공의 필수 요인임을 잘 알고 있다. 과거 인사부서 소속으로 심리상담사 1명을 채용하여 상담 서비스를 진행했는데, 인사팀 소속이고 비밀보장에 대한 신뢰를 하지 못하여 이용자가 적었고, 상담사 본인도 경영진에서 상담 실적을 요구하는데 부담을 갖게 되어 결국 중단되었다고 한다.

그러나 가족문제, 스트레스 등 근로자들의 욕구가 늘어남에 따라 상담 서비스를 재개하기로 결정하고 외부 전문가와 계약하여 서비스를 진행하고 있다. 2006년 말 현재 심리상담사 1인이 주 1회 방문하여 가족문제, 개인성격 문제를 주로 상담하며, 인근 신경정신과 2곳과 연계하여 직무스트레스, 부부갈등, 이혼 위기 극복 등의 상담을 진행하고 있다. 방문상담료와 정신과 진료 시 본인부담금을 회사에서 부담하고 있다. 경영진에서도 자살 등 위험사례 1건만 예방해도 효과가 있는 것이라는 의지를 갖고 있으며, 상담에 대한 문화적 장벽을 극복하기 위해 심리상담은 누구나 받을 수 있다는 것을 지속적으로 교육하고 홍보하고 있다. 한편 적극적 부모역할 훈련이나 팀 빌딩 교육 프로그램도 시행하고 있다(한국직무스트레스학회 2006년 사례 발표).

3) SK(주)

SK(주)는 〈하모니아〉라는 명칭 하에 2005년 5월부터 본사 임직원들에 대해 EAP를 제공하고 있다. 이 모델은 사내모형과 외부 모형이 결합되어 있다. 상담 접수를 받는 것은 내부 직원이 하지만 직접 상담을 하지는 않고, 내용에 맞는 외부 상담사에게 의뢰만 한다. 상담 자체는 외부의 전문 상담사가 실시하며, 전체적인 상담 프로그램을 평가하고 외부 상담사를 관리하는 일은 내부 직원이 한다. 〈하모니아〉는 경력개발, 역량개발, 생활상담, 가족상담 등 4개 분야에 대해 전문가와의 상담을 이용해서 고민을 푸는 상담서비스와 업무 중 재충전을 위한 휴식공간 제공을 통한 임직원 업무능률 향상 서비스다.

SK는 임직원의 고민 해소를 위해 10여 명의 전문 상담자 풀(pool)을 확보하고, 임직원의 신청이 있을 경우 신청주제에 따라 적절한 상담자를 배정해 상담을 주선한다. 내실 있는 상담을 위해 전문 경력관리 컨설턴트, 정신과 의사, 전문 심리상담사, 재테크 컨설턴트 등 외부 전문가들로 상담을 진행한다. 경력관리와 심리 및 스트레스 상담, 자녀교육 상담이 가장 수요가 많았다고 한다.

4) 사내상담소

사내에 상담소를 설치하고 심리상담사를 고용하는 것인데, 삼성, LG, 포스코 등 대기업 계열사 약 20여 곳에 사내 상담소가 설치되어 있다. 삼성의 경우, 10여 년 전에 삼성생활문화센터에 상담소가 개설되어 전속 상담사가 근무하고 있으며, 삼성전자는 여성상담소를 〈열린상담소〉로 개칭하고 가족관계, 심리테스트, 집단상담 등으로 영역 확장을 시도하고 있다. 최근 삼성전자, 삼성전기, 삼성 LCD, 삼성코닝 등 계열사에 열린상담소를 확대 개설하고 있다. LG도 MC연구소를 필두로 각 사업장에 상담사를 채용하고 있다. 이외에 포스코 포항사업장도 전문 상담사를 내부에 고용하고 있다.

① 삼성전자 열린상담센터

임직원들의 개인적인 고민이나 직무스트레스 등을 편안하게 상담해주고 치유해주는 목적으로 생긴 상담센터는 현재 삼성전자의 대다수의 사업장에서 운영을 하고 있다. 상담센터는 각 사업장별로 특징과 요구에 맞춰 운영을 하고 있는데 상담센터를 처음 방문을 하면 심리검사가 포함된 초기 면접을 통해서 임직원들의 정신건강 상태를 종합적으로 파악하며, 이를 통해 직원들에게 변화에 대한 의지나 동기를 부여하고 있다.

사업장별로 삼성 나노시티 온양캠퍼스에서는 자연 속에서 충분한 휴식과 명상을 할 수 있는 힐링캠프나 부부캠프 프로그램, 마음뿐 아니라 신체 건강까지 통합하는 근골격계 연계 프로그램, 금연 및 절주 현장 교육 프로그램, 셀프 코칭 프로젝트, 육아 휴직자 프로그램 등을 운영하고 있으며, 기흥캠퍼스에서는 '나는 준비된 학부모다', '쉬운 명상법으로 내 마음 가꾸기', '현명하게 걱정하기', '비폭력 대화법', '출산준비 부모강좌', '자기 이해와 커리어 개발' 등의 프로그램을 운영하고 있다.

② LG전자(트윈빌딩)

LG전자(트윈빌딩)은 사내 심리 상담실 운영과 함께 리더급의 업무 스트레스를 관리하기 위한 〈트윈리더스 명상〉이라는 프로그램을 함께 운영하고 있다. 〈트윈리더스 명상〉은 명상을 통해 정신적 안정감을 높여 리더 개인의 평온함을 갖는 것뿐 아니라 좀 더 밝은 분위기로 조직을 이끌 수 있도록 도와주기 위해 시작하였다. 리더급 이외에 모든 직원을 대상으로 하는 '5분 만에 행복해지는 심플 명상', '그룹별 사내 소통 프로그램' 등도 함께 운영을 하면서 임직원들의 정신건강을 돌보기 위한 다양한 프로그램을 기획하고 운영하고 있다.

③ 기아자동차

기아자동차는 2013년부터 꿈이 있는 삶, 행복한 가정, 마음이 통하는 직장이라는 주제로 〈마음산책〉 상담실을 운영하고 있다. 기아자동차 소하리, 화성, 광주 공장에서는 사내에 심리상담 전문가를 두고 상담실을 운영하고 있으며 그 외 정비나 판매직에 종사하는 근로자들은 필요시 외부에서 전문가를 만나서 심리상담을 받고 있다.

임직원들이 상담을 받는 내용은 철저하게 비밀을 보장하고 있으며, 행복한 가정을 회복하기 위해 임직원들뿐만 아니라 임직원들의 가족이 함께 상담실을 이용할 수가 있다. 심리상담 이외에도 도박, 주식, 알코올 중독, 자살 등 위험행동에 대한 예방교육을 함께 실시하고 있으며, 노동조합 및 회사와의 긴밀한 협조체계를 구축하여 성공적으로 임직원들의 정신건강을 관리하고 있다.

3. 정부주도사업

2007년 이후 한국에서는 정부 사업으로 구직자나 예비근로자, 산재 등 질병으로 휴직중인 근로자, 영세사업장 종사자 등 근로취약계층에 대한 지원프로그램이 실행되고 있다. 그 중 대표적인 사례로서 구직자 대상의 고용센터 심리안정 프로그램의 운영사례를 소개한다.

〈사례 1〉 심리안정 상담실을 찾아온 20대의 K씨는 대학교 졸업 후 인턴으로 취직한 회사에서 자신이 맡을 일을 잘 하지 못할 것 같은 불안감에 시달리다 며칠 만에 일을 그만두게 되었다. 그 후 다시 입사한 회사에서도 일을 배우면서 지난번처럼 업무에 대한 불안감을 경험하게 되었고 이후 불안이 심해지면서 잠도 자지 못하고 회사에서는 심하게 심장이 뛰는 등의 증상으로 고생하다 다시 회사를 그만두었다고 한다.

K씨의 문제는 회사생활을 잘 하고 싶어 하면서도 자존감이 낮고 위축되어 있어 불안을 느끼고 그로 인해 실제 수행이 저하되는 것이었다. 구직활동을 하면서 심리상담을 받게 된 K씨에게 상담자는 자신이 가지고 있는 내적 자원을 찾아보면서 자신감을 회복할 수 있도록 도와주었고, K씨가 의식하면서 불안을 느끼는 타인의 시선에 대해서 가지고 있는 왜곡된 사고를 수정해주었다. 추가로 불안을 경험할 때마다 즉각적으로 사용할 수 있는 이완법을 훈련시켜서 평상시에 스스로의 증상을 다스릴 수 있게 하여 K씨의 자신감을 회복시킬 수 있었다.

〈사례 2〉 30대 중반에 상사와의 갈등으로 회사를 그만두게 된 Y씨는 인간관계에 대한 자신감이 저하되어 있어 재취업 여부에 대해서 심각하게 고민하던 중에 상담실을 방문하게 되었다. 이전 직장에서 상사에게 당한 모욕감으로 인해 심한 분노와 모멸감을 경험하고 있었으며 그로 인해 수면장애를 갖게 되었다.

상담자는 Y씨가 경험하고 있는 분노에 대해서 충분히 들어주고 수용을 해주었으며, 현재 경험하고 있는 부정적인 정서를 긍정적으로 표출할 수 있는 방법에 대해서 함께 논의를 하였다. 정서적인 면에 대해서 다루고 난 이후에는 상사와의 갈등이 유발된 상황이나 Y씨의 태도 등에 대해서 좀 더 객관적인 시각으로 살펴볼 수 있도록 도와주었다. Y씨는 상담을 통해서 직장에서의 자신의 문제를 돌아보게 되었으며, 재취업에 대한 자신감을 회복하였다.

근로복지공단 「희망드림 근로복지넷」 소개

"근로자 지원 프로그램(EAP) 서비스를 무상으로 제공합니다."

▶ EAP(Employee Assistance Program)란?

- 근로자들의 직무만족이나 생산성에 부정적인 영향을 미치는 문제들(11개 분야)을 근로자가 스스로 해결할 수 있도록 도와주는 상담 서비스입니다.
- 근로복지공단은 중소기업의 EAP 도입을 촉진하고 근로자의 정신적 스트레스 해결을 지원하기 위하여 근로복지넷(http://www.workdream.net)을 통하여 상담(EAP) 서비스를 무상제공합니다.

▶ 지원대상

- 온라인 상담 : 근로복지넷 회원으로 가입하고 상담을 신청한 자
- 오프라인 상담 : 상시근로자수 300인 미만 중소기업과 소속 근로자로서
- 근로복지넷(http://www.workdream.net)에 회원으로 가입한 후 상담신청 한 자(중소기업)

▶ 지원내용

- 게시판 상담
- 채팅 상담
- 전화상담

오프라인 대면

- 근로자 상담(1:1 대면)
- 기업상담(개별 및 집단)

서비스 분야

- 직무스트레스
- 조직 내 관계 갈등
- 업무과다
- 건강 관리
- 정서, 성격
- 자녀 양육, 부부관계
- 신용관리(빚, 세금, 재산 등)
- 법률관계(이혼예방, 교통, 범죄)
- 학업정보(자녀교육 및 입시 등)
- 이직 및 전직 지원
- 성폭력 상담

근로복지넷 EAP 서비스 신청

▶ 온라인 상담

- 게시판상담 신청 : 11개 분야별로 전문상담사에게 상담 신청가능하며 24시간 이내 답변을 제공받을 수 있습니다.
- 채팅 · 전화상담 신청 : 게시판상담이 부적합한 경우 예약을 통해 정해진 시간에 상담사와 채팅상담을 하거나 전화상담을 받을 수 있습니다.

▶ 오프라인 상담

- 근로자 상담 신청 : 상시근로자수 300인 미만 중소기업 소속 근로자 개인이 근로복지넷 회원가입 후 신청합니다.
  ※ 개인당 총 5회까지이며, 상담 장소는 상담사와 조정 가능
- 기업상담 신청 : 상시근로자수 300인 미만 중소기업이 회원가입(기업회원) 후 신청합니다.
  ※ 소속 근로자에 대한 개별상담 : 1회당 5명, 총5회까지 상담 가능
  ※ 기업소속 근로자 집단 상담 : 4명이상, 3회 상담 가능

출처: http://www.kcomwel.or.kr/empl/eaps/eaps_idx.jsp

4. 제언

사회적 서비스에 대한 욕구는 점증하고 있는데, 그 내용은 지역과 시대, 해당 조직 근로자의 연령별 성별 구조, 기업의 생산 구조와 업종 등 다양한 변수에 영향을 받는다. 따라서 조직 차원에서 소속 근로자들을 대상으로 신뢰성 있는 욕구조사를 사전에 실시하고, 첨예하게 드러난 문제나 욕구를 중심으로 우선순위를 정해 EAP 서비스의 방향과 목표를 설정하는 것이 바람직하다. 이러한 욕구조사는 서비스 성과에 대한 평가와 함께 정기적으로 실시하여 계속 발전시켜야 할 것이다.

실행조직으로는 EAP를 담당하는 기구나 부서를 만들거나 전문적인 EAP 서비스 제공자와 연계할 수 있다. 일반적으로 서비스를 이용하는 근로자 입장에서는 외부 기관 또는 상담사의 도움을 받길 원한다. 이는 EAP 서비스의 수혜 여부나 사적 상담 내역이 소속 회사에 가능한 한 드러나지 않기를 바라는 직장문화 때문이다. 게다가 규모가 작은 조직에서는 EAP 담당자가 본인의 사생활을 파악하는 것 자체에 부담을 느낄 수 있다. 그러나 비용을 대는 경영진 입장에서는 이용률이 다소 낮아지더라도 회사 안에서 모든 것이 이루어지길 바랄 수 있다. 신망이 두텁고 조직 생활을 잘 알면서 경험이 풍부한 상담인력이 있는 경우에는 내부에서 더 잘 진행될 수 있다. 현실적으로는 기업마다 여러 가지 방법을 시도하면서 각 조직의 상황에 맞는 형태로 발전해간다. 다만 EAP를 시작한다고 홍보만 해놓고 유명무실해지는 경우에는 회사가 근로자를 존중하지 않는 셈이 되므로 오히려 노사 간의 신뢰만 손상될 수 있다.

공공부문에서 사회적 서비스를 발전시키고 있는 점은 상당히 바람직한 모색이다. 대다수 중소기업 근로자들은 대기업 근로자들에 비해 고용의 불안감이나 각종 스트레스에 보다 더 노출되어 있지만, 개별 중소기업 차원에서는 이들을 지원할 수 있는 물질적 · 인적 자원에 한계가 있다. 근로 취약 계층이나 영세 자영업체 종사자 등은 더욱 더 힘든 상황이다. 그렇다고 정부가 중소기업 근로자의 당면문제 해결을 위해 별도의 시설을 지속적으로 건립해 나가는 것도 비용-효과적 측면을 고려해 볼 때 쉽지 않다.

하나의 대안으로서 기존의 지역사회 자원을 활용하여 근로자의 사회심리적 서비스에 대한 욕구를 충족시킬 수 있는 방안을 모색할 수 있다. 이미 지역사회에서 사회심리적 지원 서비스를 제공하고 있는 민간 시설들을 네트워킹하여 영세중소기업 근로자들의 접근성을 높이는 것이다. 일본의 사례를 보면, 〈중소기업근로자 복지서비스센터〉를 건립하여, 스트레스나 여타 고충관련 상담을 제공하고, 생활안정, 건강검진, 체육시설이용 할인, 개인연금, 퇴직금공제, 교양 · 기술 강좌, 숙박 · 레저시설 알선, 재산형성 사업 등의 서비스를 제공하고 있다. 가입은 중소기업 사업주와 종업원을 대상으로 하고, 그 비용은 원칙적으로 사업주의 부담으로 하나 정부가 인건비 및 사무비를 보조하고, 실제 운영은 민간 비영리법인이 하고 있다.

EAP가 또 하나의 부담이나 형식적인 겉치레로 흐르지 않고 실속있게 잘 발전하는 것은 매우 중요한 과제이다. 기업 안팎의 사회적 자원이 잘 연결되고 활용되도록 정부 차원의 마스터플랜 수립이 절실하다. 민간과 공공분야에서 사회적 서비스가 균형있게 발전한다면 전사회적인 인적 자원 개발과 건강증진, 근로자 복지 향상에 기여할 수 있다.

부록

1. EAP 관련 법규

1) 근로복지기본법

[시행 2012.8.2] [법률 제11271호, 2012.2.1, 일부 개정]

제1장 총칙

제1조(목적) 이 법은 근로복지정책의 수립 및 복지사업의 수행에 필요한 사항을 규정함으로써 근로자의 삶의 질을 향상시키고 국민경제의 균형 있는 발전에 이바지함을 목적으로 한다.

제9조(기본계획의 수립)

① 고용노동부장관은 관계 중앙행정기관의 장과 협의하여 근로복지 증진에 관한 기본계획(이하 "기본계획"이라 한다)을 5년마다 수립하여야 한다.

② 기본계획에는 다음 각 호의 사항이 포함되어야 한다.

7. 근로자지원프로그램 운영에 관한 사항

③ 고용노동부장관은 기본계획을 수립하였을 때에는 이를 공표하여야 한다.

제14조(근로복지종합정보시스템 운영)

① 고용노동부장관은 근로복지정책을 효과적으로 수행하기 위하여

근로복지종합정보시스템을 구축하여 운영할 수 있다.

② 고용노동부장관은 제1항의 근로복지종합정보시스템을 통하여 근로자지원프로그램 및 선택적 복지제도의 운영을 지원할 수 있다.

제83조(근로자지원프로그램)

① 사업주는 근로자의 업무수행 또는 일상생활에서 발생하는 스트레스, 개인의 고충 등 업무저해요인의 해결을 지원하여 근로자를 보호하고, 생산성 향상을 위한 전문가 상담 등 일련의 서비스를 제공하는 근로자지원프로그램을 시행하도록 노력하여야 한다.

② 사업주와 근로자지원프로그램 참여자는 제1항에 따른 조치를 시행하는 과정에서 대통령령이 정하는 경우를 제외하고는 근로자의 비밀이 침해받지 않도록 익명성을 보장하여야 한다.

제86조(국가 또는 지방자치단체의 지원) 국가 또는 지방자치단체는 선택적 복지제도, 근로자지원프로그램, 성과 배분, 발명 · 제안 등에 대한 보상을 활성화하기 위하여 필요한 지원을 할 수 있다.

제91조(근로복지진흥기금의 용도) 근로복지진흥기금은 다음 각 호의 용도에 사용한다.

11. 근로자지원프로그램 관련 지원

2) 산업안전보건법

제4조(정부의 책무)

① 정부는 제1조의 목적을 달성하기 위하여 다음 각 호의 사항을 성실히 이행할 책무를 진다〈개정 2013.6.12.〉.

10. 그 밖에 근로자의 안전 및 건강의 보호 · 증진

- 산업안전보건법 시행령 : 제3조의 6②항 및 근로자건강증진활동 지침

산업안전보건법 시행령

제3조의6(건강증진사업 등의 추진)

① 고용노동부장관은 법 제4조 제1항 제10호에 따른 근로자 건강의 보호 · 증진에 관한 사항을 효율적으로 추진하기 위하여 다음 각 호와 관련된 시책을 마련하여야 한다.

② 제1항에 따른 시책을 추진하기 위하여 필요한 사항은 고용노동부장관이 정한다.

근로자 건강증진활동 지침

제4조(건강증진활동계획 수립 · 시행)

① 사업주는 근로자의 건강증진을 위하여 다음 각 호의 사항이 포함된 건강증진활동계획을 수립 · 시행하여야 한다.

② 사업주는 제1항에 따른 건강증진활동계획을 수립할 때에는 다음 각 호의 조치를 포함하여야 한다.

1. 법 제43조 제5항에 따른 건강진단결과 사후관리조치
2. 안전보건규칙 제660조 제2항에 따른 근골격계질환 징후가 나타난 근로자에 대한 사후조치
3. 안전보건규칙 제669조에 따른 직무스트레스에 의한 건강장해 예방조치

2. 직무스트레스 평가 척도

2004년 안전보건공단 산하 산업안전보건연구원에서 개발한 직무스트레스 척도(Korean Occupational Stress Scale: KOSS)는 한국 표준산업분류표에 의거하여 총 30,146명의 근로자를 표집하여 만든 표준화된 직무스트레스 척도이다. 본 척도는 물리환경, 직무요구, 직무자율, 관계갈등, 직업불안정, 조직체계, 보상부적절, 조직문화 등 8개의 하위영역과 43문항으로 구성된 기본형 질문지와 기본형에서 물리환경을 뺀 7개의 하위영역과 24문항으로 구성된 단축형 질문지 등 두 가지 형태로 제작되었다(장세진 외, 2004). 다음은 단축형 질문지이다.

설 문 내 용	전혀 그렇지 않다	그렇지 않다	그렇다	매우 그렇다
1. 나는 일이 많아 항상 시간에 쫓기며 일한다.	1	2	3	4
2. 업무량이 현저하게 증가하였다.	1	2	3	4
3. 업무 수행 중에 충분한 휴식(짬)이 주어진다.	4	3	2	1
4. 여러 가지 일을 한꺼번에 해야 한다.	1	2	3	4
5. 내 업무는 창의력을 필요로 한다.	4	3	2	1
6. 내 업무를 수행하기 위해서는 높은 수준의 기술이나 지식이 필요하다.	4	3	2	1
7. 작업시간, 업무수행과정에서 어떤 사안에 대해 결정할 권한이 주어지며 영향력을 행사할 수 있다.	4	3	2	1
8. 나의 업무량과 작업스케줄을 스스로 조절할 수 있다.	4	3	2	1
9. 나의 상사는 업무를 완료하는데 도움을 준다.	4	3	2	1
10. 나의 동료는 업무를 완료하는데 도움을 준다.	4	3	2	1
11. 직장에서 내가 힘들 때 내가 힘들다는 것을 알아주고 이해해 주는 사람이 있다.	4	3	2	1

설문내용	전혀 그렇지 않다	그렇지 않다	그렇다	매우 그렇다
12. 직장사정이 불안하여 미래가 불확실하다.	1	2	3	4
13. 나의 근무조건이나 상황에 바람직하지 못한 변화 (예, 구조조정)가 있었거나 있을 것으로 예상된다.	1	2	3	4
14. 우리 회사는 근무평가나 승진, 부서배치 등 인사제도가 공정하고 합리적이다.	4	3	2	1
15. 업무수행에 필요한 인원, 공간, 시설, 장비, 훈련 등의 지원이 잘 이루어지고 있다.	4	3	2	1
16. 우리 부서와 타 부서 간에는 마찰이 없고 업무협조가 잘 이루어진다.	4	3	2	1
17. 일에 대한 나의 생각을 반영할 수 있는 기회와 통로가 있다.	4	3	2	1
18. 나의 모든 노력과 업적을 고려할 때, 나는 직장에서 제대로 존중과 신임을 받고 있다.	4	3	2	1
19. 내 사정이 앞으로 더 좋아질 것을 생각하면 힘든 줄 모르고 일하게 된다.	4	3	2	1
20. 나의 능력을 개발하고 발휘할 수 있는 기회가 주어진다.	1	2	3	4
21. 회식자리가 불편하다.	1	2	3	4
22. 기준이나 일관성이 없는 상태로 업무 지시를 받는다.	1	2	3	4
23. 직장의 분위기가 권위적이고 수직적이다.	1	2	3	4
24. 남성, 여성이라는 성적인 차이 때문에 불이익을 받는다.	1	2	3	4

3. (사)한국EAP협회 EAP전문가 자격규정

제 1장 총칙

제 1조 (목적) 본 규정은 (사)한국EAP 협회(이하 '본 협회'라 칭한다) EAP(Employee Assistance Program)전문가 양성에 필요한 자격관리에 관한 사항을 규정함을 목적으로 한다.

제 2조 (정의) EAP자격이라 함은 본 협회의 정회원 혹은 준회원으로서

본 협회가 인정하는 교육과정을 이수하고 본 협회에서 인증하는 소정의 자격심사를 거쳐 본 협회가 발급하는 자격증을 부여받은 자를 말한다.

제 2장 자격등급 및 역할

제 3조 (자격등급) EAP 전문가는 다음과 같이 구분한다.

1. 1급 EAP 전문가
2. 2급 EAP 전문가
3. EAP 플래너

제 4조 (1급 EAP 전문가) 다음 각 호에 해당하는 자로서 본 협회가 요구하는 수련을 마치고 자격관리위원회의 자격심사와 본 협회 자격관리위원회의 인준을 거쳐, 본 협회가 주관하는 1급 EAP전문가 자격 연수과정을 이수하고, 본 학회가 발급하는 자격증을 부여받은 자

1. 2급 EAP 전문가 자격을 소유한 자로 기업상담 실무경력 3년 이상인 자
2. 상담학 또는 상담관련전공 박사학위 과정 수료 이상인 자로 기업상담 실무경력 1년 이상인자

제 5조 (2급 EAP 전문가) 다음 각 호에 해당하는 자로서 자격관리위원회의 자격심사와 본 협회 자격관리위원회의 인준을 거쳐, 본 협회가 주관하는 2급 EAP전문상담사 자격 연수 과정을 이수하고, 본 협회가 발급하는 자격증을 부여받은 자

1. 본 협회가 인정하는 기관에서 발급하는 자격증을 소지한 자

2 상담학 또는 상담관련전공 석사학위 취득(예정) 자로 상담 실무경력 1년 이상인자

3. 사회복지(사업), 보건의학 계열의 석사학위 취득자로 상담 실무경력 3년 이상인자

※ 본 협회가 인정하는 기관은 한국상담학회, 한국심리학회, 한국가

족상담협회, 한국기독교상담 · 심리치료학회임. 그 외는 본 협회 자격관리위원회에서 결정 함.

※ "상담학 또는 상담관련 전공"이라 함은 대학원(석 · 박사) 과정에서 필수 영역인 상담이론(개론), 심리검사(평가), 집단상담 등 3과목과 선택 영역인 학습과 발달, 성격과 정신건강(정신병리 및 이상심리), 가족상담, 진로상담 등 4개 영역 중 2개 영역 이상에서 1과목씩, 총 5과목 이상 12학점 이상을 이수한 경우를 말함.

※ 실무경력은 주 3일 이상을 기준으로, 경력 1년은 3년 이내, 경력 3년은 5년 이내의 범위에서 충족되어야 함.

제 6조 (EAP 플래너) 본 협회가 주관하는 EAP 플래너 연수 과정을 이수하고, 본 학회가 발급하는 자격증을 부여받은 자

제 7조 (역할) EAP 전문가는 다음과 같은 기본 직무와 역할을 수행한다.

1. 1급 EAP 전문가
   1) 전문가 양성을 위한 교육개발 및 2급 EAP 전문가의 슈퍼비전
   2) EAP서비스 영역별 전문상담
   3) EAP서비스를 기획, 운영, 관리, 조정
   4) EAP서비스의 사례분석 및 관리
   5) 조직특성 및 개인특성에 따른 EAP서비스 개발
2. 2급 EAP 전문가
   1) EAP서비스 영역별 전문상담
   2) EAP서비스를 기획, 운영, 관리, 조정
   3) EAP서비스의 사례분석 및 관리
   4) 조직특성 및 개인특성에 따른 EAP서비스 개발
3. EAP 플래너
   1) EAP서비스를 기획, 운영, 관리, 조정

2) EAP서비스의 사례분석 및 관리

3) 조직 내 EAP 활성화를 위한 전략 개발

제 3장 교육과정 및 자격검정

제 8조 (교육과정 및 교육과목) EAP전문가 자격을 위한 교육과정 및 교육과목은 다음과 같이 정한다.

구분	교육과정	교육과목 및 세부내용
1급 EAP 전문가	1) 집합교육 16시간	1) 기업상담의 이해 및 조직관리 2) 기업상담 사례 토의 3) 슈퍼비전의 이론과 실제 4) 기업에 적용 가능한 다양한 상담 기법
	2) 전문 교육이수 - 20시간 이상	본 학회가 인정하는 교육기관(EAP협회, 직무스트레스학회, 상담학회, 상담심리학회, 신경정신의학회, 정신건강증진센터 및 자살예방센터 등)에서 다양한 전문교육을 이수함. 그 외 기관은 사전 협의
	3) 사례 슈퍼비전 - 10사례 이상	기업상담 사례에 한하여 본 학회가 인정하는 슈퍼바이저로부터 슈퍼비전 받음
2급 EAP	집합교육 40시간	1) EAP서비스의 개념 - EAP의 정의 및 필요성 - EAP의 역사 및 국내외 현황 2) 기업상담의 이론 및 실제 - 기업상담의 특징 - 주제에 따른 직장인 상담 사례 토의 3) 직무스트레스의 이해 및 위기관리 - 스트레스의 개념 이해, 반응 및 징후 - 직무스트레스의 특징 및 개념 이해 - 스트레스와 관련된 정신건강문제의 이해 및 측정 - 스트레스의 측정 및 관리 4) 조직관리 이론 및 실제 - 기업의 이해 - EAP서비스에서의 관리자 역할 - 리더십 코칭 등
플래너	집합교육 24시간	1) 정신건강 증진 및 예방 : 마음건강, 마음 관리 등 2) 상담의 이해 : 상담사의 역할, 의사소통의 기술 등 3) EAP서비스의 개념 : EAP의 역사 및 현황, EAP서비스에서의 관리자의 역할 등 4) 기업상담의 이해 : 기업의 이해, 기업상담의 특징 등 5) 직무스트레스의 이해 : 스트레스 반응 및 징후, 직무스트레스의 개념, 스트레스측정 및 관리방법

제 9조 (자격검정) EAP 전문가 자격검정은 다음과 같이 정한다.

1. 1급 EAP 전문가 : 자격검정은 교육과정 기간 동안 100%의 출석률 달성 및 자격관리위원회의 서류심사를 통해 이루어진다. 제출서류는 관리운영 시행제칙 제 3조를 따른다.
2. 2급 EAP 전문가 : 자격검정은 교육과정 기간 동안 90%의 출석률 달성 및 필기시험으로 이루어지며 필기시험은 교육과정의 내용으로 정한다.
3. EAP 플래너 : 자격검정은 교육과정 기간 동안 90%의 출석률 달성 및 과제물 제출심사에 따라 정한다.

제 10조 (자격검정 합격기준) EAP 전문가 자격검정에 따른 검정시행 형태 및 합격기준은 다음과 같이 정한다.

등급	검정 방법	검정 시행 형태	합격기준
1급	서류심사	해당 자격 및 경력사항 심사 해당 교육 이수사항 심사 슈퍼비전 사례 보고서 심사	기준의 충족여부 파악
2급	필기시험	객관식 25문항 (1문항당 4점)	100점 만점에 60점 이상
플래너	과제제출	과제물 1개	내용적합성 파악

제 4장 자격의 유지 및 재발급

제 10조 (자격의 갱신) EAP전문가 자격 취득 후 매 3년마다 자격을 갱신하여야 한다.

제 11조 (자격의 유지) 자격을 취득한 후 아래의 각 항을 이행하여야 한다.

1. 1급 EAP 전문가
   1) 매년 EAP 전문가 회비 납부
   2) 2급 EAP 전문가의 상담사례 지도감독과 상담교육 실시

3) 매 3년 이내 1회 이상 본 협회에서 주최하는 학술대회 및 보수 교육 참석

2. 2급 EAP 전문가

1) EAP 전문가 회비 납부

2) 매 3년 이내 1회 이상 본 협회에서 주최하는 학술대회 및 보수 교육 참석

3. EAP 플래너

1) 매 3년 이내 1회 이상 본 협회에서 주최하는 학술대회 및 보수 교육 참석

4. 1~3항을 충족하지 못했을 시는 해당 자격이 정지되며 정지된 기간의 수련내용은 상위급 전문가 수련과정에 포함되지 않는다. 단 위 요건을 충족하면 자격이 회복된다.

제 12조 (윤리강령 준수의 의무) 전문상담사 자격증을 수여 받은 자는 본 학회가 정한 윤리강령을 준수해야 하며 이를 위반할 시에는 본 학회 자격관리위원회에서 자격유지 여부를 심의한다.

제 5장 자격관리위원회

제 13조 (자격관리위원회의 역할) EAP 전문가 자격관리에 필요한 제반 절차를 관리.운영하고 전문상담사 자격과 관련된 다양한 문제를 다루기 위하여 자격관리위원회를 두고 자격심사 업무 전반을 관장한다.

제 14조 (자격관리위원의 선정) 자격관리위원 및 위원장은 이사회의 인준을 얻은 자로 구성하며 자격관리위원장은 자격관리위원을 추천하고 본 협회의 장은 이들에 대하여 위원으로 위촉한다.

부 칙

1. 본 자격규정은 본 협회가 공표한 날(2008.7.1)부터 발효한다.
2. 본 자격규정의 개정은 본 학회 자격관리위원회에서 행한다.
3. 본 자격규정의 개정안은 2014년 4월 1일부터 시행한다.

찾아보기

참고문헌

강혜련(2006). 가족친화 기업모델 및 사례연구. 여성가족부 연구보고서.
강동묵, 고상백, 김성아, 김수영, 김영기, 김용진, 김종은, 박정선, 서춘희, 성지동, 우종민, 이보은, 임신예, 장세진, 정진주, 정혜선, 조성일, 조정진, 채정호, 최봉규, 최수찬, 하미나(2016). *직무스트레스의 현대적 이해*. 고려의학.
김계현, 왕은자, 권경인, 박성욱(2014). *조직개발 · 인사관리 관점에서 접근한 기업상담*. 학지사.
김대성, 류향우, 최수찬, 임성견, 우종민(2007). 경상도 일부지역 제조업 근로자의 근로자지원프로그램 관련 욕구조사. *대한산업의학회지 19*(2), 135-144.
김선경(2002). 기업상담의 전망. *한양대학교 학생생활상담연구소 제15차 학술세미나 자료집*.
김원, 황태연, 함병주, 이준석, 최병휘, 김세주, 서용진, 강은호, 우종민(2007). 주요우울증이 근로자의 생산성에 미치는 영향: WHO-HPQ(Health and Work Performance Questionnaire)를 이용한 예비연구. *신경정신의학, 46*(6), 587-595.
김의명(1997). 전환점에 있는 한국직업복지제도의 대안으로서의 산업상담제도. *1997년도 한국사회복지학회 추계학술대회 자료집*, 274-287.
김창대, 김형수, 신을진, 이상희, 최한나(2011). *상담 및 심리교육 프로그램 개발과 평가*. 학지사.
대한신경정신의학회, 대한정신건강재단, 재난정신의학위원회(2014). *상실과 애도에 관한 정신건강안내서*.
류희영 (2008). *우리나라 기업상담의 실태 및 활성화 과제: 기업상담자의 인식을 기반으로*. 서울대학교 석사학위 논문.
민진(2003). 조직효과성에 관한 개념 정의의 분석 및 재개념화. *한국행정학보, 37*(2), 83-104.
박은주(2011). *근로자지원프로그램(EAP) 효과측정 지표개발*. 근로복지공단 산재보험연구센터.
박해웅(2002). *기업복지 수준과 만족도에 관한 연구: 공기업의 기업복지프로그램을 중심으로*. 연세대학교 행정대학원 석사학위 논문.
보건복지부, 서울대학교 의과대학(2006). *정신질환실태 역학조사*. 보건복지부 연구용역사업 보고서.
보건복지부, 서울대학교 의과대학(2011). *정신질환실태 역학조사*. 보건복지부 연구용역사업 보고서.
안전보건공단(2013). *「외상후스트레스장애」 직업건강 가이드라인*. 고용노동부.
안현우(2003). *직무스트레스 요인과 직무스트레스 반응, 직무만족에 관한 연구*. 고려대학교 경영대학원 석사학위논문.
왕은자, 김계현(2007). 근로자지원프로그램(EAP) 및 기업상담의 연구동향 분석: 효과연구를 중심으로. *상담학 연구 8*(1), 1411-1433.
왕은자, 김계현(2009). 진로상담: 기업상담 효과에 대한 세 관련 주체(내담자, 관리자, 상담자)의 인식. *상담학연구, 10*(4), 2115-2135.
왕은자, 김계현(2010). 진로상담: 기업싱담 효과에 대한 세 관련 주체(내담자, 관리자, 상담자)의 인식 비교 분석. *상담학연구, 11*(2), 641-656.
우종민(2005). HR Clinic 12: 웰빙 시대의 우울과 자살. *HR Professional, 13*. 한국인사전문가협회.
우종민, 강태영, 이정은(2005). 지하철 기관사의 운행 중 사고경험에 따른 정신건강의 차이. *대한산업의학회지 17*(1), 36-43.
우종민, 채정호(2016). 직무스트레스와 정신건강. 강동묵 외. *직무스트레스의 현대적 이해*, 180-212. 고려의학.
우종민(2006a). HR Clinic 18: 직장내 문제사례에 대응하기-2. *HR Professional, 19*. 한국인사전문가협회.
우종민(2006b). 인격문제(Personality problems). *산업보건, 222*(8), 47-53.
우종민, 최수찬(2008). 근로자지원프로그램(EAP)의 이론과 실제. 인제대학교 출판부.
우종민, 최수찬, 김대성(2008). 근로자의 당면문제가 스트레스와 업무수행도에 미치는 영향. *대한신경정신의학회지, 47*(4), 369-377.
우종민, 채정호, 최수찬(2010a). 대량실직과 노사분규 상황에 있는 근로자에 대한 위기중재 프로그램 적용 사례. *대한예방의학회, 43*(3), 265-273.
우종민, 윤길자, 김대호(2010b). 근로자지원프로그램 이용자와 비이용자의 생산성 차이에 대한 예비연구. *신경정신의학, 49*(5), 500-507.
우종민, 현소연, 이상학, 강승걸, 이진성, 김린, 이유진, 유범희, 강은호, 구정일, 신홍범, 서완석, 박두흠(2011). 근로자의 수면문제에 따른 생산성 시간 손실. *신경정신의학, 50*(1), 62-68.
우종민(2013). *근로자 정신건강증진서비스 모델 개발*. 보건복지부 학술연구용역사업 보고서.

우종민(2014). Special Report: 조직의 트라우마 극복(4)- 조직원 '트라우마' 막으려면 섣부른 위로 대신 현실 문제 해결해줘야. *DBR(동아비즈니스리뷰)*, 153, 149-153.

우종민(2015). 급성기 대처: 위기상황 스트레스 관리. 재난정신건강위원회, *재난과 정신건강*, 233-246. 학지사.

윤경원(2003). 스트레스 대응훈련이 기능직 직장인의 스트레스 감소에 미치는 효과. *상담학연구, 4*(3), 463-478.

이동영, 노희연(2014). 직무스트레스와 직무성과 간 관계에 관한 연구: 근로자지원프로그램(EAP)의 조절효과에 관한 탐색적 분석. *사회보장연구, 30*(2), 295-315.

이장호(1992). 상담심리학 입문. 서울: 박영사.

이학종, 양혁승(2005). 전략적 인적자원관리. 서울: 박영사.

임성견, 우종민(2011a). 일부 지역 기업의 인사 및 보건관리자가 인식하는 근로자지원프로그램(EAPs)의 요구도 조사. *대한스트레스학회, 19*(2), 123-128.

임성견, 우종민, 채정호, 박주언, 최수찬(2011b). 전국 고용센터 구직자 스트레스관리 프로그램 운영 효과 검증. *대한스트레스학회지, 19*(4), 315-321.

임성견, 우종민, 채정호, 고아름, 류희경(2012). 산업재해 환자를 위한 긍정심리학 기반의 심리재활 프로그램 효과성 연구. *대한스트레스학회지, 20*(2), 79-85.

임창희(2008). *조직행동*. 비앤엠북스.

장세진(2004). *한국인 직무스트레스 측정 도구의 개발 및 표준화 연구*. 한국산업안전공단 연구보고서.

장세진, 고상백, 강명근, 차봉석, 박종구, 현숙정, 박준호, 김성아, 강동묵, 장성실, 이경재, 하은희, 하미나, 우종민, 조정진, 김형수, 박정선(2005). 우리나라 직장인 스트레스의 역학적 특성. *예방의학회지, 38*(1), 25-37.

전종국, 왕은자, 심윤정(2010). *기업상담*. 학지사.

전민아, 왕은자(2014). ACT를 기반으로 한직장인 스트레스 관리 상담프로그램의 개발 및 효과. *상담학연구, 15*(4), 1403-1424.

전향숙, 왕은자(2014). 이직결정 철회에 기여한 이직면담과정 요인: 반도체 제조사업장 사례. *한국심리학회지: 산업 및 조직. 27*(4), 805-830.

정영은, 박민선, 박주언, 우종민, 최수찬, 채정호(2010). 태안 원유 유출 사고 피해자에게 제공한 숲 환경을 이용한 긍정심리학 기반의 다중 심리적 중재의 효과. *스트레스연구 19*(3),181-189.

최경숙(2015). 사업장의 재난과 정신건강 관리. 재난정신건강위원회. *재난과 정신건강*. 학지사.

최수찬(2004). 기업 근로자의 사회심리적 당면문제에 관한 연구: 한국적 근로자지원프로그램(EAPs)의 도입을 위한 논의. *한국사회복지행정학, 6*(1), 71-103.

최수찬, 원경림, 유경진, 이윤진, 손인봉, 정선아, 최보라(2013). *선진기업복지제도의 이해*. 양서원.

최수찬(2016). 근로자지원프로그램. 강동묵 외. *직무스트레스의 현대적 이해*, 277-295. 고려의학.

최수찬, 박해웅(2005). 근로자의 사회정서적 문제가 스트레스와 우울 및 자아존중감에 미치는 영향 연구. *한국사회복지학, 57*(4), 177~196.

최수찬, 우종민, 박웅섭, 김상아(2009). 맞벌이 여부에 따른 직장-가정간 갈등과 직무만족도. *대한산업의학, 21*(1), 10-17.

최수찬, 원경림, 유경진, 이윤진, 손인봉, 정선아, 최보라(2013). *선진기업복지제도의 이해*. 양서원.

한국산업안전보건공단(2011a). *사업장의 중대재해 발생 시 급성스트레스에 대한 조기대응 지침*.

한국산업안전보건공단(2011b). *근로자의 우울증 예방을 위한 관리감독자용 지침*.

Allen, H. M. & Bunn, W. B. (2003). Validating self-reported measures of productivity at work: a case for their credibility in a heavy manufacturing setting. *Journal of Occupational and Environmental Medicine, 45*(9), 926-940.

American Psychiatric Association. (2013). *Diagnostic and Statistical Manual of Mental Disorders*. Washington DC: American Psychiatric Press.

American Psychiatric Association & American Psychiatric Foundation. (2002). Depression's surprising toll on worker productivity. *Mental Health Works, 4th Q*, 5-6.

American Psychiatric Association & American Psychiatric Foundation. (2005). Johnson & Johnson's employee assistance program. *Mental Health Works, 1st Q*, 3-5.

Attridge, M. (2004). New research on health outcomes and workplace performance among NurseLine callers. *Health & Productivity Management, 3*(1), 35.

Attridge, M. (2005). The business case for the integration of employee assistance, work-life and wellness services: A Literature review. *Journal of Workplace Behavioral Health, 20*(1), 31-55.

Attridge, M. (2012). Employee assistance programs: Evidence and current trends. In R. J. Gatchel & I. Z. Schultz (Eds.), *The Handbook of Occupational Health and Wellness* (pp. 441-467). New York: Springer.

Attridge, M. (2013). *The Business Value of Employee Assistance: A Review of the Art and Science of ROI*. Keynote address at the Annual World EAP Conference. Phoenix, AZ: EAPA.

Attridge, M., Amaral, T. M., & Hyde, M. (2003). Completing the business case for EAPs. *Journal of Employee Assistance, 33*(3), 23-25.

Attridge, M, Cahill, T., Granberry, S. W., & Herlihy, P. A. (2013). The national behavioral consortium industry profile of external EAP vendors. *Journal of Workplace Behavioral Health, 28*(4), 251-324.

Baker, R. L. (1991). The Social Work Dictionary. Washington, DC: NASW Press.

Blum, T. C., Roman, P. M., & Martin, J. K. (1993). Alcohol consumption and work performance. *Journal of Studies on Alcohol, 54*(1), 61-70.

Bolge, S. C., Doan, J. F., Kannan, H., & Baran, R. W. (2009). Association of insomnia with quality of life, work productivity, and activity impairment. *Quality of life Research, 18*(4), 415-422.

Campbell, J. P. (1977). On the nature of organizational effectiveness. In P. S. Goodman & J. M. Pennings (Eds.), *New Perspectives on Organizational Effectiveness* (pp. 13-55). San Francisco, CA: Jossey-Bass.

Carroll, M. (1996). *Workplace Counselling: A systematic Approach to Employee Care*. London: Sage Publication.

Cascio, W. F. (1987). *Costing human resources: The financial impact of behavior in organizations*. Boston, MA: PSW-Kent.

Ceridian. (2003). A national employee assistance program: The Ceridian experience. In W. G. Emener, W. S. Hutchison, & M. A. Richard (Eds.),

Employee assistance programs: Wellness/enhancement programming (pp.64-77). Springfield, Il: Charles C. Thomas Publisher.

Chisholm, D., Sweeny K., Sheehan P., Rasmussen, B., Smit, F., Cuijpers, P., & Saxena, S. (2016). Scaling-up treatment of depression and anxiety: A global return on investment analysis. *Lancet Psychiatry, 3*(5), 415-424.

Cho, J. J., Kim, J. Y., Chang, S. J., Fiedler, N., Koh, S. B., Crabtree, B. F., Kang, D. M., Kim, Y. K., & Choi, Y. H. (2008). Occupational stress and depression in Korean employees. *International Archives of Occupational and Environmental Health, 82*(1), 47-57.

Choi, S. C. (2006). Applying needs-assessment skills in the implementation of EAP structures an examination of how to promote the growth of underdeveloped EAP in Korean corporations. *Journal of Workplace Behavioral Health, 21*(2), 45-58.

Claringbull N. (2006). Workplace counselling: New models for new times. *Counseling at Work*. Autumn 17-21.

Csiernik R. (1998). A profile of Canadian employee assistance programs. *Employee Assistance Research Supplement, 2*(1), 1-8.

Csiernik, R. (2005). What we're doing in EAP: Meeting the challenge of an integrated model of practice. *Journal of Employee Assistance and Workplace Behavioral Health, 21*(1), 11-22.

Cocker, F., Martin, A., Scott, J., Venn, A., & Sanderson, K. (2013). Psychological distress, related work attendance, and productivity loss in small-to-medium enterprise owner/managers. *International Journal of Environmental Research and Public Health, 10*(10), 5062-5082.

Cole, D. W. (1988). Evaluating organizations through an employee assistance program using an Organization Development Model. *Employee Assistance Quarterly, 3*(3/4), 107-118.

Dennis, M. L., Chan, Y. F., & Funk, R. R. (2006). Development and validation of the GAIN Short Screener (GAIN-SS) for psychopathology and crime/violence among adolescents and adults. *The American Journal on Addictions, 15*(1), 80-91.

Egan, G. (1994). *The Skilled Helper: A Problem-management and Opportunity-development Approach to Helping*. Belmont, CA: Brooks/

Cole.
Emener, W. G. & Dickman, F. (2003). Case management, caseload management, and case recording and documentation in professional employee assistance program delivery. In W. G. Emener, W. S. Hutchinson, & M. A. Richard, *Employee Assistance Programs: Wellness/enhancement Programming* (pp.81-95). Springfield, Il: Charles C. Thomas Publisher.
Employee Assistance Professionals Association. (2002). *Critical Incident Management for EAPA and EAPs*. Report of the Employee Assistance Professionals Association Disaster Assistance Task Force. Arlington, VA: EAPA.
Employee Assistance Professionals Association. (2008). *Certified Employee Assistance Professional: CEAP Candidate Information*. http://www.eapassn.org/CEAPinfo
Employee Assistance Professionals Association. (2009). *EAPA Code of Ethics*. http://www.eapassn.org/Portals/11/Docs/About/EAPACodeofEthics0809.pdf
Everly, G. S., Hamilton, S. E., Tyiska, C. G., & Ellers, K. Mental health response to disaster: Consensus recommendations: Early Psychological Intervention Subcommittee (EPI), National Volunteer Organizations Active in Disaster (NVOAD). *Aggression and Violent Behavior, 13*(6), 407-412.
Erikson, E. H. (1968). *Identity: Youth and Crisis*. New York: W. W. Norton.
Everly, G. S. & Mitchell, J. T. (1999). *Critical Incident Stress Management (CISM): A New Era and Standard of Care in Crisis Intervention*. Ellicott City, MD: Chevron Publishing.
Everly, G. S. & Mitchell, J. T. (2008). *Integrative Crisis Intervention and Disaster Mental health*. Ellicott City, MD: Chevron Publishing.
Finney, D. C. (1985). Estimating cost-savings realistically. *EAP Digest*, 5(3), 59-62.
Francek, T. D. (1985). Marketing an EAP for success. In S. H. Klarreich, J. L. Francek, & C. E. Moore (Eds.), *The Human Resources Management Handbook: Principles and Practice of Employee Assistance Programs* (pp. 24-30). New York: Praeger.
Gilmore, C. B. (1982). To catch a corporate thief. *Advanced Management*

Journal, 47, 35-39.
Googins, B. (1987). Occupational social work: A developmental perspective. *Employee Assistance Quarterly, 2*(3): 37-53.
Googins, B. & Godfrey, J. (1987). *Occupational Social Work*. Englewood Cliffs, NJ: Prentice Hall.
Health and Safety Executive. (2007a). *Health and Safety Statistics 2006/07*. http://www.hse.gov.uk/statistics/overall/hssh0607.pdf
Health and Safety Executive. (2007b). Managing the Causes of Work-related Stress: A Step-by-Step Approach Using the Management Standards. http://www.hse.gov.uk/pubns/priced/hsg218.pdf
Health and Safety Executive. (2008). *Health and Safety Regulation: A Short Guide* http://www.hse.gov.uk/pubns/hsc13.pdf
Health and Safety Executive. (2015). *Health and Safety at Work etc Act 1974*. http://www.hse.gov.uk/legislation/hswa.htm
Heim, C. & Nemeroff, C. B. (1999). The impact of early adverse experiences on brain systems involved in the pathophysiology of anxiety and affective disorders. *Biological Psychiatry, 46*(11), 1509-1522.
Herlihy, P. A. (2000). Employee assistance and work/family programs: Friends or Foes? In N. Van Den Bergh (Ed.), *Emerging Trends for EAPs in the 21st Century* (pp.33 - 52). Philadelphia, PA: Haworth Press.
Hoge, E. A., Austin, E. D., & Pollack, M. H. (2007). Resilience: Research evidence and conceptual considerations for post traumatic stress disorder. *Depression and Anxiety, 24*(2), 139-152.
Hunter, H. R. & Rowe, J. C. (1982). *Alcoholism Services Handbook for Prepaid Group Plans*. Washington, DC: National Institute on Alcohol Abuse and Alcoholism.
Institute of Medicine. (2000). *Safe Work in the 21st Century: Education and Training Needs for the Next Decade's Occupational Safety and Health Personnel*. Washington, DC: National Academy Press.
Kardiner, A. & Spiegel, H. (1947). *War Stress and Neurotic Illness*. New York: Hoeber.
Walter, Kate (1996). Elder care obligations challenge the next generation. *HR Magazine, 41*(7), 98.

Kelly, B., Holbrook, J., & Bragen, R. (2005). Ceridian's experience in the integration of EAP, work-life and wellness programs. *Journal of Workplace Behavioral Health, 20*(1/2), 183-201.

Kessler, R. C. (2000). Posttraumatic stress disorder: The burden to the individual and to Society. *Journal of Clinical Psychiatry, 61*(5), 4-12.

Kessler, R. C., Berglund, P. A., Coulouvrat, C., Hajak, G., Roth, T., Shahly, V., Shillington, A. C., Stephenson, J. J., & Walsh, J. K. (2011). Insomnia and the performance of US workers: Results from the America insomnia survey. *Sleep, 34*(9), 1161-1171.

Klachefsky, M. (2013). Hidden costs, productivity losses of mental health diagnoses. *Benefits, 50*(2), 34-38.

Kleinman, N. L., Brook, R. A., Doan, J. F., Melkonian, A. K., & Baran, R. W. (2009). Health benefit costs and absenteeism due to insomnia from the employer's perspective: A retrospective, case-control, database study. *Journal of Clinical Psychiatry, 70*(8), 1098 - 1104.

Kurzman, P. A. (1993). Employee assistance programs: Toward a comprehensive service model. In P. A. Kurzman & S. H. Akabas (Eds.), *Work and well-being* (pp. 26-45). Washington, DC: National Association of Social Workers.

Lavie, P. (1981). Sleep habits and sleep disturbances in industrial workers in Israel: Main findings and some characteristics of workers complaining of excessive daytime sleepiness. *Sleep, 4*(2), 147-158.

Lewis, J. A., & Lewis, M. D. (1983). *Community Counseling: A Human Services Approach*. New York: John Wiley and Sons.

Lewis, J. A., & Lewis, M. D. (1986). *Counseling Programs for Employees in the Workplace Community counseling*. Monterey, CA: Brooks/Cole Publishing.

Lim, D., Sanderson, K., & Andrews, G. (2003). Lost productivity among full-time workers with mental disorders. *The Journal of Mental Health Policy and Economics, 3*(3), 139-146.

Lipsey, M. W. & Wilson, D. B. (1993). The efficacy of psychological, educational, and behavioral treatment confirmation from meta-analysis. *American Psychologist, 48*(12), 1181-1209.

Magellan Health Services (2003). Magellan's employee assistance and managed behavioral health programs improve workplace productivity; employees report fewer problems with productivity, absenteeism and tardiness. *Business Wire*. http://www.businesswire.com/news/home/20030714005626/en/Magellans-Employee-Assistance-Managed-Behavioral-Health-Programs

Major, D. A. & Cermano, L. M. (2008). The changing nature of work and its impact on the work-home interface. In F. Jones, R. J. Burke, & M. Westman (Eds.), *Work-life Balance: A Psychological Perspective*. New York: Psychology Press.

Maynard, J. B. & Farmer, J. L. (1985). Strategies of implementing an EAP. In S. H. Klarreich, J. L. Francek, & C. E. Moore (Eds.), *The Human Resources Management Handbook: Principles and Practice of Employee Assistance Programs* (pp. 31-41). New York: Praeger.

McClellan, K. (1985). The changing nature of EAP practice. *Personnel Administrator, 30*(8), 29-37.

McCroskey, J. & Scharlach, A. (1993). Family and work: Trends and prospects for dependent care. In P. A. Kurzman & S. H. Akabas (Eds.), *Work and well-being* (pp.153-169). Washington, DC: National Association of Social Workers.

McLeod, J. & McLeod, J. (2001). How effective is workplace counseling? A review of the research literature. *Counselling and Psychotherapy Research, 1*(3), 181-191.

McLeod, J. (2008). *Counseling in Workplace: The Facts*. Rugby: British Association for Counselling and Psychotherapy.

Mountany, R. (2008). *Impact Measurement of EAPs: Are We Delivering?* Research report presented to the Annual World EAP Conference. Atlanta, GA: EAPA.

Moxley, D. P. (1989). *Practice of Case Management*. Thousand Oaks, CA: Sage.

Myers, D. W. (1984). *Establishing and Building Employee Assistance Programs*. Westport, CN: Quorum Books.

National Archives and Records Administration (2016). *Executive Order 12564 of September 15, 1986: Drug-free Federal Workplace. https://www.archives.gov/federal-register/codification/executive-order/12564.html*

National Counselling Service (2015). Responding to Self-Harm: An Evaluation of the Self-harm Intervention Programme (SHIP). http://www.hse.ie/eng/services/list/4/Mental_Health_Services/National_Counselling_Service/ExecSum.pdf

Niehouse, O. L. (1981). Burnout: A real threat to human resources managers. *Personnel, 58*(5), 25-32.

OECD. (2012). *Sick on the Job? Myths and Realities about Mental Health and Work*. Paris: OECD Publishing.

Ohayon M. M. (2002). Epidemiology of insomnia: What we know and what we still need to learn. *Sleep Medicine Review, 6*(2), 97 – 111.

Orlans V. (2003). Counselling psychology in the workplace. In R. Woolfe, W. Dryden, & S. Strawbridge (Eds.), *Handbook of Counselling Psychology*. London: Sage.

Otis, J. H., Attridge, M. D., & Harmon, R. G. (2003). Nurse call centers extend their reach. *Health Plan, 44*(6), 34, 37-38.

Otis, J., Kelly, B., Jacobs, A., & Attridge, M. (1998). Two-year effect of a demand-side management program on outpatient utilization: Applied research brief-A summary of findings to date. In J. Burns & M. Sipkoff (Eds.), *Guide to Managed Care Strategies 1998*, (pp.49-64). New York: Faulkner & Gray.

Park, S. G., Min, K. B., Chang, S. J., Kim, H. C., & Min, J. Y. (2009). Job stress and depressive symptoms among Korean employees: The effects of culture on work. *International Archives of Occupational and Environmental Health, 82*(3), 397-405.

Park, Y. L., Kim, W., Chae, J. H., Oh, K. S., Frick, K. D., & Woo, J. M. (2014). Impairment of work productivity in panic disorder patients. *Journal of Affective Disorders*. 157, 60-65.

Patel, V., Chisholm, D., Parikh, R., Charlson, F. J., Degenhardt, L., Dua, T., Ferrari, A. J., Hyman, S., Laxminarayan, R., Levin, C., Lund, C., Mora, M. E. M., Petersen, I., Scott, J., Shidhaye, R., Vijayakumar, L., Thornicroft, G., & Whiteford, H. (2016). Addressing the burden of mental, neurological, and substance use disorders: Key messages from Disease Control Priorities, 3rd edition. *Lancet, 387*, 1672-1685.

Pennsylvania Health Care Cost Containment Council. (2001). *PHC4 FYI: Employee Health Promotion Programs Can Help Contain Costs*. Harrisburg, PA: PHC4. *http://www.phc4.org/reports/FYI/docs/phc4fyi4.pdf*

Quayle, D. (1983). American productivity: The devastating effect of alcoholism and drug abuse. *American Psychologist, 38*(4), 454-458.

Ramananthan, C. S. (1992). EAPs response to personal response and productivity: Implications for occupational social work. *Social Work, 37*(3), 234-239.

Rice, P. L. (1987). *Stress and Health*. Pacific Grove, CA: Brooks & Cole Publishing.

Richmond Times-Dispatch. (1982). *Man Held in 13 Killings Termed Victim of Persecution Complex*, A-11.

Richmond, M. K., Pampel, F. C., Wood, R. C., & Nunes, A. P. (2015). The impact of employee assistance services on workplace outcomes: Results of a prospective, quasi-experimental study. *Journal of Occupational Health Psychology, Dec 14, 2015*. http://dx.doi.org/10.1037/ocp0000018

Riedel, J. E., Grossmeier, J., Haglund-Howieson, L., Buraglio C., Anderson, D. R., & Terry, P.E. (2009). Use of a normal impairment factor in quantifying avoidable productivity loss because of poor health. *Journal of Occupational and Environmental Medicine, 51*(3), 283-295.

Roman, P. M. (1989). EAPs have been the last stop for unwanted duties. *Employee Assistance, 2*(4), 8-9.

Roman, P. M. & Blum, T. C. (1985). The core technology of employee assistance programs. *The Almacan, 15*(3), 8-19.

Royce, J. E. (1981). *Alcohol problems and alcoholism*. New York: Free Press.

Schmidt, F. L., Hunter, J. E., & Muldrow, T. (1979). Impact of valid selection procedures on workforce productivity. *Journal of Applied Psychology, 64*(6), 609-626.

Schore, L. & Atkin, J. (1993). Stress in the workplace. In P. A. Kurzman & S. H. Akabas (Eds.), *Work and well-being*(pp. 316-331). Washington, DC: National Association of Social Workers.

Sciegaj, M,, Garnick, D. W., Horgan, C. M., Merrick, E. L., Goldin, D., Urato, M., & Hidgkin, D. (2001). Employee assistance programs among

Fortune 500 firms. *Employee Assistance Quarterly, 16*(3), 25-35.

Shemo, J. P. (1985). Cost-effectiveness of providing mental health services: The offset effect. *International Journal of Psychiatry in Medicine, 15*(1), 19-31.

Sherman, B. (2004). Work-life balance: Key component of an integrated HPM strategy. *Health & Productivity Management, 3*(3), 19-20.

Simon, G, E., Barber, C., Birnbaum, H. G., Frank, R. G., Greenberg, P. E., & Rose, R. M. (2001). Depression and work productivity: The comparative costs of treatment versus nontreatment. *Journal of Occupational and Environmental Medicine, 43*(1), 2-9.

Simon, G. E. (2003). Social and economic burden of mood disorders. *Biological Psychiatry, 54*(3), 208-215.

Smith, M. (1989). Some British data concerning the standard deviation of performance. *Journal of Occupational Psychology, 62*(2), 189-190.

Smits, S. S. & Pace, L. A. (1992). *The Investment Approach to Employee Assistance Programs*. Westport, CT: Quorum Books.

Society for Human Resource Management. (2008). *2007 Benefits: A Survey Report by SHRM*. Alexandria, VA: SHRM.

Steele, P. D. (1988). A history of job-based alcoholism programs: 1955-1972. *Journal of Drug Issues, 19*(4), 511-532.

Steel, Z., Marnane, C., Iranpour, C., Chey, T., Jackson, J. W., Patel, V., & Silove, D. (2014). The global prevalence of common mental disorders: A systematic review and meta-analysis 1980 – 2013. *International Journal of Epidemiology. 43*(2), 476 – 493.

Stewart, W. F., Ricci, J. A., Chee, E., Hahn, S. R., & Morganstein, D. (2003). Cost of lost productive work time among US workers with depression. *The Journal of the American Medical Association, 289*(23), 3135-3144.

Sullivan, W. C. (1906). *Industry and alcoholism, Journal of Mental Science, 52*, 505-514.

Summerfield J. & Van Oudtshoorn, L.(1995). *Counselling in the Workplace*. London: CIPD.

Tanner, R. M. (1991). Social work: The profession of choice for EAPs. *Employee Assistance Quarterly, 6*(3), 71-84.

Ursano, R. J., Fullerton, C. S., & Norwood, A. E. (2003). *Terrorism and*

Disaster: Individual and Community Mental Health Interventions. Cambridge, UK: Cambridge University Press.

Ursano, R. J. & Norwood, A. E. (2003). *Trauma and Disaster Responses and Management*. Washington, DC: American Psychiatric Publishing.

U.S. Department of Justice. (2016). *HR Order DOJ1200.1: Part 7, Chapter 7-1, Employee Assistance Program. https://www.justice.gov/jmd/hr-order-doj12001-chapter-7-1-employee-assistance-program*

U.S. Department of Labor. (1977). *OSHA 2288 Investigating Accidents in the Workplace*. Washington, DC: U.S. Department of Labor.

U.S. Department of Labor. (1990). *What Works: Workplaces without Drugs*. Washington, DC: Department of Labor

U.S. Department of Transportation. (2008). *Operating Administrations' Drug and Alcohol Program Information*. http://www.dot.gov/ost/dapc/oamanagers.html

Van Den Bergh, N. (1995). Employee assistance programs. In R. L. Edwards & J. G. Hopps (Eds.), *Encyclopedia of Social Work* (pp. 842-848). Washington, DC: NASW Press.

Van Den Bergh, N. (2000). *Emerging Trends for EAPs in the 21st Century*. Binghamton, NY: The Haworth.

Vigo, D., Thornicroft, G., & Atun, R. (2016). Estimating the true global burden of mental illness. *Lancet Psychiatry*, 3(2), 171-178.

Vineburgh, N. T., Gifford, R. K., Ursano, R. J., Fullerton, C. S., & Benedek, D. M. (2007). Workplace disaster preparedness and response. In R. J. Ursano, C. S. Fullerton, L. Weisaeth, & B. Raphael (Eds.), *Textbook of Disaster Psychiatry*. London: Cambridge University Press.

Walker, E. R., McGee, R. E., & Druss, B. G. (2015). Mortality in mental disorders and global disease burden implications: A systematic review and meta-analysis. *JAMA Psychiatry, 72*(4), 334-341.

Walsh, J. K. (2004). Clinical and socioeconomic correlates of insomnia. *Journal of Clinical Psychiatry, 65*(8), 13-19.

Walsh, D. C. (1982). Employee Assistance Programs. *Milbank Memorial Fund Quarterly, 60*(3), 492-517.

Williams, L. J. & Anderson, S. E. (1991). Job satisfaction and organizational commitment as predictors of organizational citizenship and in-role behaviors. *Journal of Management, 17*(3), 601-617.

Woo, J. M., Kim, W., Hwang, T. Y., Frick, K. D., Choi, B. H., Seo, Y. J., Kang, E. H., Kim, S. J., Ham, B. J., Lee, J. S., & Park, Y. L. (2011). Impact of depression on work productivity and its improvement after outpatient treatment with antidepressants. *Value Health, 14*(4), 475-482.

Work & Family Connection. (2005). The Most Important Work-Life Related Studies. Minnetonka, MN: Work and Family Connection.

World Health Organization. (2001). *The World Health Report 2001-Mental Health: New Understanding, New Hope*. Geneva, Switzerland: WHO.

World Health Organization. (2008). *Depression: What is depression? http://www.who.int/mental_health/management/depression/definition/en*

Wright, D. A. (1985). Policy and procedures: The essential elements in an EAP. In S. H. Klarreich, J. L. Francek, & C. E. Moore (Eds.), *The Human Resources Management Handbook: Principles and Practice of Employee Assistance Programs* (pp. 13-23). New York: Praeger.

Yum, B., Roh, J., Ryu, J., Won, J., Kim, C., Lee, J., & Kim, K. (2006). Symptoms of PTSD according to individual and work environment characteristics of Korean railroad drivers with experience of person-under-train accidents. *Journal of Psychosomatic Research, 61*(5), 691 - 697.